McGRAW-HILL

French

ANNOTATED TEACHER'S EDITION

rencontres
second part

Jo Helstrom

Conrad J. Schmitt

Webster Division
McGraw-Hill Book Company

NEW YORK • ST. LOUIS • SAN FRANCISCO • ATLANTA
AUCKLAND • BOGOTÁ • DALLAS • HAMBURG
LONDON • MADRID • MEXICO
MONTREAL • NEW DELHI • PANAMA • PARIS • SÃO PAULO
SINGAPORE • SYDNEY • TOKYO • TORONTO

Contents

Introduction

The front matter of the Teacher's Edition of the *McGraw-Hill French* program presents the following information:

- A description of *McGraw-Hill French,* including the philosophy of the program and features and benefits of the program

- The organization of *McGraw-Hill French,* which includes a description of the Teacher's Resource Kit, a description of the Student Text, and a description of all the ancillary materials

- How to use *McGraw-Hill French,* with teaching suggestions for each lesson part, sample lesson plans, and a detailed table of contents

- Reference lists for *McGraw-Hill French,* including French names, useful classroom words and expressions, and answers to all exercises and activities in the Student Text

In addition to the front matter, the blue overprint on each page of the Student Text provides the following information:

- Teaching suggestions for specific exercises and activities

- Suggestions for expanding specific exercises

- Material considered optional

- Material recorded on the Cassette Program

In each lesson it is also noted for teachers when to include activities from the Cassette program, when to assign specific exercises from the Workbook, and when to administer quizzes included in the Teacher's Resource Kit.

SECTION ONE Description of *McGraw-Hill French*

McGraw-Hill French—**Rencontres First** and **Second Parts** and **Connaissances**—is a program designed for both the learner and the teacher of French at the junior high and senior high school level in the United States. Each level of the program includes the following items:

- Student Text
- Teacher's Edition
- Teacher's Resource Kit
- Overhead Transparencies
- Cassette Program
- Student Tape Manual
- Workbook
- Test Package
- Computer Software Program

Philosophy of the program

The main objective of the *McGraw-Hill French* program is to enable students to attain a measurable degree of communicative competency and proficiency in each of the four language skills: listening, speaking, reading, and writing. Every effort has been made to present the language in an interesting and stimulating context so that the students' experience in acquiring a second language will be an enjoyable one.

Another equally important objective of the program is to allow French teachers flexibility so that they will feel comfortable with the material. Every effort has been made to present the material in such a way so that teachers can adapt the program to their own teaching styles and methodological preferences.

Features and benefits

• Flexibility

McGraw-Hill French can be used in large or small group instruction, with slower or more able students, using a variety of teaching techniques. This flexibility is made possible through the wide range of exercises and activities provided within the Student Text, in the Cassette Program, and in the Workbook; and the multiplicity of teacher's aids available in the Teacher's Resource Kit and the range of optional materials presented in the Student Text.

• Logical organization

STRUCTURE   The material is sequenced and programmed to make the acquisition of the structure of the language as logical as possible. Simpler concepts are presented before more complex ones. Regular patterns are presented before irregular ones. Irregularities are grouped together to make them appear as regular and as logical as possible. In keeping with our major objective of communicative competency, more frequently used (or needed) structures precede the introduction of less frequently used ones. Each lesson presents from one to three structure concepts so that students will feel comfortable with the amount of grammar they must grasp in each lesson.

4

VOCABULARY A realistic amount of vocabulary is presented in each lesson—approximately ten to fifteen words per lesson. Words are "collocated" into logical communicative groupings. By this we mean that students are given the ten to fifteen words they would need in order to communicate effectively about a specific situation. The words presented in each lesson pertain to the particular communicative situation being developed in that lesson.

• Logical presentation

The **Vocabulaire** section of each lesson presents the new words that should become an active part of the students' vocabulary. A large percentage of the words are presented in isolation accompanied by a simple, concise drawing so that there is no confusion in meaning and so that students can easily study, learn, and review the new vocabulary on their own. These new words are immediately put into a situational context. In order to add variety, the new words are used in either sentences, short conversations, or short narratives—all of which hold to the particular situation of the lesson. The structure concepts to be taught in the lesson are also introduced in the **Vocabulaire** section. The exercises in the **Vocabulaire** encourage students to use and to have fun with their new language. All new material appears in bold type so that both students and teachers will know exactly which words are new.

• Grammar presentation

The approach used in the teaching of grammar permits teachers to select the teaching technique with which they feel most comfortable. The new structures are introduced either through contextualized sentences, conversations, narratives, or activities in the **Vocabulaire** section. Teachers who wish to use the discovery approach can have students explore the structure concept being introduced before they ever reach the grammatical explanation.

The grammatical explanations under **Structure** that follow the **Vocabulaire** are in English and are accompanied by many examples. Students can also come to their own conclusions if teachers wish to use an inductive approach. If teachers prefer to use a deductive approach, the grammar explanation can be given first. A variety of grammar exercises and activities follow the grammatical explanations. If teachers wish to have their students practice a grammatical point before going over the explanation, the additional supplementary oral drills provided in the Teacher's Resource Kit can be used.

This multiple approach to the presentation, learning, and teaching of grammatical concepts enables teachers to choose the method they feel best suits their needs and those of their students.

• Variety

McGraw-Hill French offers a wide range of exercises and activities that lead students to communicative competency. At the same time, the wide variety of exercises and activities that are provided minimize the possibility of boredom. Some examples of the types of exercises the students will encounter are: short conversations, short story narratives, answering questions, answering personal questions, role playing (a new friend just arrived from France; tell him/her how to get to your house to visit you), conducting or taking part in an interview, etc. Many activities in the texts are based on authentic cultural realia. As students look at the realia in their texts, they will answer questions and talk about such real-life situations as buying a plane ticket, filling out a hotel registration form, reading a menu, following a recipe, reading an advertisement, etc. Many activities in the text are also based on illustrations that depict only the subject matter that students can truly talk about. Using these illustrations, students can answer questions, make up stories, ask questions of one another, and role play by pretending they are the people in the illustration.

To make the exercises and activities more valuable as teaching/learning tools, almost every exercise in *McGraw-Hill French* progressively builds to tell a story. The eight or ten individual items of an exercise hold together to tell a new complete story. Rather than present a series of isolated, nonrelated sentences, each exercise in its totality adheres to a communicative situation or context.

• Culture

McGraw-Hill French is based on the premise that language cannot be separated from culture. French is the language of culture groups consisting of millions of people living on several continents, including millions of people in North America. In each lesson of *McGraw-Hill French,* students will learn up-to-date, authentic information about the French-speaking world. They will learn how people live, where they live, and what their customs and mores are. Most of the cultural information is found in the **Lecture culturelle** section of each lesson. In addition, cultural information is given in the **Activités** and **Galerie vivante** sections of each lesson of the Student Text and in the **Un peu plus: Vocabulaire et culture** section of the Workbook. After every four lessons there are additional *optional* cultural readings (**Lectures culturelles supplémentaires**) that teachers can either assign to groups, to individuals, or to the entire class, or that they can omit completely. All photographs in the program are authentic and contemporary and relate to the specific cultural theme of the lesson.

In order to be authentic in the presentation of culture, all areas of the French-speaking world are included. Stereotypes and broad generalizations have been avoided. Additional cultural information for each lesson is available in the Culture Booklet provided in the Teacher's Resource Kit. It is left up to the discretion of the teacher to decide how much additional information he/she wishes to give the students.

• Natural language

One of the most difficult tasks in developing materials for beginning language learners is to keep the language simple but, at the same time, natural and realistic. *McGraw-Hill French* has been able to bring these two worlds together through the inclusion of short sections within the text entitled **Expressions utiles.** For example, in Lesson 16 students learn several colloquial expressions in French:

> **C'est vachement chouette!**
> **Il fait vachement beau!**
> **Ça ne fait rien!**

• Reinforcement and review

McGraw-Hill French has a cyclical review built into the material. Each word or structural point is reintroduced and reinforced many times throughout the exercises in subsequent lessons. In addition to this type of re-entry, there is a review lesson (**Révision**) after every four lessons. Also, at the beginning of the intermediate text, *McGraw-Hill French* **Connaissances,** there are six review lessons that cover all the important material presented in the Level 1 text, *McGraw-Hill French* **Rencontres.**

Since every exercise of the text tells a story, the situations presented in some lessons are frequently reintroduced in a slightly different context in exercises of subsequent lessons.

• **Productive and receptive skills**

The major goal of *McGraw-Hill French* is to enable students to attain a measurable degree of communicative competency in the language. Accepting this as our major goal, we recognize the need to differentiate between productive and receptive skills, once referred to as active and passive skills. What students should be able to do or to produce is included in each lesson of Student Text. However, we have presented material that will train students not to fear any new or unfamiliar vocabulary and structure they may encounter. Students can receive more information passively than they can produce actively. Nonetheless, students need assistance in acquiring the receptive skills, just as they need assistance in acquiring the productive skills. Therefore, practice is needed in this area. Each lesson of the Cassette Program includes two parts. The first part (**Première partie**) of each lesson provides practice in the productive skills. The second part (**Deuxième partie**) includes real announcements, conversations, advertisements, etc., which use words or expressions that students have not yet learned to produce. Nonetheless, students should, from the viewpoint of communicative competency, be able to receive and understand at least the basic message from what they have just heard. This enables students to experience the realities of using and understanding a foreign language in a natural setting, within the classroom. Although students may not have understood every single word, they got the main idea!

The **Un peu plus: Vocabulaire et culture** section of the Workbook that accompanies the text enables students to read material that contains some words and structures they cannot produce actively. Nonetheless, they should be able to understand or receive the essence of the selection. Word studies are also included to help students guess the meanings of words based on some previous knowledge of the language. *McGraw-Hill French* considers receptive skill development an important aspect of language acquisition since communicative competency is the major goal.

• **Youth-oriented**

McGraw-Hill French deals specifically with topics of interest relevant to teenagers today. The young people the program presents are the youth of the French-speaking world. The situational topics of each lesson deal with themes and life-styles that young people can relate to. They learn about their peers in a French-speaking environment. However, it must be stated that to deal solely with youth-oriented topics in a secondary school language program would, in our estimation, be ultimately detrimental to most language learners. Most students, except the fortunate few, will reap the benefits of their language learning at a later age. *McGraw-Hill French* has addressed this problem. In one lesson students will learn to communicate about such adult topics as taking a plane trip. The vocabulary in the lesson deals with airline travel, but the situation or reason for the air travel focuses on a group of young people flying off to the slopes to ski. Thus, the interests of the young are included with the needs of adults. These needs are needs that our youngsters will experience tomorrow. Let's make their language study interesting to them today but still useful to them tomorrow. «**Bienvenus à bord!**»

SECTION TWO Organization of *McGraw-Hill French*

Teacher's Resource Kit

To assist teachers in adapting the material of *McGraw-Hill French* to their own teaching styles and to the needs of their individual classes, the following aids are provided in the Teacher's Resource Kit:

- A Teacher's Edition of the Workbook containing all the answers to the exercises and activities in the Student Workbook.
- A booklet with additional cultural information for each lesson of the student text.
- A booklet of optional supplementary oral drills for every structure point presented in the Student Text.
- Blackline masters, for easy duplication, containing a detailed explanation in English of any grammatical term used in the Student Text.
- The Tape Script for all the recorded material in the Cassette Program, including the answers to all the recorded activities.
- Blackline masters containing quizzes for every part of every lesson.
- A booklet with the answers to all the quizzes.
- Blackline masters containing a list of all the new words in each lesson accompanied by the English definitions.

Student Text

The Student Text of *McGraw-Hill French* **Rencontres Second Part** is divided as follows:

Révision A
Révision B
Révision C
Leçon 13
Leçon 14
Leçon 15
Leçon 16
Révision
Lectures culturelles supplémentaires
Leçon 17
Leçon 18
Leçon 19
Leçon 20
Révision
Lectures culturelles supplémentaires
Leçon 21
Leçon 22
Leçon 23
Leçon 24
Révison
Lectures culturelles supplémentaires
Leçon 25
Verb Charts
French-English Vocabulary
English-French Vocabulary
Index

The Level 2 text, *McGraw-Hill French* **Connaissances** begins with six review lessons covering all the important material presented in *McGraw-Hill French* **Rencontres.** Most of the material taught in Lessons 21 through 25 of *McGraw-Hill French* **Rencontres** is presented again in the beginning of *McGraw-Hill French* **Connaissances.**

Révision lessons

McGraw-Hill French **Rencontres Second Part** begins with three review lessons covering all the important material presented in **Rencontres First Part.** It is not necessary to complete or to teach the final unit of **Rencontres First Part** in order to make a smooth transition to **Rencontres Second Part.**

Organization of a lesson

Each lesson of *McGraw-Hill French* is divided into the following parts:

- **Vocabulaire**
- **Structure**
- **Prononciation**
- **Expressions utiles**
- **Conversation**
- **Lecture culturelle**
- **Activités**
- **Galerie vivante**

VOCABULAIRE The **Vocabulaire** section presents all the important new words of the lesson. Almost all words are first presented in isolation accompanied by a precise illustration that depicts the meaning of the word. This permits students to learn, study, and/or review the new words on their own.

The new words are immediately used in context to make them more meaningful. To add variety, the words may be used in sentences, definitions, short conversations, or narratives—all of which pertain to the communicative situation of the lesson. The new structure point of the lesson is introduced in these contextualized segments. The contextualized segments are also accompanied by illustrations or photographs to reinforce meaning.

All new words are highlighted in bold type so that both students and teachers will know exactly which words are new in each lesson.

The **Vocabulaire** section will sometimes contain a **Note,** explaining the formation of cognates and word derivations. The **Note** will also deal with false cognates when necessary.

Vocabulary exercises are interspersed throughout the **Vocabulaire** section. Students learn a few new words and are encouraged to put them to use immediately. Teachers do not have to wait until all the vocabulary has been presented before they assign or go over an exercise. The exercises also deal with the particular communicative situation of the lesson.

STRUCTURE The **Structure** section immediately follows the vocabulary presentation and opens with a detailed grammatical explanation in English. The explanation is accompanied by many examples and charts to facilitate the students' learning of the grammatical concept.

The grammar exercises that follow the grammatical explanation are extremely varied to prevent boredom. Almost all exercises tell a story on their own. The story of the exercises may deal with the new communicative situation of the lesson, review the information learned in a previous lesson, or present a new and interesting cultural point.

The exercises in the **Structure** section are of the following types: answering questions, talking about yourself by answering personal questions, interviews, forming questions, making up statements, short conversations, discussions concerning the conversations, and short narratives. Each exercise, of course, deals only with the new structure or grammar point being taught. Some exercises are based on a visual cue such as an illustration, photograph, or cultural realia.

PRONONCIATION   The **Prononciation** section gives a brief explanation in English of the sound or sounds being studied. When appropriate or necessary, suggestions are given as to the correct position of the tongue or lips needed to pronounce each sound correctly.

Each sound is followed by a series of words to enable students to practice the new sound. Groups of words containing the sound or sounds are given in the **Pratique et dictée** section. Dictations are also provided in the Cassette Program.

EXPRESSIONS UTILES   The **Expressions utiles** section presents common, everyday expressions that are frequently used in natural speech. An example is *Zut!,* or *Zut alors!*

The placement of the **Expressions utiles** section varies from lesson to lesson. The expressions are introduced as needed to give a natural flavor to whatever aspect of the language is being learned. In all cases, students are given the opportunity to spice up their language by using these new natural and authentic expressions.

CONVERSATION   The **Conversation** section of each lesson reincorporates the vocabulary, structure, and useful expressions taught in the lesson and enables students to discuss the new situation they have learned in the particular lesson. Each conversation is followed by one or more communicative exercises that stimulate discussion.

LECTURE CULTURELLE   The **Lecture culturelle** section in each lesson is a short reading selection that takes the communicative situation of the lesson and puts it into a cultural setting. Most selections deal with everyday life situations in the French-speaking world. Some examples are: shopping customs, school life, afterschool activities, fashion, video games, physical fitness, cafés, leisure time activities, vacations, transportation, and the post office. Through these reading selections, students acquaint themselves with the culture of the people who speak the language they are learning.

The **Lecture culturelle** is followed by a series of exercises that encourage students to talk or to write about what they have just read. There are many different types of exercises included, such as answering questions, correcting false statements, completing statements, matching columns, and multiple-choice exercises.

ACTIVITÉS   The **Activités** section of each lesson of *McGraw-Hill French* encourages and enables students to use on their own, but with necessary guidance, the core of all the language and information they have acquired to date. Every effort has been made to make these activities real and authentic. Students are encouraged to use the language in natural, real-life situations. Students prepare conversations and reports. They write postcards and letters, address envelopes, prepare their autobiography. Heavy use is made of interviews in which students can work in small groups and truly personalize the language. Much realia is included in the **Activités** section. Students look at plane tickets, theatre tickets, advertisements, magazine or newspaper articles—all of which are accompanied by activities that permit students to use the language they have learned in real-life settings. The use of realia as an integral part of the text frees teachers from the burden of having to find their own realia to liven up the lesson. Whenever appropriate, artwork and photographs have been included to assist students in using the new language on their own.

GALERIE VIVANTE   Each lesson concludes with a **Galerie vivante** section. The magazine section includes photographs and realia that once again bring to life the cultural content of the lesson. They serve as the students' vicarious voyage into the real French-speaking world. To increase the enjoyment that students will get from these **Galerie vivante** sections, there are no "exercises" provided. Each photograph or piece of realia is accompanied by a small amount of information in French that students can easily read. The commentary purposely imbeds several questions that students can either think about or actually respond to.

RÉVISION   After every four lessons there is a **Révision** unit that reviews all the material presented in the previous four lessons. There are three **Révision** units included within *Rencontres Second Part.*

LECTURES CULTURELLES SUPPLÉMENTAIRES   After every **Révision,** there are several optional reading selections that give an in-depth view of life-styles within specific areas of the French-speaking world. The optional reading selections contain only previously learned structures. Any new vocabulary is presented and footnoted. Vocabulary from the optional readings is never incorporated into the basic lessons without being completely retaught.

Description of the ancillary materials

Following is a description of each of the ancillary materials included in the *McGraw-Hill French* program.

Overhead Transparencies

A set of overhead transparencies—in color—is provided to assist teachers in presenting the new vocabulary of each lesson. A transparency is available for every new vocabulary item taught in the **Vocabulaire** section of each lesson. The overhead transparencies can also be used to introduce and reinforce grammatical concepts.

Cassette Program

The cassette program that accompanies *McGraw-Hill French* provides students with additional activities to improve both their productive and receptive aural/oral skills. Special features of the cassette program are:

- the use of native speakers to acquaint students with pronunciation differences.

- the use of sound effects with many of the activities to make them more lifelike and authentic.
- the use of songs to help students enjoy the language.

All material is recorded at a natural rate of speed. The Tape Script for all recorded material, along with the answers to all the activities, is provided in the Teacher's Resource Kit that accompanies the program.

TYPES OF RECORDED ACTIVITIES   The recorded activities for each lesson are divided into two parts—**Première partie** and **Deuxième partie.**

The **Première partie** includes the following types of activities:

Repeat   All vocabulary words presented in isolation in the **Vocabulaire** section are recorded and students are told to repeat each word after the model speaker. This activity assists students in developing good pronunciation habits.

Listen   Students listen to an uninterrupted, lively recording of the contextualized material in the **Vocabulaire** section. In some lessons, students also listen to a lively recording of the **Conversation,** complete with realistic sound effects.

Listen and repeat   Students listen to the sounds, words, and the sentences in **Pratique et dictée** from the **Prononciation** section and repeat after the model speaker.

Listen and answer   The types of activities under the *Listen and answer* category are quite varied. Some types of activities are: 1) students listen to a question and answer it; 2) students take part in an interview; 3) a speaker on the cassette instructs students as to what type of response they are to give to the particular stimulus; 4) the speaker gives the students a personal type of question and students respond with an open-ended answer. Most of the exercises in the *Listen and answer* category are different from those in the Student Text.

Listen and choose   The speaker gives the students an oral stimulus—a word, a sentence, a question, an extremely short conversation etc.—and students are given an activity to do in their Student Tape Manual. This may consist of writing a letter over an illustration, circling a response, checking A or B on their activity sheet. Most of the exercises in the *Listen and choose* category are also different from those that appear in the Student Text. At times, students listen to a somewhat longer passage in the form of a conversation or narrative. They are then given various types of exercises in their Tape Manual to determine if they understood the passage.

Discrimination   The speaker gives the students directions as to what they are to listen for. The speaker then gives an oral stimulus and students check the correct information on their activity sheet in the Student Tape Manual. These exercises train students to listen for grammatical cues such as singular/plural; masculine/feminine; present/past, etc.

Listen and write   This is a dictation. The speaker gives the students material from the **Prononciation** section and students are to write what they hear on their activity sheet in the Tape Manual. This activity consists of two parts: 1) known words given in isolation; 2) sentences using known words. The new words in isolation contain the particular sound being studied. Both students and teachers can then determine whether or not the students are able to give the correct printed representation of a known sound in an unfamiliar word.

Songs   Each unit contains a song that can be enjoyed and sung by the class. The words to the songs are printed in the Tape Script in the Teachers Resource Kit.

The **Deuxième partie** of the recorded material for each lesson is optional, but it introduces an aspect of language learning that is extremely important in the development of communicative competency. In this section, students hear announcements, conferences, lectures, conversations, advertisements, broadcasts, etc. Much of what they hear contains language they already know, but unlike the recorded material in the first part, students will hear some new words and some unfamiliar structures. These passages are intended to give students training in the development of receptive skills—since listening comprehension itself is a receptive skill. Although students may not understand every word they hear, they should be able to get the basic idea or the essence of what they just heard. A series of activities such as those described above accompany each passage in the **Deuxième partie.**

The complete Tape Script of the recorded program is included in the Teacher's Resource Kit. The script also includes the answers to all tape activities.

All activities to which students must respond orally are four phase: stimulus, pause for response, recording of the correct response, pause to make correction. The only exception to this is in the case of activities that have open-ended responses.

Workbook

The workbook that accompanies the *McGraw-Hill French* program contains a multitude of written exercises to supplement the material presented in the Student Text.

CONTENT OF THE WORKBOOK   To prevent boredom, a wide variety of exercises is provided in the Workbook. Examples are: 1) fill-in-the-blank; 2) answer a question; 3) give a synonym; 4) give an antonym; 5) match Column A with Column B; 6) multiple choice; 7) form a question; 8) complete a statement; 9) complete a narrative; 10) rewrite a paragraph changing the subject; 11) rewrite a paragraph changing the tense.

The Workbook also contains many exercises based on visual cues such as illustrations, realia, and photographs. These exercises lead students to self-expression such as 1) writing original sentences, 2) writing original questions, 3) writing original paragraphs.

In developing self-expression, students are also given postcards and letters to read. They are then told to respond to the postcard or letter.

Throughout the Workbook, the students are told to write their autobiography. After every several lessons, they are given instructions to add to their autobiography based on the content of the lessons they have just learned. Most exercises in the Workbook require students to work with the language on their own rather than to have them give fixed, mechanical responses. As in the Student Text, almost all exercises in the workbook tell a story so that upon completion of a given exercise, students can read it in its entirety to receive a complete situational narrative or dialogue. The exercise in its totality conveys a coherent message rather than being made up of a series of isolated sentences.

UN PEU PLUS: VOCABULAIRE ET CULTURE   Each lesson of the Workbook contains a section called **Un peu plus: vocabulaire et culture,** which gives students additional interesting cultural information based on the cultural theme of the lesson they have just learned. This section includes explanations and exercises that help students expand and enrich their vocabulary. Particular emphasis is placed on cognates and word development (making a noun from a verb). Students are also shown the similarities between the Romance languages. This will show them how learning French will assist them in understanding and acquiring another language.

Another objective of the **Un peu plus** section is to train students in the development of their receptive skills. Realia from newspapers and magazines are included. Although students cannnot understand every word, they are shown how they can get the main message from what they are reading. Exercises to help them do this accompany each piece of realia.

GAMES AND PUZZLES   Every lesson of the workbook contains a game or puzzle in French so that students can enjoy and have fun with their new language. The inclusion of games and puzzles rids the teachers of the burden of having to make up their own. Following are additional suggestions for some games that students may enjoy:

1. Bring six people to the front of the room. Divide the six into two teams of three. Call on another person to serve as master of ceremonies. The master of ceremonies either makes up a statement or reads one prepared by the teacher. The statement contains a blank to be filled in with any appropriate completion. (Example: **Les élèves descendent _____.**) If two members of the same team write the same answer, that team receives a point. (Example: If two members of the same team say **de l'autobus,** the team receives a point. If each member of the team, however, gives a different response, the team receives no points.) Give each team six to eight items, add up the score, and decide the winning team.

2. Give students a ditto sheet containing a series of simple drawings. Let them look at the drawings for two minutes. On a separate sheet of paper have them write as many items as they recall. The person who writes the most correct items wins.

3. After several lessons of the book have been completed, students can play **Qui suis-je?** Call one student to the front of the room or permit him or her to speak from his or her seat. The student gives a statement and calls on an individual to guess who he or she is. If the other person cannot guess, the original student gives another statement or clue and calls on another individual.

This game can be played in the reverse. One student decides who he or she is. Another student asks questions such as **Es-tu français?** and so forth. The original student answers *oui* or *non* until the questioner guesses who he or she is. Set a time limit of approximately 90 seconds.

4. Have a student give a brief description of a classmate. Other members of the class guess who is being described.

5. Quiz Game: Two teams of three students each come to the front of the room. The teacher gives the master of ceremonies a series of questions based on information learned in the text. The first student from either team who rings a bell is called upon to respond. Each correct answer is worth 5 points. If the student answers incorrectly, five points are deducted. The team receiving more points in 5 minutes wins.

6. The teacher may wish to obtain a copy of *Games for Second Language Learning* by Gertrude Nye Dorry, McGraw-Hill, 1966 (Code 0-07-017653-1) for additional suggestions for games that can be used in the classroom situation.

• **RÉVISION/SELF-TEST**   For each **Révision** unit (one after every four lessons), the workbook provides a **Self-Test** for students. Answers to the Self-Tests are provided at the end of the Workbook. After students correct their own tests, they are told which page or pages they should review in the Student Text if they have missed particular items on the Self-Test. The purpose of this activity is to help students prepare for the Unit Test that appears in the Test Package.

A Teacher's Edition of the Workbook containing answers to all the exercises appears in the Teacher's Resource Kit. If teachers prefer that students correct their own exercises, the Workbook answers can be easily duplicated and distributed to students.

• Test Package

In addition to the quizzes in the Teacher's Resource Kit, *McGraw-Hill French* offers a complete Testing Program. The Test Package consists of:

- A Reading and Writing test for each lesson of the Student Text.
- A Reading and Writing Unit Test to accompany each **Révision** unit (after every four lessons).
- A Listening Comprehension Unit Test for each **Révision.**

The Reading and Writing tests and the student answer sheets for the Listening Comprehension tests are provided on Blackline Masters for easy duplication in the test booklet. The Listening Comprehension tests are recorded on the cassette provided within the Test Package.

The exercises on the tests contain a variety of formats to account for all teaching/learning modalities. Exercises include: fill-in-the blank, completion, answer questions, multiple choice, matching columns, visual stimuli, and recorded stimuli.

Each test includes exercises that test vocabulary, structure, reading, and culture. The answers to the tests appear in the front of the Test Booklet.

Computer software

McGraw-Hill French offers two computer software programs. One program provides for reinforcement of vocabulary and grammar concepts and the other program includes a presentation of a series of simulations and games.

Program One gives practice in and immediate correction of vocabulary and grammar concepts taught throughout Level 1. This computer program can act as reinforcement of previously taught concepts as well as preparation and review for a test.

Program Two allows students to "play" with the language they have learned through an interesting variety of simulations, activities, and games. The rewards are built directly into the program so that students are encouraged to pursue each simulation and activity to its conclusion.

SECTION THREE Using *McGraw-Hill French*

Suggestions for teaching each lesson part

One of the major objectives of the *McGraw-Hill French* program is to enable teachers to adapt the material of the program to their own methodological philosophy, teaching styles, and students' needs. As a result, we offer a variety of suggestions for the teaching of each lesson part.

Vocabulaire

GENERAL TECHNIQUES   The **Vocabulaire** section always contains some words in isolation accompanied by an illustration or photograph that depicts the meaning of the new word. In addition, new words are used in contextualized sentences. These contextualized sentences appear in the following formats: 1) one to three sentences accompanying an illustration or photograph, 2) a short conversation, 3) a short narrative or paragraph. In addition to teaching the new vocabulary, these contextualized segments of sentences introduce, but do not teach, the new structure point of the lesson.

A series of color transparencies is available. These transparencies contain all the artwork necessary to teach the new vocabulary. They can easily be projected as large visuals in the classroom for those teachers who prefer to introduce the vocabulary orally with books closed. The transparencies contain no printed words.

All the vocabulary in each lesson is recorded on the Cassette Program. Students are instructed to repeat the isolated words after the model speaker. Students listen to a lively, uninterrupted recording of the contextualized segment but do not repeat.

A vocabulary list for each lesson appears in the Teacher's Resource Kit on blackline masters for easy duplication. These vocabulary lists are divided by parts of speech and contain the English translation of each word. There are varying opinions among foreign language teachers today concerning the use of vocabulary lists. Some teachers prefer to give them to students as soon as they present the new vocabulary. Others prefer to give them to students as they are completing the lesson for review purposes prior to a final test. Other teachers do not use such lists because they prefer that students learn vocabulary without reliance on an English translation. Teachers should feel free to use these lists based on their own preferences and based on the needs of their own students.

SPECIFIC TECHNIQUES   *Option 1*   Option 1 for the presentation of vocabulary probably best meets the needs of those teachers who consider the development of oral skills a prime objective.

- While students have their books closed, project the transparencies. Point to the item being taught and have the students repeat the word after you or the cassette several times. After you have presented several words in this manner, project the transparencies again and ask questions such as
    > **C'est un grand magasin?**
    > **Qu'est-ce que c'est?**
    > **C'est la vendeuse?**
    > **Qui est-ce? (Leçon 14)**
- To teach the contextualized segments, project the transparency in the same way. Point to the part of the illustration that depicts the meaning of any new word in the sentence, be it an isolated sentence or a sentence from a conversation or narrative. Immediately ask questions about the sentence. For example, the following sentence appears in **Leçon 14.**

16

La vendeuse suggère un beau pull bleu.
La cliente préfère le vert.
Questions to ask are:
Qu'est-ce que la vendeuse suggère?
Qui suggère un beau pull bleu?
Qu'est-ce que la cliente préfère?
Qui préfère le vert?

- Dramatizations, in addition to the illustrations, can also help convey the meaning of many words such as **chanter, danser,** etc.
- After this basic presentation of the vocabulary, have students open their books and read the **Vocabulaire** section for additional reinforcement.
- Go over the exercises in the **Vocabulaire** section orally.
- Assign the exercises in the **Vocabulaire** section for homework. Also assign the vocabulary exercises in the Workbook. If the vocabulary section should take more than one day, assign only those exercises that pertain to the material you have presented.
- The following day, go over the exercises that were assigned for homework.
- Give the vocabulary list provided in the Teacher's Resource Kit after presenting the new vocabulary or as the lesson is being completed. If you prefer that your students not have the English translations before duplicating, you can cover the right-hand column containing the English definitions.

Option 2   Option 2 will meet the needs of those teachers who wish to teach the oral skills but consider reading and writing equally important.

- Project the transparencies and have students repeat each word once or twice after you or the cassette.
- Have the students repeat the contextualized sentences after you or the cassette as they look at the illustration.
- Open books and have students read the **Vocabulaire** section. Correct pronunciation errors as they are made.
- Go over the exercises in the **Vocabulaire** section.
- Assign the exercises of the **Vocabulaire** section for homework. Also assign the vocabulary exercises in the Workbook.
- The following day, go over the exercises that were assigned for homework.
- Give the vocabulary list provided in the Teacher's Resource Kit after presenting the new vocabulary or as the lesson is being completed. If you prefer that your students not have the English translations, before duplication you can cover the right-hand columns containing the English definitions.

Option 3   Option 3 will meet the needs of those teachers who consider the reading and writing skills of utmost importance.

- Have students open their books and read the vocabulary items as they look at the illustrations.
- Give students several minutes to look at the words and vocabulary exercises. Then go over the exercises.
- Give students the vocabulary list from the Teacher's Resource Kit. Have them study the list for homework and write the vocabulary exercises from the Student Text and the Workbook.
- Go over the exercises the following day.

EXPANSION ACTIVITIES   Teachers may use any one of the following activities from time to time. These activities can be done in conjunction with any of the options previously outlined.

- After the vocabulary has been presented, project the transparencies or have students open their books and make up as many original sentences as they can, using the new words. This can be done orally or in writing.
- Have students work in pairs or small groups. As they look at the illustrations in the book, have them make up as many questions as they can. They can direct their questions to their peers. It is often fun to make this a competitive activity. Individuals or teams can compete to make up the most questions in three minutes. This activity provides the students with an excellent opportunity to use interrogative words.
- Call on one student to read to the class one of the vocabulary exercises that tells a story. Then call on a more able student to retell the story in his/her own words.
- With slower groups you can have one student go to the front of the room. Have him/her think of one of the new words. Let classmates give the student the new words from the lesson until they guess the word the student in the front of the room has in mind. This is a very easy way to have the students recall the words they have just learned.

Structure

GENERAL TECHNIQUES   The **Structure** section of the lesson opens with a grammatical explanation. The grammatical explanation is always in English. Each grammatical explanation is accompanied by many examples. With verbs, complete paradigms are given. In the case of other grammar concepts such as object pronouns, many examples are given with noun vs. pronoun objects. Irregular patterns are grouped together to make them appear more regular. For example, **pouvoir** and **vouloir** are taught together in **Leçon 15.**

Whenever the contrast between English and French poses problems for students in the learning process, a contrastive analysis between the two languages is made. Two examples of this are the reflexive construction in Level 1 and the subjunctive in Level 2.

Certain structure points are taught more effectively in their entirety and others are more easily acquired if they are taught in segments. An example of the latter is the direct and indirect object pronouns. In one lesson we present **le, la, l', les,** immediately followed by **me, te, nous, vous** (as direct or indirect objects), followed by **lui, leur** in the next lesson.

The structure or grammar exercises that follow the grammatical explanation are plateaued or graded to build from simple to more complex. In the case of verbs with an irregular form, for example, emphasis is placed on the irregular form, since it is the one students will most often confuse or forget. However, in all cases, students are given one or more exercises that force them to use all forms at random. The first few exercises that follow the grammatical explanation are considered learning exercises because they assist the students in grasping and internalizing the new grammar concept. These learning exercises are immediately followed by test exercises—exercises that make the students use all aspects of the grammatical point they have just learned. This format greatly assists teachers in meeting the needs of the various ability levels of students in their classes.

These days students have a rather limited grasp of grammatical terminology. We have attempted to make the grammatical explanations as succinct and as complete as possible. We have purposely avoided extremely technical grammatical or linguistic jargon that most students would not understand. Nonetheless, it is necessary to use certain basic grammatical terms. In the Teacher's Resource Kit, there are blackline masters that explain every grammatical term used in the *McGraw-Hill French* program. The terms are presented in the order in which they appear in the Student Text. If teachers have students who need additional help in this area, the blackline masters can be easily duplicated and distributed to students.

Some of the grammar exercises from the Student Text are recorded on the Cassette Program. Whenever an exercise is recorded, it is noted in the blue print annotations next to the particular exercise. Many other grammar activities are included in the Cassette Program. It is annotated throughout the Teacher's Edition when a specific recorded activity can be administered.

The exercises in the Workbook also parallel the order of presentation in the Student Text. The teacher annotations indicate when certain exercises from the Workbook can be assigned.

There exists among foreign language teachers a great deal of controversy concerning the amount of drill work that should be provided, particularly in the area of structure. Some teachers feel that drill has been overdone and others feel that there is never enough drill and practice. In order to meet the needs of all teachers in this area, we have provided in the Teacher's Resource Kit a series of supplementary oral drills for every grammar point presented and taught in the Student Text. Teachers can use these drills at their own discretion, depending upon the needs of their individual classes and their own teaching styles and preferences.

SPECIFIC TECHNIQUES FOR PRESENTING GRAMMAR RULES *Option 1*
Some teachers prefer the deductive approach to the teaching of grammar. When this is the preferred method, teachers can begin the **Structure** part of the lesson by presenting the grammatical rule to students or by having them read the rule in their books. After they have gone over the rule, have them read the examples in their books or write the examples on the chalkboard. Then proceed with the exercises that follow the grammatical explanation.

Option 2   Other teachers prefer the inductive approach to the teaching of grammar. If this is the case, begin the **Structure** part of the lesson by writing the examples that accompany the rule on the chalkboard or by having students read them in their books. Let us take, for example, the direct object pronouns **le, la, l',
les.** The examples the students have in their books are:

Elle admire la voiture.	**Elle l'admire.**
Elle aime ces villes.	**Elle les aime.**
Paul regarde le pompiste.	**Paul le regarde.**
Vous conduisez la Citroën.	**Vous la conduisez.**
Nous regardons les panneaux.	**Nous les regardons.**

In order to teach this concept inductively, teachers can ask students to do or answer the following:

- Have students find the object of each sentence in the first column. Say it or underline the object if it is written on the board.
- Have students notice that these words disappeared in the sentences in the second column. Have students give (or underline) the word that replaced each one.
- Ask students what word replaced **la voiture, ces villes, le pompiste, la Citroën, les panneaux.**
- Ask: What do we call a word that replaces a noun?
- Ask: What direct object pronoun replaces a masculine noun? A feminine noun, etc.?
- Have students look again. Ask: What word replaces **le pompiste? La Citroën?**
- Ask: Can **le** or **la** be used to replace a person or a thing?
- Ask: Where do the direct object pronouns **le, la, l', les** go, before or after the verb?

By answering these questions, students have guessed, on their own, the rule from the examples. To further reinforce the rule, have students read the grammatical explanation and then continue with the grammar exercises that follow. Suggestions for the inductive presentation of the grammatical points are given in the Teacher's Edition annotations.

Option 3 Some teachers prefer to have students do some oral drill work before they learn the grammatical rule. In this case, teachers can do all or select some of the supplementary oral drills in the Teacher's Resource Kit before presenting the grammatical explanation. Upon completion of the drill work, teachers can present the explanation inductively or deductively as outlined in Options 1 and 2. Then continue with the grammar exercises in the Student Text.

SPECIFIC TECHNIQUES FOR TEACHING GRAMMAR EXERCISES In the development of the *McGraw-Hill French* series, we have purposely provided a wide variety of exercises in the grammar section so that students can proceed from one exercise to another without becoming bored. The types of exercises they will encounter are: short conversations, answering questions, conducting or taking part in an interview, making up questions, describing an illustration, filling in the blanks, multiple choice, completing a conversation, completing a narrative, etc. In going over the exercises with the students, teachers may want to conduct the exercises themselves or they may want students to work in pairs. The structure exercises can be gone over in class before they are assigned for homework or they may be assigned before they are gone over. Many teachers may want to vary their approach.

All the exercises in the Student Text can be done with books open. Many of the exercises—question-answer, interview, and transformation—can also be done with books closed.

Expansion exercises

• *Question exercises* The answers to the question exercises that have a title (which is almost every exercise in the program) build to tell a complete story. Once you have gone over the exercises by calling on several students (Student 1, numbers 1,2,3; Student 2 numbers 4,5,6 etc.), you can call on one student to give the answers to the entire exercise. Now the entire class has heard an uninterrupted story. Students can ask one another questions about the story, give an oral synopsis of the story in their own words, or write a short paragraph about the story.

• *Personal questions or interview exercises* Students can easily work in pairs or teachers can call a moderator to the front of the room to ask questions of various class members. Two students can come to the front of the room and the exercise can be performed—one student takes the role of the interviewer and the other takes the role of the interviewee.

• *Completion of a conversation* See Exercise 8, page 295 as an example. After students complete the exercise, they can be given time either in class or as an outside assignment to prepare a skit for the class based on the conversation.

Prononciation

SPECIFIC TECHNIQUES Have the students read on their own or go over with them the short explanation in the book concerning the particular sound that is being studied. For the more difficult sounds such as **ll, ieu, eu, oi, oin,** etc. teachers may wish to demonstrate the tongue and lip positions. Have students repeat the words after you or the model speaker on the cassette. Then let the students have some fun with the **Pratique et dictée.** Inform students that they will be responsible for spelling each word correctly for a dictation.

Conversation

SPECIFIC TECHNIQUES   Teachers may wish to vary the presentation of the **Conversation** from one lesson to another. In some lessons, the **Conversation** can be presented thoroughly and in other lessons it may be presented quickly as a reading exercise. Some possible options are:

- Have the class repeat the conversation after you twice. Then have students work in pairs and present the conversation to the class. The conversation does not have to be memorized. If students change it a bit, all the better.
- Have students read the conversation several times on their own. Then have them work in pairs and read the conversation as a skit. Try to encourage them to be animated and to use proper intonation. This is a very important aspect of the **Conversation** part of the lesson.
- Rather than read the conversation, students can work in pairs, having one make up as many questions as possible related to the topic of the **Conversation.** The other students can answer his/her questions.
- Once students can complete the exercise(s) that accompany the **Conversation** with relative ease, they know the **Conversation** sufficiently well without having to memorize it.
- Students can tell or write a synopsis of the **Conversation.**

Lecture culturelle

SPECIFIC TECHNIQUES   *Option 1*   Just as the presentation of the **Conversation** can vary from lesson to lesson, the same is true of the **Lectures culturelles.** In some lessons the teachers may want the students to go over the reading selection very thoroughly. In this case all or any combination of the following techniques can be used.

- Give students a brief synopsis of the story in French.
- Ask questions about the brief synopsis.
- Have students open books. Have students repeat several sentences after you or call on individuals to read.
- Ask questions about what was just read.
- Have students read the story at home and write the answers to the exercises that accompany the **Lecture culturelle.**
- Go over the exercises in class the next day.
- Call on a student to give a review of the story in his/her own words. If necessary, guide students to make up an oral review. Ask five or six questions, the answers to which review the salient points of the reading selection.
- After the oral review, the more able students can write a synopsis of the **Lecture culturelle** in their own words.

It may take only one class period to present the **Lecture** in the early lessons. In later lessons, teachers may wish to spend two days on those reading selections they want students to know thoroughly.

Option 2   With those **Lectures culturelles** that teachers wish to present less thoroughly, the following techniques may be used:

- Call on an individual to read a paragraph.
- Ask questions about the paragraph read.
- Assign the **Lecture culturelle** to be read at home. Have students write the exercises that accompany the **Lecture.**
- Go over the exercises the following day.

Option 3 With some reading selections, teachers may wish to merely assign them to be read at home and then go over the exercises the following day. This is possible since the only new material in the **Lectures culturelles** consist of a few new vocabulary items that are always footnoted.

Activités

SPECIFIC TECHNIQUES The **Activités** section presents activities that assist students in working with the language on their own. All the activities are optional. In some cases, teachers may want the whole class to do all the activities. In other cases, teachers can decide which activities the whole class will do. Another possibility is to break the class into groups and have each group work on a different activity.

Galerie vivante

SPECIFIC TECHNIQUES The purpose of the **Galerie vivante** section is to permit students to look at the authentic photographs and realia from the French-speaking world and acquaint them with the many areas that speak the language they are learning. As already stated, the **Galerie vivante** section contains no exercises. The purpose is for students to enjoy the material as if they were browsing through the pages of a real magazine. Items the students can think about are imbedded in the commentary that accompanies the photographs or realia. Teachers can either have students read the material in class or students can go over the material on their own.

Lectures culturelles supplémentaires

The optional cultural reading selections give students an in-depth knowledge of many areas of the French-speaking world. Teachers can omit any or all of these selections or they may choose certain selections that they would like the whole class to read. The same suggestions given for the **Lecture culturelle** of each lesson can be followed. Teachers may also assign the reading selections to different groups. Students can read the selection outside of class and prepare a report for those students who did not read that particular selection. This activity is very beneficial for slower students. Although they may not read the selection, they learn the material by listening to what their peers say about it.

The **Lectures culturelles supplémentaires** and the exercises that accompany them can also be done by students on a voluntary basis for extra credit.

Teaching the preliminary review lessons

The **Révision** lessons are designed to give students a concise, useful review of *McGraw-Hill French Rencontres First Part.* The structure points covered in the three **Révision** lessons are the following: the verb **être**; the plural; agreement of adjectives; regular verbs in **-er**; the irregular verbs **aller, avoir,** and **faire**; the contractions **au** and **aux**; the partitive; verbs in **-ir** and **-re**; irregular verbs like **dormir** and **prendre**; possessive adjectives; the adjectives **ce, quel,** and **tout**; and stress pronouns. Thus the lessons cover all the important material taught in *McGraw-Hill **Rencontres First Part,*** in addition to presenting vocabulary review and expressions that students can use immediately.

Using the ancillary materials

The ancillary materials are described in Section Two of this teacher's insert. All ancillaries are supplementary to the Student Text. Any or all parts of the ancillaries can be used at the discretion of the teachers.

Overhead Transparencies

Purpose   To present new vocabulary.

The overhead transparencies can be used for the initial presentation of new vocabulary in each lesson. The overhead transparencies can also be reprojected to review vocabulary from previous lessons.

With more able groups, teachers can show the transparencies from previous lessons and have students make up original sentences using a particular word. These sentences can be given orally or written.

Cassette Program

Purpose   To reinforce productive and receptive oral skills.

The cassette program contains activities for each lesson part. It is indicated in the annotations of this Teacher's Edition when to use each cassette or recorded activity. The Student Tape Manual accompanies the cassette program.

Workbook

Purpose   To reinforce productive and receptive reading and writing skills.

The exercises in the Workbook are presented in the same order as the presentation of the material in the Student Text. It is indicated in the annotations when each exercise of the Workbook can be assigned. The Workbook contains exercises for the **Vocabulaire, Structure** and **Lecture culturelle** section of each lesson in addition to the **Un peu plus: Vocabulaire et culture** section. The Workbook also contains a Self-Test for the students. The Self-Tests appear after each **Révision** (after every four lessons).

Tests

Purpose   To test the acquisition of concepts and content in each of the four language skills.

The Lesson Tests can be administered upon the completion of each lesson. The Reading-Writing and Listening Comprehension unit tests can be administered upon the completion of each **Révision** unit (after every four lessons).

In addition to the testing program, there are quizzes for each lesson provided in the Teacher's Resource Kit.

Sample lesson plans

*McGraw-Hill French **Rencontres Second Part*** has been developed so that it may be completed in one school year. However, it is up to the individual teacher to decide how many lessons will be covered. Although completion of the book by the end of the year is recommended, it is not necessary. Most of the important structures of Level 1 are reviewed in a different context in the first five lessons of Level 2.

The establishment of lesson plans helps the teacher visualize how a lesson can be presented. However, by emphasizing certain aspects of the program and deemphasizing others, the teacher can change the focus and the approach of a lesson to meet students' needs and to suit his/her own teaching styles and techniques. Sample lesson plans for Lessons 13 and 16 are provided below. They include some of the suggestions and techniques that were described in this teacher's insert.

Leçon 13	
Day 1	Present **Vocabulaire,** pages 190–191 Go over vocabulary exercise 1, page 191
Day 2	Review **Vocabulaire,** pages 190–191 Present **Vocabulaire,** page 192 Go over vocabulary exercise 3, page 192 Present **Expressions utiles,** page 193 Go over vocabulary exercise 3, page 193
Day 3	Review **Vocabulaire** and **Expressions utiles,** pages 190–193 Present adjectives that precede the noun, page 194 Go over structure exercises 1 and 2, page 194
Day 4	Review adjectives that precede the noun Present the adjectives **beau, nouveau, vieux,** page 195 Go over structure exercises 3–5, pages 195–196
Day 5	Review the adjectives **beau, nouveau, vieux** Present comparisons, pages 196–197 Go over structure exercises 6–8, page 197
Day 6 (optional)	Review **Vocabulaire** and **Expressions utiles** Review adjectives that precede the noun Review the adjectives **beau, nouveau, vieux** Review comparisons Review structure exercises 3–8, pages 195–197
Day 7	Review the adjectives **beau, nouveau, vieux** Review comparisons Review structure exercises 3–8, pages 195–197
Day 8	Present **Prononciation,** page 197 Do **Practique et dictée,** page 197
Day 9	Present **Conversation,** page 198 Go over exercise, page 199 Present **Expressions utiles,** page 199
Day 10	Review **Conversation** and **Expressions utiles,** pages 198–199 Present **Lecture culturelle,** pages 200–201 Go over exercises 1 and 2 on page 201
Day 11	Review **Lecture culturelle** Go over exercise 3, page 201 Review lesson in general
Day 12 (Optional)	Review lesson in general Do as much of the **Activités** and **Galerie vivante** section as you wish

Leçon 16	
Day 1	Present **Vocabulaire**, pages 230–231 Go over vocabulary exercises 1–3, pages 231–232
Day 2	Review **Vocabulaire** Go over vocabulary exercises 3 and 4, page 232
Day 3	Review **Vocabulaire** Present the verbs **croire** and **voir**, page 233 Go over structure exercises 1–3, pages 233–234
Day 4	Review the verbs **croire** and **voir** Present the negative expressions **jamais** and **rien**, page 234 Go over structure exercises 4 and 5, page 234
Day 5	Review the negative expressions **jamais** and **rien** Present the interrogative pronoun **qui**, page 235 Go over structure exercises 6–9, pages 235–236
Day 6 (optional)	Review **Vocabulaire** Review the verbs **croire** and **voir** Review the negative expressions **jamais** and **rien** Review the interrogative pronoun **qui** Go over structure exercise 10, page 236
Day 7	Review the interrogative pronoun **qui** Review structure exercises 9 and 10, page 236 Present **Prononciation**, page 236 Do **Practique et dictée**, page 236 Present **Expressions utiles**, page 236
Day 8	Present **Conversation**, page 237 Go over exercises 1 and 2, page 237
Day 9	Review **Prononciation** and **Conversation** Review exercises 1 and 2, page 237 Present first half of **Lecture culturelle**, page 238
Day 10	Review first half of **Lecture culturelle** Present second half of **Lecture culturelle**, page 239 Go over exercises 1–3, page 240
Day 11	Review entire **Lecture culturelle** Review exercises 1–3, page 240 Review lesson in general
Day 12 (optional)	Review lesson in general Do as much of the **Activités** and **Galerie vivante** section as you wish

Detailed listing of contents

The following detailed table of contents for each lesson is included to enable teachers to determine at a glance the exact material they will be covering in each lesson of *McGraw-Hill French* **Rencontres Second Part.**

The following abbreviations are used in this listing: **V** = **Vocabulaire,** **S** = **Structure, C** = **Conversation, LC** = **Lecture culturelle.**

27

Correlation: Student Text with ancillary materials

This section contains a listing of the activities in the Cassette Program, the exercises in the Workbook, and the quizzes in the Teacher's Resource Kit that can be used with each lesson part of *McGraw-Hill French* **Rencontres Second Part.** You will find these charts useful in preparing lesson plans or additional tests and study guides for your students. However, note that all this information is also provided in the blue overprint throughout each lesson of this Teacher's Edition. Below we have listed the lesson part of the Student Text and cross referenced each part to the related exercises in the Tapescript, Workbook, and Quizzes. For those teachers who wish to do all the activities and exercises by lesson section, these charts provide a quick and easy reference check.

Note that in the list, **2e part.** stands for the **Deuxième partie** of the Tapescript.

	Tapescript Activities	Workbook Exercises	Quizzes
Leçon 13			
• Vocabulary	1–9	A–C	1
• Structure	10–15	D–J	2–3
• Pronunciation	16–17		
• Conversation	18–19		
• Expansion	**2e part.**		
Leçon 14			
• Vocabulary	1–6	A–B	1
• Structure	9–13	C–F	2–3
• Pronunciation	14–15		
• Conversation	16–17		
• Expansion	**2e part.**		
Leçon 15			
• Vocabulary	1–4	A–B	1
• Structure	5–15	C–J	2–3
• Pronunciation	16–17		
• Expansion	**2e part.**	**Un peu plus**	
Leçon 16			
• Vocabulary	1–4	A–B	1
• Structure	5–12	C–E	2–4
• Pronunciation	13–14		
• Expansion		**Un peu plus**	
Révision		Self-Test	
Leçon 17			
• Vocabulary	1–3	A	
• Structure	4–12	B–H	1–2
• Pronunciation	13–14		
• Conversation	15–16		
• Expansion	**2e part.**		
Leçon 18			
• Vocabulary	1–6	A–D	1
• Structure	7–15	E–H	2–4

	Tapescript Activities	Workbook Activities	Quizzes
• Pronunciation	16–17		
• Conversation	18–19		
• Reading		J	
• Expansion	**2ᵉ part.**	**Un peu plus**	
Leçon 19			
• Vocabulary	1–6	A–C	1
• Structure	7–13	F	2–3
• Pronunciation	14–15		
• Conversation	16–17		
• Expansion	**2ᵉ part.**	**Un peu plus**	
Leçon 20			
• Vocabulary	1–3	A–B	1
• Structure	4–6	C–G	2
• Pronunciation	7–8		
• Conversation	9–10		
• Reading		H	
• Expansion	**2ᵉ part.**	**Un peu plus**	
Révision		Self-Test	
Leçon 21			
• Vocabulary	1–6	A–B	1
• Structure	7–13	C–G	2–3
• Pronunciation	14–15		
• Conversation		H	
• Expansion	**2ᵉ part.**	**Un peu plus**	
Leçon 22			
• Vocabulary	1–4	A	1
• Structure	5–11	B–F	2–3
• Pronunciation	12–13		
• Reading	14–15	G–H	
• Expansion	**2ᵉ part.**		
Leçon 23			
• Vocabulary	1–6	A–C	1
• Structure	7–15	D–I	2–3
• Pronunciation	16–17		
• Expansion	**2ᵉ part.**		
Leçon 24			
• Vocabulary	1–2	A–B	1
• Structure	3–6	C–D	2–3
• Pronunciation	7–8		
• Conversation		E–G	
Révision		Self-Test	
Leçon 25			
• Vocabulary	1–3	A–C	1
• Structure	4–11	D–H	2–3
• Pronunciation	12–13		
• Expansion	**2ᵉ part.**	**Un peu plus**	

SECTION FOUR Reference lists for *McGraw-Hill French* **Rencontres** *Second Part*

The following reference lists are included to give teachers a general idea or overview of the vocabulary topics, structure items, pronunciation areas, and cultural content that are presented in the Student Text.

Vocabulary topics

Révision A	Students and words to describe them
Révision B	Party activities
Révision C	Airline travel and beach activities
Leçon 13	A trip on the métro
Leçon 14	Shopping for clothing; colors
Leçon 15	Fast-food restaurant
Leçon 16	High fashion clothes and accessories
Leçon 17	Video games
Leçon 18	Dinner at home and setting the table
Leçon 19	Parts of the body and staying in shape
Leçon 20	Bicycle racing
Leçon 21	Camping items and activities
Leçon 22	At the café
Leçon 23	Parts of an automobile and driving a car
Leçon 24	Sailboats and sailing races
Leçon 25	Mail and the post office

Structure items

Révision A	The verb **être**
	The plural
	Agreement of adjectives
Révision B	Present tense of regular **-er** verbs
	The irregular verbs **aller, avoir,** and **faire**
	The contractions **au, aux**
	The partitive
Révision C	The present tense of **-ir** and **-re** verbs
	Irregular verbs like **dormir** and **prendre**
	Possessive adjectives
	The adjectives **ce, quel, tout**
	Stress pronouns
Leçon 13	Adjectives that precede the noun
	The adjectives **beau, nouveau, vieux**
	Comparisons
Leçon 14	Verbs like **préférer**
	Adjectives like **heureux**
	The superlative

Structure items—*continued*

Leçon 15
Prepositions with geographical place names
The verbs **pouvoir** and **vouloir**
The relative pronoun **qui**

Leçon 16
The verbs **croire** and **voir**
The negative expressions **jamais** and **rien**
The interrogative pronoun **qui**

Leçon 17
Review of the verb **avoir**
Passé composé of verbs in **-er**
Passé composé: negative
Passé composé: interrogative
The verb **savoir**

Leçon 18
The verb **mettre**
Passé composé of verbs in **-ir**
Position of adverbs with the *passé composé*
The verbs **dire, écrire, lire**

Leçon 19
Present tense of the verb **venir**
Passé composé of verbs in **-re**
Passé composé of irregular verbs: **-u**
Passé composé of irregular verbs: **-is**

Leçon 20
The verbs **boire, devoir, recevoir**
Nouns and adjectives in **-al/-aux**

Leçon 21
Reflexive verbs
Reflexive verbs—negative
Verbs with changes of spelling:
    Verbs like **manger** and **commencer**
    Verbs like **mener**
    Verbs like **appeler**

Leçon 22
The verb **s'asseoir**
Irregular past participles
Reflexive verbs—imperative

Leçon 23
The verbs **conduire** and **connaître**
Connaître vs. **savoir**
The direct object pronouns **le, la, l', les**
Direct object pronouns in the negative
Le voici, le voilà

Leçon 24
The direct and indirect object pronouns **me, te, nous, vous**
Reflexive verbs—infinitive

Leçon 25
The indirect object pronouns **lui, leur**
The verb **envoyer**
The relative pronouns **qui, que**

Pronunciation areas

Cultural themes

*LCS = Lecture culturelle supplémentaire

Common French names

For your reference, below is a list of the most frequently used names in French. You may wish to use these lists as a quick and easy reference on the first day of class when you assign each student in class a French name.

Boys' names

Alain	François	Jean-Michel	Paul
Albert	Frédéric	Jean-Paul	Philippe
André	Geoffroy	Jean-Philippe	Pierre
Armand	Georges	Jean-Pierre	Raoul
Arnaud	Gérard	Jérôme	Raphaël
Bernard	Gilbert	Joël	Raymond
César	Gilles	Joseph	Régis
Charles	Grégoire	Laurent	René
Christian	Guillaume	Léon	Richard
Christophe	Guy	Louis	Robert
Claude	Henri	Luc	Roger
Daniel	Hugues	Marc	Roland
David	Jacques	Marcel	Samuel
Denis	Jean	Marius	Sébastien
Dominique	Jean-Claude	Matthieu	Serge
Édouard	Jean-François	Maurice	Simon
Étienne	Jean-Jacques	Michel	Thomas
Éric	Jean-Louis	Nicolas	Tristan
Eugène	Jean-Luc	Olivier	Vincent
Fabrice	Jean-Marc	Patrick	Yves

Girls' names

Agnès	Denise	Laure	Monique
Alice	Diane	Liliane	Nathalie
Aline	Dominique	Lise	Nicole
Andrée	Éléonore	Lisette	Nicolette
Anne	Élisabeth	Louise	Noëlle
Anne-Marie	Emmanuelle	Lucie	Pascale
Annette	Émilie	Marcelle	Patricia
Anny	Ève	Marguerite	Paulette
Aurore	Évelyne	Marianne	Pauline
Barbara	Francine	Marie	Rachel
Béatrice	Françoise	Marie-Anne	Régine
Bernadette	Gabrielle	Marie-France	Renée
Camille	Gaby	Marie-Hélène	Rose
Caroline	Geneviève	Mariel	Sabine
Catherine	Géraldine	Marie-Laure	Sophie
Cécile	Hélène	Marie-Louise	Stéphanie
Chantal	Irène	Marie-Thérèse	Suzanne
Charlotte	Jacqueline	Marthe	Sylvie
Christine	Janine	Martine	Thérèse
Claire	Jeanne	Maxine	Véronique
Claudine	Joséphine	Mélanie	Vicky
Colette	Josette	Michèle	Virginie
Delphine	Judith	Mireille	Viviane

Useful classroom words and expressions

Below is a list of the most frequently used words and expressions needed in conducting a French class.

Words

Le papier	paper
La feuille de papier	sheet of paper
Le cahier; le bloc	notebook
Le cahier d'exercices	workbook
Le stylo	pen
Le (stylo)bille	ballpoint pen
Le crayon	pencil
La craie	chalk
Le tableau noir	blackboard
La gomme	eraser
La corbeille	waste basket
Le pupitre	desk
Le rang	row
La chaise	chair
L'écran (m)	screen
Le projecteur	projector
La cassette	cassette
Le livre	book
La règle	ruler

Expressions (commands)

Both the singular and the plural command forms are provided.

Viens.	Venez.	Come.
Va.	Allez.	Go.
Entre.	Entrez.	Enter.
Sors.	Sortez.	Leave.
Attends.	Attendez.	Wait.
Mets.	Mettez.	Put.
Donne-moi.	Donnez-moi.	Give me.
Dis-moi.	Dites-moi.	Tell me.
Apporte-moi.	Apportez-moi.	Bring me.
Répète.	Répétez.	Repeat.
Pratique.	Pratiquez.	Practice.
Étudie.	Étudiez.	Study.
Réponds.	Répondez.	Answer.
Apprends.	Apprenez.	Learn.
Choisis.	Choisissez.	Choose.
Prépare.	Préparez.	Prepare.
Regarde.	Regardez.	Look at.
Décris.	Décrivez.	Describe.
Commence.	Commencez.	Begin.
Prononce.	Prononcez.	Pronounce.
Écoute.	Écoutez.	Listen.
Parle.	Parlez.	Speak.
Lis.	Lisez.	Read.
Écris.	Écrivez.	Write.
Demande.	Demandez.	Ask.
Suis le modèle.	Suivez le modèle.	Follow the model.
Joue le rôle de....	Jouez le rôle de...	Take the part of . . .
Prends.	Prenez.	Take.
Ouvre.	Ouvrez.	Open.

Ferme.	Fermez.	*Close.*
Tourne la page.	Tournez la page.	*Turn the page.*
Efface.	Effacez.	*Erase.*
Continue.	Continuez.	*Continue.*
Assieds-toi.	Asseyez-vous.	*Sit down.*
Lève-toi.	Levez-vous.	*Get up.*
Lève la main.	Levez la main.	*Raise your hand.*
Tais-toi.	Taisez-vous.	*Be quiet.*
Fais attention.	Faites attention.	*Pay attention.*
Attention.		*Attention.*
Attention, s'il vous plaît.		*Your attention, please.*
Silence.		*Quiet.*
Fais attention.	Faites attention.	*Careful.*
Encore.		*Again.*
Encore une fois.		*Once again.*
Un à un.		*One at a time.*
Tous ensemble.		*All together.*
À haute voix.		*Out loud.*
Plus haut, s'il vous plaît.		*Louder, please.*
En français.		*In French.*
En anglais.		*In English.*
Pour demain.		*For tomorrow.*
Comprends-tu?	Comprenez-vous?	*Do you understand?*
Y a-t-il des questions?		*Are there any questions?*
Tu m'entends?	Vous m'entendez?	*Can you hear me?*

Answer Key for *McGraw-Hill French* **Rencontres** *Second Part*

For your convenience, answers keys are provided below for all the exercises that appear in the Student Text. Ambiguity of response has, as much as possible, been avoided in the exercises but individual classroom procedures do give rise to the possibility of acceptable alternate answers. In these cases, we have provided one response but have also indicated that "answers will vary" in some exercises. The teacher is free, of course, to decide if an alternate response is or is not acceptable.

Révision A

Exercice 1 *(page R-2)*
Salut, _____!

Exercice 2 *(page R-2)*
Ça va?

Exercice 3 *(page R-2)*
Ça va bien, merci.

Exercice 4 *(page R-2)*
Au revoir, _____.

Exercice 5 *(page R-2)*
Au revoir, Mme (M.) _____.

Exercice 6 *(page R-3)*
1. La fille là-bas, c'est Michèle.
2. Elle est de Paris.
3. Elle est française.
4. Elle est petite.
5. Oui, elle est très sympa.

Exercice 7 *(page R-3)*
1. copains
2. bruns
3. élèves
4. de
5. forts

Exercice 2 *(page R-4)*
1. Paul est américain.
2. Oui, Nicole est française.
3. Les amis sont élèves dans une école américaine.
4. Non, pas du tout. Au contraire! Ils sont très intelligents.
5. Nicole est forte en sciences.

Exercice 3 *(page R-5)*
1. Je suis _____.
2. Je suis de _____.
3. Je suis américain(e).
4. Je suis intelligent(e), petit(e), grand(e), blond(e), brun(e), etc.

Exercice 4 *(page R-5)*

1. est	9. sommes
2. est; est	10. êtes
3. es	11. sont
4. es	12. sont
5. es	13. êtes
6. suis	14. sommes
7. suis	15. sommes; sommes
8. sommes	

Exercice 5 *(page R-6)*
la
La; Les; les
Le
le
le
la

Révision B

Exercice 1 *(page R-10)*
1. Pierre est dans la cuisine.
2. Il prépare des pizzas.
3. Pierre et Solange donnent une surprise-partie.
4. Les copains aiment bien la pizza.
5. Angèle adore la pizza.

Exercice 2 *(page R-12)*
1. Monique regarde la télé.
2. Les garçons arrivent à huit heures.
3. Antoine téléphone à une amie.
4. Marc et Gisèle dansent.
5. Les filles chantent.
6. Jacques écoute des disques.

Exercice 3 *(page R-12)*
1. Jean invite Alice à dîner.
2. Les amis vont dans un petit restaurant français.
3. Ils dînent très bien.
4. Ils vont au cinéma après le dîner.

Exercice 4 *(page R-13)*
1. b   3. c
2. a   4. b

Exercice 1 *(page R-14)*
1. J'habite à _____.
2. Oui, je donne souvent une surprise-partie.
3. J'invite _____, _____, et _____ à la surprise-partie.
4. Oui, je chante pendant la surprise-partie.
5. Je chante en anglais.
6. Je danse avec _____.
7. Je mange des pizzas à la surprise-partie.
8. Oui, j'aime les surprises-parties.

Exercice 2 *(page R-14)*
1. Où habitez-vous?
2. Donnez-vous souvent une surprise-partie?
3. Qui invitez-vous à la surprise-partie?
4. Vous chantez pendant la surprise-partie?
5. Vous chantez en français ou en anglais?
6. Avec qui dansez-vous?
7. Qu'est-ce que vous mangez à la surprise-partie?
8. Vous aimez les surprises-parties?

Exercice 3 *(page R-14)*
1. donne
2. invite
3. préparent; préparent
4. aime
5. écoutent
6. chantent; danse

Exercice 5 *(page R-16)*
1. J'ai _____ ans.
2. J'ai _____ frères.
3. _____ a _____ ans et _____ a _____ ans.
4. J'ai _____ soeurs.
5. _____ a _____ ans et _____ a _____ ans.
6. J'ai un chat (un chien).
7. Je vais à l'école _____.
8. Oui, je vais à l'école avec des amis.
9. Je vais à l'école à pied (en bus).
10. Oui, je fais les devoirs après les classes.

Exercice 6 *(page R-16)*
1. habitent
2. a
3. a
4. va
5. vont
6. font
7. fait
8. va
9. font
10. fait; vont
11. ont
12. va

Exercice 7 *(page R-17)*
au; au; à la; au; au; au; à l'; à la; au

Exercice 8 *(page R-18)*
1. J'aime le poisson.
   J'achète souvent du poisson.
   Mais aujourd'hui je n'achète pas de poisson.

2. J'aime la viande.
   J'achète souvent de la viande.
   Mais aujourd'hui je n'achète pas de viande.
3. J'aime les fruits.
   J'achète souvent des fruits.
   Mais aujourd'hui je n'achète pas de fruits.
4. J'aime les fraises.
   J'achète souvent des fraises.
   Mais aujourd'hui je n'achète pas de fraises.
5. J'aime le pain français.
   J'achète souvent du pain français.
   Mais aujourd'hui je n'achète pas de pain français.

Exercice 9 *(page R-19)*
de la; du; de; des; des; des; des; des

Révision C

Exercice 1 *(page R-22)*
1. Suzanne attend l'avion pour le Maroc.
2. Valérie part pour la Martinique.
3. Valérie va choisir une place.
4. On annonce le vol numéro 250.
5. Suzanne prend le vol numéro 250.

Exercice 2 *(page R-23)*
1. canadienne
2. au bord de la mer
3. nage
4. apprend
5. planche à voile
6. bain de soleil
7. Toute

Exercice 1 *(page R-25)*
1. Les filles attendent le moniteur.
2. Il choisit une piste assez facile.
3. Janine perd son bâton.
4. Non, le moniteur n'entend pas Janine.
5. Marie est une héroïne moderne.

Exercice 2 *(page R-25)*
1. choisis
2. choisis; choisissent
3. choisis
4. réponds
5. répondent

Exercice 3 *(page R-26)*
vend; prend; sort; part; partent; dorment; dort

Exercice 4 *(page R-27)*
1. Oui, je prends le bus pour aller à l'école.
2. Je pars pour l'école à _____ heures.
3. Oui, je sors le week-end.
4. Oui, je sors avec des amis.
5. Non, je ne dors pas dans la classe de français.

6. Oui, j'apprends à parler français.
7. Oui, je comprends très bien le français.

Exercice 5 *(page R-27)*
1. Oui, j'ai ma valise.
2. Oui, j'ai mon passeport.
3. Oui, j'ai mes billets.
4. Oui, nous avons nos places.
5. Oui, nous avons notre carte.
6. Oui, nous avons nos bagages.
7. Oui, Paul a son ticket.
8. Oui, Paul a ses bottes.
9. Oui, Paul a son anorak.

Exercice 6 *(page R-28)*
ma; Ta; ta; ma; mon; mon; Ton; mon; ton; Mes; mes; mes; Tes; tes

Exercice 7 *(page R-28)*
1. Je prends cette cassette-là.
2. Je prends cette valise-là.
3. Je prends cet anorak-là.
4. Je prends ces skis-là.
5. Je prends ces bâtons-là.
6. Je prends ces bottes-là.

Exercice 8 *(page R-29)*
1. Tous les élèves vont au musée.
2. Tous les garçons vont à l'école.
3. Toutes les filles vont à l'école.
4. Tous les professeurs prennent l'autobus.
5. Tous les billets sont pour le métro.
6. Toutes les classes sont intéressantes.

Exercice 9 *(page R-29)*
1. Quel
2. Tous; ce
3. tous; ce
4. Quelles
5. quelle; ces
6. Toute; ce
7. toute; cette
8. toutes
9. Quelle

Exercice 10 *(page R-30)*
1. Oui, il est chez lui.
2. Oui, elle est chez elle.
3. Oui, elle est avec lui.
4. Oui, il est avec moi.
5. Oui, il est avec elles.
6. Oui, ils sont avec nous.
7. Oui, je suis avec eux.

Exercice 11 *(page R-30)*
1. Oui, c'est lui qui va à la plage.
2. Oui, il nage avec eux.
3. Oui, il nage avec elle.
4. Moi, je vais à la plage aussi.
5. Nous, nous nageons dans la mer.
6. Toi, tu nages bien.
7. Oui, on va chez eux.

Leçon 13

Exercice 1 *(page 191)*
métro; l'entrée; plan; mécanique; carnet

Exercice 2 *(page 192)*
1. Oui, Marie-Laure est dans la station de métro.
2. Oui, c'est une nouvelle station.
3. Oui, c'est une station de la ligne numéro 3.
4. Oui, elle entre dans une voiture de deuxième classe.
5. Oui, elle entre par la porte.

Exercice 1 *(page 194)*
1. La jeune femme habite une petite maison.
2. La grande famille habite un grand appartement.
3. Leur grand appartement est dans un joli immeuble.
4. Le joli immeuble est dans un bon quartier.
5. Il y a un joli petit parc dans le quartier.

Exercice 2 *(page 194)*
1. Tu as raison. C'est un petit restaurant.
2. Tu as raison. C'est une jolie plage.
3. Tu as raison. C'est un bon artiste.
4. Tu as raison. C'est un grand appartement.
5. Tu as raison. C'est un jeune professeur.
6. Tu as raison. Ce sont de bonnes omelettes.
7. Tu as raison. Ce sont de jolies stations.

Exercice 3 *(page 195)*
1. Oui, la famille Rivage a un bel appartement à Paris.
2. Oui, leur appartement est dans un vieil immeuble.
3. Oui, l'immeuble est dans un vieux quartier de Paris.
4. Oui, il y a beaucoup de belles maisons dans ce vieux quartier.
5. Oui, il y a une nouvelle station de métro dans le quartier.
6. Les nouvelles lignes ont de nouvelles voitures.

Exercice 4 *(page 195)*
vieille; vieilles; vieux; vieilles; vieux

Exercice 5 *(page 196)*
—Regardez cet avion-là! Qu'il est beau!
—Ah oui! C'est vraiment un bel avion!
—Mais il est très vieux, n'est-ce pas?
—Pas du tout! Ce n'est pas un vieil avion! Au contraire! Il est très moderne.
—Vous avez raison. C'est un nouvel avion!

Exercice 6 *(page 197)*
Possibilities: Mon grand-père est plus âgé que ma mère. Ma mère est moins âgée que mon père.

Mon oncle est plus âgé que mon père. Ma cousine est aussi âgée que mon cousin.

Exercice 7 *(page 197)*
1. Paris est plus vieux que Washington.
2. Les monuments de New York sont moins vieux que les monuments de Paris.
3. Le métro de New York est plus moderne que le métro de Paris.
4. La pollution est moins grave que l'inflation.
5. Le métro est meilleur que le bus.
6. Ce plan-ci est meilleur que ce plan-là.

Exercice *(page 199)*
1. Charlie et Bernard sont à la station de métro.
2. À l'extérieur de la station il y a un plan.
3. Ils vont à l'Opéra.
4. Ils prennent la ligne Mairie d'Ivry-Fort d'Aubervilliers.
5. Ils descendent à pied.
6. Le train arrive.

Exercice 1 *(page 201)*
1. année   4. argent
2. chaussures   5. chaussures
3. besoin

Exercice 2 *(page 201)*
1. b   2. b   3. b   4. a

Exercice 3 *(page 201)*
1. Le train arrive bientôt.
2. Non, ils entrent dans une voiture de deuxième classe.
3. Charlie regarde le plan de la ligne.
4. Ils descendent à la station des Pyramides.
5. Ils descendent vite parce que les voitures ont des portes automatiques.

Activité 1 *(page 202)*
On prend la ligne numéro 4.
Porte de Clignancourt.
12, 6, 13, 4.
Etoile; Saint-Lazare; Place d'Italie; Gare de l'Est, etc.

Activité 2 *(page 202)*
Il y a généralement plusieurs voitures de deuxième classe mais seulement une voiture de première classe parce que c'est moins cher en deuxième qu'en première.

Leçon 14

Exercice 1 *(page 207)*
1. C'est le rayon des pulls et chandails.
2. La vendeuse suggère un pull bleu.

3. La cliente préfère le vert.
4. Le pull vert est bon marché.
5. Il est en solde.
6. La cliente est heureuse.

Exercice 2 *(page 207)*
1. vendeuse   4. droite
2. bon marché   5. pull
3. heureuse

Exercice 3 *(page 209)*
un pull vert et une jupe blanche et des chaussures noires.
une cravate bleue et un pantalon brun and des chaussettes brunes et des chaussures brunes.

Exercice 2 *(page 210)*
espère; suggère; préférez; préfère

Exercice 3 *(page 211)*
1. Oui, elle est toujours heureuse.
2. Oui, elle est généreuse.
3. Oui, elle est sérieuse.
4. Oui, mon ami Jean-Luc est sérieux aussi.
5. Il prépare des dîners délicieux.
6. Moi, je prépare des dîners délicieux.
7. Oui, je suis un peu nerveux (nerveuse) dans la cuisine.

Exercice 4 *(page 211)*
Diane est une jeune parisienne. Elle est vendeuse dans un grand magasin. Elle est heureuse parce qu'elle aime travailler au magasin. Bien sûr, elle est sérieuse avec les clients. Diane n'est pas nerveuse avec les clients.

Exercice 6 *(page 212)*
1. Au contraire! C'est le vendeur le moins nerveux!
2. Au contraire! C'est l'élève la plus sérieuse!
3. Au contraire! C'est l'avion le moins rapide!
4. Au contraire! C'est le train le plus confortable!
5. Au contraire! C'est le film le moins comique!
6. Au contraire! C'est le programme le plus intéressant!
7. Au contraire! C'est la fille la moins généreuse!

Exercice 1 *(page 213)*
1. Marie-Claire est au rayon des cravates.
2. Elle désire acheter une cravate pour son père.
3. Le père de Marie-Claire préfère les couleurs sombres.
4. Sa couleur préférée est le bleu foncé.
5. Marie-Claire choisit la cravate la plus chère.
6. Elle choisit la cravate la plus élégante.

Exercice 1 *(page 215)*
1. le grand magasin
2. au fond, à gauche

3. clients
4. un jeune homme aimable
5. une paire de chaussures
6. les bottes de moto sont les chaussures les plus solides du monde

Exercice 2 *(page 215)*
1. Charlie fait du neuf et demi. D'après le système français, ça fait 43.
2. Il essaie plusieurs paires.
3. Enfin il choisit une belle paire de bottes noires.
4. Elles sont assez confortables.
5. Elles sont en solde.

Leçon 15

Exercice 1 *(page 219)*
1. b   3. b   5. b
2. c   4. c

Exercice 2 *(page 219)*
1. Le restaurant est à Paris.
2. Il est en France.
3. La spécialité-maison est le poulet.
4. Les garçons veulent payer.
5. Ils font la queue devant la caisse.
6. La caissière prend l'argent.

Exercice 1 *(page 220)*
1. La statue de la Liberté est à New York.
2. Big Ben est à Londres.
3. Le Kremlin est à Moscou.
4. Le Vatican est à Rome.
5. La tour Eiffel est à Paris.

Exercice 2 *(page 220)*
1. Ses cousins sont en Afrique.
2. Ses grands-parents sont en Alsace.
3. Ses cousines sont en Belgique.
4. Ses oncles sont en Italie.
5. Sa sœur est en Indochine.

Exercice 3 *(page 220)*
1. Ah, vous allez au Canada!
2. Ah, vous allez au Japon!
3. Ah, vous allez aux États-Unis!
4. Ah, vous allez au Brésil!
5. Ah, vous allez au Pérou!
6. Ah, vous allez au Mexique!

Exercice 4 *(page 221)*
au; à; à; aux; au; en; en; en

Exercice 5 *(page 221)*
1. Je veux aller avec vous mais je ne peux pas.
2. Je veux dîner en ville mais je ne peux pas.
3. Je veux aller au cinéma mais je ne peux pas.
4. Mon frère peut aller avec vous mais il ne veut pas.

5. Il peut dîner en ville mais il ne veut pas.
6. Il peut aller au cinéma mais il ne veut pas.

Exercice 6 *(page 221)*
veulent; peuvent; veulent; veulent; peuvent; peux

Exercice 7 *(page 222)*
1. Nous ne pouvons pas chanter.
2. Nous ne pouvons pas jouer.
3. Nous ne pouvons pas danser.
4. Nous ne pouvons pas nager.

Exercice 8 *(page 222)*
1.–4. Mais oui, nous voulons bien!

Exercice 9 *(page 222)*
veulent; peuvent; veulent; veut; peux

Exercice 11 *(page 223)*
1. Oui, ce sont les Montaigne qui achètent ce restaurant.
2. Oui, c'est M. Montaigne qui va être le chef.
3. Oui, c'est Paul qui veut être le premier client.
4. Oui, ce sont Annie et Marc qui adorent la cuisine de M. Montaigne.
5. Oui, c'est Mme Montaigne qui sait faire une omelette délicieuse.

Exercice 12 *(page 223)*
1. C'est Lise qui va au Canada.
2. Elle a des amis qui sont canadiens.
3. Lise rend visite à ses amis qui habitent la province de Québec.
4. Ce sont les Québécois qui parlent français et anglais.
5. Ils habitent une petite ville qui est dans les montagnes.
6. Lise aime les montagnes qui sont si belles en été.

Exercice *(page 224)*
—Vous désirez?
—Deux hamburgers et des frites, s'il vous plaît.
—Et avec ça?
—Un milk-shake au chocolat. Ça fait combien?
—Ça fait quarante francs.
—Bon. Voici les quarante francs.
—Merci bien. Et voici votre repas. Bon appétit!

Exercice 1 *(page 226)*
1. bottes   4. caissière
2. caisse   5. paquet
3. queue

Exercice 2 *(page 226)*
1. Bernard et Charlie vont au Burger King pour fêter les nouvelles bottes de Charlie.
2. Il y a cinq Burger King à Paris.
3. Les Français aiment la bonne cuisine.

4. Les Français acceptent les «fast-foods» parce que la nourriture est simple et bon marché et le service est rapide.
5. Beaucoup de personnes prennent leur repas de midi dans un restaurant «fast food».

Exercice 3 *(page 227)*
1. b   3. a   5. b
2. a   4. b

Leçon 16

Exercice 1 *(page 231)*
1. Les clients assistent au défilé des mannequins.
2. Il y a un mannequin.
3. La robe longue est à la mode cette saison.
4. La robe courte est démodée.
5. La robe longue est chic.
6. La boutique est d'un grand couturier.
7. On vend des accessoires avec sa griffe.

Exercice 3 *(page 232)*
1. parapluie
2. manteau; gants
3. blouson
4. tailleur; costume
5. ceintures
6. boucles d'oreille
7. sac

Exercice 4 *(page 232)*
1. Je porte un manteau quand il fait froid.
2. Je porte un maillot de bain quand je vais à la plage.
3. Je porte un imperméable quand il pleut.
4. Je porte des gants quand il fait froid.
5. Je porte un tailleur (un costume) le dimanche.
6. Je porte les bas collants quand je fais de la gymnastique.

Exercice 1 *(page 233)*
1. Elle voit un grand couturier.
2. Elle voit une griffe célèbre.
3. Elle voit des accessoires chers.
4. Elle voit des mini-robes.
5. Elle voit une ceinture originale.

Exercice 3 *(page 234)*
1. Oui, je crois que Paris est une belle ville.
2. Oui, mes parents croient que je suis intelligent(e).
3. Oui, mon prof de français croit que je travaille bien.
4. Oui, mes amis croient que je suis bien aimable.
5. Mon (ma) meilleur(e) ami(e) et moi, nous croyons que les jeans sont élégants.
6. Oui, je crois que le français est important.
7. Oui, ma mère croit que je suis adorable.

Exercice 4 *(page 234)*
1. Tu crois? Mais elle ne danse jamais.
2. Tu crois? Mais elle ne patine jamais.
3. Tu crois? Mais elle ne chante jamais.
4. Tu crois? Mais elle ne skie jamais.
5. Tu crois? Mais elle ne nage jamais.

Exercice 5 *(page 234)*
1. Tu as raison. Il n'écoute rien.
2. Tu as raison. Il n'achète rien.
3. Tu as raison. Il ne dépense rien.
4. Tu as raison. Il ne mange rien.
5. Tu as raison. Il n'aime rien.

Exercice 6 *(page 235)*
1.–5. Qui

Exercice 7 *(page 235)*
1. Qui est-ce que Philippe aime?
2. Qui est-ce que Monique aime?
3. Qui est-ce que Louis aime?
4. Qui est-ce que Claire aime?
5. Qui est-ce que Georges aime?
6. Qui est-ce que Chantal aime?

Exercice 8 *(page 235)*
1. Qui admirez-vous?
2. Qui préférez-vous?
3. Qui aimez-vous?
4. Qui détestez-vous?

Exercice 9 *(page 236)*
1. Jeannette: Avec qui est-ce que tu vas à la fête?
2. Agnès: Je vais avec Éric.
3. Jeannette: Chez qui est-ce que tu vas passer le week-end?
4. Agnès: Je vais passer le week-end chez Isabelle.
5. Jeannette: Avec qui est-ce que tu vas danser?
6. Agnès: Je vais danser avec tous les garçons.
7. Jeannette: Pour qui est-ce que tu vas acheter un cadeau?
8. Agnès: Je vais acheter un cadeau pour Gabrielle.

Exercice 10 *(page 236)*
1. Avec qui vas-tu à la fête?
3. Chez qui vas-tu passer le week-end?
5. Avec qui vas-tu danser?
7. Pour qui vas-tu acheter un cadeau?

Exercice 1 *(page 237)*
1. dans la chambre de Sophie
2. la boum de samedi soir
3. nouvelle robe
4. est très courte
5. sont démodées cette saison
6. sont à la mode

Exercice 2 *(page 237)*
1. Angélique est fauchée.
2. Elle veut une mini-jupe à bon marché.
3. Sophie suggère le Marché aux Puces.
4. Gaston est le frère de Sophie.
5. Il a une solution rapide.
6. Il sort une paire de ciseaux.

Exercice 1 *(page 240)*
1. b   2. c   3. a

Exercice 2 *(page 240)*
1. Sophie n'assiste jamais au défilé des mannequins.
2. Sophie n'est pas princesse.
3. Elle aime lire *Elle* et *Jours de France*.
4. Elle veut voir quels styles et quelles couleurs sont à la mode.
5. Sophie ne fréquente jamais les maisons de couture.
6. Elle achète des vêtements prêt-à-porter.
7. Elle trouve quelquefois une 'petite robe' ou un accessoire avec la griffe célèbre d'un grand couturier.
8. Au contraire; quelquefois elle les trouve au Marché aux Puces ou au Marché du Village Suisse.

Exercice 3 *(page 240)*
1. La mode ne signifie rien pour Diane.
2. Elle est complètement satisfaite de ses blue-jeans, ses blousons d'aviateur, et ses sweatshirts.
3. Elle veut des vêtements sportifs et confortables.
4. Non, le chic et l'élégance ne sont pas pour elle.
5. Diane porte l'uniforme des jeunes.
6. Elle peut personnaliser ses vêtements avec une ceinture originale ou avec des boucles d'oreille folkloriques.
7. Diane achète ses vêtements dans une boutique unisexe du quartier Latin.

Révision

Exercice 1 *(page 244)*
André a faim. Maxine suggère le petit café, qui est moins cher que le snack-bar. André va prendre un coca. Maxine est surprise parce qu'André a toujours un bon appétit. André est fauché parce qu'il a de nouvelles chaussures.

Exercice 2 *(page 245)*
vieil; vieille; vieux; vieux; vieilles

Exercice 3 *(page 245)*
Jean-Paul porte un nouvel anorak et une nouvelle chemise. Il aime surtout les nouveaux jeans et les nouveaux tee-shirts. Il porte de nouvelles chaussures parce qu'il est riche.

Exercice 4 *(page 246)*
chaud; froid; faim; soif; envie; besoin

Exercice 6 *(page 247)*
en; au; à; à; en; aux

Exercice 7 *(page 248)*
—Je vois une boutique qui est chic.
—Ah! Voilà un blouson qui est très à la mode.
—Sur le blouson il y a une griffe qui est célèbre.
—C'est décidé! Voilà le blouson qui va aller bien avec mes jeans.

Exercice 8 *(page 249)*
A. 1. Monique
    2. acheter une ceinture
    3. trouver une jolie ceinture au Marché aux Puces
    4. cette boutique-là
    5. décide
B. 6. va Monique sortir
    7. vont-elles
    8. est-ce que Janine veut aller dans cette boutique
    9. Janine veut acheter
    10. décide

Exercice 9 *(page 249)*
1. Je n'achète jamais de bracelets de diamants.
2. Je ne mange jamais de steak de tigre.
3. Je ne porte jamais de costume de Superman.
4. Je ne mange rien à minuit.
5. Je ne mange rien dans la classe de maths.
6. Je n'achète rien chez un grand couturier.

Exercice *(page 250)*
1. Les autobus parisiens fonctionnent jusqu'à vingt heures trente, mais il y a certaines lignes qui fonctionnent jusqu'à 0 h 30.
2. Chaque autobus porte le numéro de la ligne à l'avant.
3. Si votre arrêt est dans la partie rouge, vous payez un ticket.
4. Les tickets pour les autobus sont aussi bons dans le métro.
5. Il y a un plan à l'intérieur de l'autobus.
6. À votre arrêt, vous descendez par la porte à l'arrière.

Exercice *(page 251)*
1. Le quartier Latin est situé sur la Rive gauche de la Seine.
2. C'est un vieux quartier.

3. La Sorbonne est dans le quartier Latin.
4. Il y a beaucoup de librairies et de papeteries dans le quartier Latin parce qu'il y a beaucoup d'étudiants.
5. Le nom populaire du boulevard Saint-Michel est le Boul'Mich.
6. On nomme ce quartier «Latin» parce que le latin a été la langue officielle des étudiants jusqu'en 1789.

Leçon 17

Exercice 1 *(page 252)*
1. mardi
2. Marie; Claire
3. bonne nouvelle
4. machine
5. cassettes

Exercice 1 *(page 253)*
1. J'ai soif.
2. Les amis ont soif aussi.
3. Oui, ma sœur a soif.
4. Oui, nous avons faim.
5. Oui, j'ai toujours faim.
6. Nous avons tous faim.
7. Oui, on va au café.

Exercice 2 *(page 254)*
1. J'ai joué de la guitare.
2. Nous avons joué de la guitare.
3. Les amis ont joué de la guitare.
4. Vous avez joué de la guitare.
5. Tu as joué de la guitare.
6. Nathalie a joué de la guitare.
7. Tout le monde a joué de la guitare!

Exercice 3 *(page 254)*
1. Mais non! J'ai acheté des disques hier.
2. Mais non! J'ai étudié mes leçons hier.
3. Mais non! J'ai écouté mes cassettes hier.
4. Mais non! J'ai dépensé mon argent hier.
5. Mais non! J'ai parlé au professeur hier.

Exercice 4 *(page 254)*
1. Luc a chanté.
2. Luc a parlé au téléphone.
3. Luc a regardé la télé.
4. Luc a écouté des disques.
5. Luc a joué au Scrabble.

Exercice 5 *(page 254)*
1. Mais hier tu as mangé des frites!
2. Mais hier vous avez regardé la télé!
3. Mais hier nous avons chanté!
4. Mais hier Antoine a dansé!
5. Mais hier Claire et Anne ont écouté la musique pop!
6. Mais hier tu as préparé les sandwiches!

Exercice 6 *(page 254)*
a joué; a chanté; ont préparé; ai préparé; avons dansé; as dansé; a mangé; a joué; a dansé

Exercice 7 *(page 255)*
1. Non, Georges n'a pas invité Albert.
2. Non, je n'ai pas invité Albert.
3. Non, les Martin n'ont pas invité Albert.
4. Non, nous n'avons pas invité Albert.
5. Non, Blanche et Irène (elles) n'ont pas invité Albert.
6. Non, je n'ai pas invité Albert.

Exercice 8 *(page 255)*
1. Oui, j'ai voyagé pendant les vacances. / Non, je n'ai pas voyagé pendant les vacances.
2. Oui, j'ai assisté au défilé le 4 juillet. / Non, je n'ai pas assisté au défilé le 4 juillet.
3. Oui, j'ai téléphoné à mes grands-parents. / Non, je n'ai pas téléphoné à mes grands-parents.
4. Oui, j'ai étudié le français. / Non, je n'ai pas étudié le français.
5. Oui, j'ai fêté mon anniversaire. / Non, je n'ai pas fêté non anniversaire.
6. Oui, j'ai traversé l'océan Atlantique. / Non, je n'ai pas traversé l'océan Atlantique.
7. Oui, j'ai dansé chaque week-end. / Non, je n'ai pas dansé chaque week-end.
8. Oui, j'ai joué au tennis. / Non, je n'ai pas joué au tennis.
9. Oui, j'ai acheté beaucoup de vêtements. / Non, je n'ai pas acheté beaucoup de vêtements.
10. Oui, j'ai travaillé dans un magasin. / Non, je n'ai pas travaillé dans un magasin.

Exercice 9 *(page 256)*
1. Mais as-tu joué au tennis en janvier?
2. Mais as-tu visité le Pôle Nord en janvier?
3. Mais as-tu mangé des pêches en janvier?
4. Mais as-tu acheté un bikini en janvier?
5. Mais as-tu dansé sur la plage en janvier?

Exercice 10 *(page 256)*
1. Mais oui, il joue de la trompette.
2. Mais oui, il joue au basket.
3. Mais oui, ils jouent de la guitare.
4. Mais oui, elle joue au Scrabble.
5. Mais oui, je joue au volley.
6. Mais oui, il joue au football.

Exercice 11 *(page 258)*
savons; sait; sais; savons; savent; savent; savez

Exercice *(page 259)*
1. Richard et André savent qu'on a besoin d'un guitariste pour la boum.
2. Marcel sait jouer du violon.

3. Richard et André ne savent pas jouer du violon.
4. Richard ne sait pas le numéro de Marcel.
5. Les filles savent le numéro de Marcel.

Exercice 1 *(page 261)*
1. Monique a parlé avec Colette.
2. Oui, Colette a accepté.
3. Arnaud téléphone à Daniel.
4. Arnaud parle d'abord avec Mme Rocher.

Exercice 2 *(page 261)*
Possibilities:
1. La famille Supplée a acheté un «flipper».
2. Georges a invité les amis chez lui ce soir.
3. M. et Mme Supplée ont passé leurs vacances à New York.
4. Ils ont acheté beaucoup de cassettes.
5. Georges est membre d'un vidéoclub.
6. Arnaud et ses amis ont regardé «Le Retour du Jedi» pour la sixième fois hier soir.
7. La petite amie de Daniel est Colette.

Leçon 18

Exercice 1 *(page 265)*
1. Mme Langevin est la femme de M. Langevin.
2. M. Langevin est le mari de Mme Langevin.
3. Oui, la famille habite la banlieue.
4. Oui, Mme Langevin a rempli un bol de pommes et d'oranges.
5. Elle a déjà servi le dîner.
6. Ce soir, elle a servi un pot-au-feu.
7. Après le dîner, Henri débarrasse la table.
8. Ginette met les assiettes dans la lave-vaisselle.
9. Ginette fait la vaisselle.
10. Ils lisent le journal.
11. Henri écrit.

Exercice 2 *(page 266)*
1. Je vois un couvert.
2. On sert de la soupe dans une assiette creuse.
3. On sert du café dans une tasse.
4. On coupe de la viande avec un couteau.
5. On prend de la soupe avec une cuiller.
6. La serviette est placée à gauche des assiettes.
7. Le couteau est placé à droite des assiettes.
8. Le sel est blanc.

Exercice 1 *(page 267)*
1. Mme Claude met la nappe sur la table.
2. M. Claude met le vin sur la table.
3. Annette et Virginie mettent les couverts sur la table.
4. Pierre et Lucien mettent les assiettes sur la table.

Exercice 3 *(page 268)*
1. Maman a servi le dîner.
2. Papa a rempli les verres.
3. Maman a servi un pot-au-feu pour le dîner.
4. J'ai choisi un gâteau au chocolat comme dessert.
5. Bien sûr, j'ai réussi à beaucoup manger.
6. Nous avons fini le dîner à vingt heures.
7. Après le dîner, ma sœur et moi, nous avons fini tous nos devoirs sans problème.
8. Ensuite, nous avons choisi un bon film comme programme de télévision.
9. Non, nous avons dormi huit heures.

Exercice 4 *(page 268)*
a choisi; a rempli; ont servi; a servi; avons fini; as dormi

Exercice 5 *(page 269)*
1. J'ai déjà servi le dîner.
2. J'ai bien mangé.
3. J'ai déjà servi le dessert.
4. J'ai débarrassé la table hier.
5. J'ai servi du café ce matin.

Exercice 7 *(page 270)*
1. Oui, Marianne lit en français.
2. Elle lit bien.
3. Oui, elle écrit en français.
4. Elle dit qu'elle lit bien mais elle écrit mal.

Exercice 1 *(page 271)*
1. Maryse écrit une lettre.
2. Elle écrit à son ami en Italie.
3. Son ami habite en Italie.
4. Maryse écrit en français.
5. Giovanni est le nom de son ami.
6. Giovanni lit bien le français.
7. Cécile veut savoir si Giovanni a un copain.

Exercice 2 *(page 271)*
sait; écrit; poème; écrit; lettre; Italie; écrit; dit; écrit; lit; ami; savoir; copain

Exercice 1 *(page 274)*
1. b   2. c   3. b   4. a

Exercice 2 *(page 274)*
1. dîner
2. macédoine de fruits
3. met
4. heures
5. servi
6. verres

Exercice 3 *(page 274)*
1. Étienne débarrasse la table.
2. Louis fait la vaisselle.
3. Ensuite, les garçons font leurs devoirs.
4. M. et Mme Louvel lisent le journal.
5. Le professeur de sciences veut trois exemples de la technologie avancée de la France.

6. Le Concorde.
7. Le TGV est le train le plus rapide du monde.
8. Les usines Renault sont les plus automatisées du monde.
9. On emploie toutes sortes de robots.

Leçon 19

Exercice 1 *(page 279)*
1. Jeanne est en bonne santé.
2. Elle fait toujours de la gymnastique.
3. Oui, elle fait de la gymnastique pour rester en forme.
4. Elle met un collant et des jambières pour faire de la gymnastique.

Exercice 2 *(page 279)*
1. Jacques fait du jogging quelquefois.
2. Il a mis ses tennis et un short.
3. Oui, il a beaucoup couru hier.
4. Oui, il a mal aux jambes.
5. Oui, il a mal aux jambes parce qu'il a trop couru.

Exercice 4 *(page 280)*
1. On parle avec la langue et la bouche.
2. On danse avec les pieds.
3. On voit avec les yeux.
4. On joue au football avec les jambes, les pieds, et la tête.
5. On nage avec les bras et les jambes.
6. On joue de la guitare avec les doigts.
7. On écoute avec les oreilles.
8. On chante avec la bouche et la langue.

Exercice 1 *(page 281)*
1. Oui, Georges vient à la boum ce soir.
2. Il vient avec Marcelle.
3. Liliane vient aussi.
4. Elle vient avec son frère.
5. Ils viennent à moto.
6. Oui, je viens à la boum aussi.
7. Oui, je viens avec un(e) copain (copine).
8. Oui, nous venons à pied.

Exercice 2 *(page 281)*
1. Non, il revient cet après-midi.
2. Non, ils reviennent cet après-midi.
3. Non, il revient cet après-midi.
4. Non, ils reviennent cet après-midi.
5. Non, elle revient cet après-midi.

Exercice 3 *(page 282)*
1. J'ai déjà vendu mes disques.
2. J'ai déjà vendu ma moto.
3. J'ai déjà vendu mes skis.
4. J'ai déjà vendu mon transistor.
5. J'ai déjà vendu mes patins à glace.

Exercice 4 *(page 282)*
1. Elle a déjà vendu ses livres.
2. Elle a déjà répondu à cette lettre.
3. Elle a déjà répondu à ses cousins.
4. Elle a déjà attendu ses amis.
5. Elle a déjà attendu longtemps.
6. Elle a déjà perdu patience.
7. Elle a déjà entendu toutes les excuses.

Exercice 5 *(page 283)*
1. Hier aussi il a eu soif.
2. Hier aussi il a vu un café.
3. Hier aussi il a lu le menu.
4. Hier aussi au café il a vu un ami.
5. Hier aussi son ami a entendu une histoire drôle.
6. Hier aussi Georges n'a pas cru l'histoire.

Exercice 7 *(page 283)*
ai couru; avons couru; ai voulu; ai... pu; a... couru; a eu

Exercice 10 *(page 285)*
1. Lisette a appris à faire du ski.
2. Elle a mis les skis.
3. Le moniteur a permis aux élèves de skier sur la piste facile.
4. Tous les élèves ont compris le moniteur.
5. Ils ont promis de skier prudemment.

Exercice *(page 286)*
Christine; maigri; perdu; cause; santé; réussi; perdre; fait; demi-heure

Exercice 1 *(page 288)*
1. Elles vont au club 'fitness' Bonne Santé.
2. Elles vont au club parce qu'elles ont un cours d'aérobic.
3. Elles portent un collant, des jambières, des tennis, et sur le front un bandeau.
4. Cette tenue est très chic.
5. L'aérobic est une gymnastique sur un rythme de musique rock ou pop.

Exercice 2 *(page 288)*
1. Coralie et Mariel font du jogging le mardi et le jeudi.
2. Elles font du jogging le mardi et le jeudi.
3. Elles font de l'aérobic le mercredi et le samedi.
4. Elles font de la gymnastique pour quinze minutes tous les matins.
5. Elles n'ont pas grossi.
6. Elles veulent courir dans le prochain Marathon de Paris.

Activité 2 *(page 289)*
1. Oui	4. Oui	7. Oui
2. Non	5. Oui	8. Oui
3. Non	6. Oui	9. Oui

Leçon 20

Exercice 1 *(page 293)*
1. Les garçons montent à vélo.
2. Ils sont dans le stade.
3. Chaque équipe représente son pays.
4. C'est une course internationale.
5. Le gagnant reçoit le trophée (la coupe).

Exercice 2 *(page 293)*
1. a   4. b   6. a
2. b   5. a   7. c
3. c

Exercice 1 *(page 294)*
1. Oui, je bois de l'eau.
2. Oui, je bois du coca.
3. Oui, je bois du chocolat.
4. Oui, je bois de l'eau minérale.

Exercice 2 *(page 295)*
1. Non, nous ne buvons pas de thé.
2. Non, nous ne buvons pas de vin.
3. Non, nous ne buvons pas de champagne.
4. Non, nous ne buvons pas de bière.

Exercice 3 *(page 295)*
boit; boit; boit; boit; boivent; boivent; boivent;
    boivent; boivent

Exercice 4 *(page 295)*
bois; bois; boit; boit

Exercice 5 *(page 295)*
buvons; buvez; boivent; boivent

Exercice 6 *(page 295)*
À la fête j'ai bu du champagne. Et toi, qu'est-ce
    que tu as bu?
Est-ce que ce garçon a bu plus de champagne
    que cette fille? Mais oui! Elle n'a rien bu!

Exercice 7 *(page 295)*
1. Oui, vous devez faire attention.
2. Oui, vous devez apprendre les leçons.
3. Oui, vous devez écouter attentivement.
4. Oui, vous devez recevoir de bonnes notes.

Exercice 8 *(page 295)*
devons; devez; devez; devez; dois; dois; dois;
    dois; dois

Exercice 9 *(page 296)*
1.–7. Les filles (les garçons) (les filles et les
    garçons) reçoivent... 1. une guitare; 2. des
    disques; 3. des skis; 4. des cassettes; 5. une
    cravate; 6. une jupe; 7. une chemise

Exercice 10 *(page 294)*
doivent; reçoivent; reçoivent; boivent; reçoivent

Exercice 11 *(page 297)*
—Ah! Les généraux ont des chevaux!
—Oui, ils adorent ces animaux.
—Mais les chevaux des généraux mangent mes
journaux!

Exercice 12 *(page 297)*
    Ce sont des parcs municipaux. Dans les parcs
il y a des eaux minérales spéciales. Ces statues
originales viennent des pays tropicaux, mais les
monuments principaux sont par des artistes
locaux.

Exercice *(page 298)*
1. Simone et Caroline sont au stade-vélodrome.
2. Le match est pour la Coupe de France.
3. Le stade peut contenir trente mille personnes.
4. Le score est 2 à 1 en faveur de Nantes.
5. Bernard prend le ballon.
6. Il fait la passe avec la tête.
7. L'équipe de Nantes a gagné.
8. La foule bat des mains et des pieds.

Exercice 1 *(page 300)*
1. Les Américains et les Russes sont plus sportifs
    que les Français.
2. Les sports ne sont pas négligés dans les
    lycées américains.
3. Le gouvernement fait des efforts pour
    encourager les sports.
4. Chaque année il y a de nouveaux stades,
    terrains de sports et piscines.

Exercice 2 *(page 300)*
1. Le base-ball et le football américain ne sont
    pas pratiqués en France.
2. Les deux grands sports français sont le
    football et le cyclisme.
3. Le sport national est le football.
4. Des championnats nationaux et
    internationaux sont organisés.
5. La coupe du monde de football passionne les
    fanas du monde entier.
6. Le pays du cyclisme, c'est la France.
7. Les courses dans les vélodromes attirent une
    grande foule.
8. Quand il y a une fête, on organise souvent
    une course de cyclistes amateurs dans les
    villages.
9. Le Tour de France est la célèbre course
    internationale tout autour du pays.
10. Les coureurs professionnels viennent de tous
    les pays du monde.
11. Le gagnant devient un héros national.

Révision

Exercice 1 *(page 304)*
1. Simon a invité Bernard à Paris.
2. Bernard n'a jamais vu le Tour de France.
3. Ils ont vu les premières étapes à la télé.
4. Ils ont choisi leurs cyclistes favoris.
5. Ils ont étudié tous les détails du Tour.
6. Ils ont lu tous les articles dans les journaux et les magazines.
7. Ils ont crié avec la foule au vélodrome.
8. Ils ont félicité le gagnant.
9. Ils ont bu du champagne.

Exercice 2 *(pages 304–305)*
grossi; a maigri; du jogging; de la gymnastique; a perdu; peut acheter un nouveau bikini

Exercice 3 *(page 305)*
A. sais; sais; savez; savons
B. vient; viennent; vient
C. mets; mets; mettons; Mets
D. boit; buvons; bois

Exercice 1 *(page 306)*
1. Il y a trois chaînes de télévision en France: TF 1, A 2, et FR 3.
2. Oui, la télévision par câble existe en France.
3. Si on habite dans le sud de la France on peut voir la télévision de Monaco.
4. Si on habite dans l'est on peut voir la télévision suisse.
5. Si on habite dans le nord, on peut voir les émissions de Belgique et de Luxembourg.
6. On peut voir une grande variété de programmes: sports, théâtre, musique, jeux, météo, actualités et feuilletons.

Exercice *(page 307)*
1. Ils choisissent la profession d'avocat.
2. Non, il ne veut pas être avocat.
3. Il aime surtout la gymnastique.
4. Il a inventé le trapèze volant.
5. Oui, nous pouvons chanter la chanson.
6. Il a donné son nom au costume que portent aujourd'hui les acrobates et les danseurs.

Leçon 21

Exercice 1 *(page 309)*
1. Henri se réveille à six heures et demie.
2. Il se lève à sept heures.
3. Quand il se lève, il se lave.
4. Il se rase aussi.
5. Il se brosse les dents.
6. Il se brosse les cheveux aussi.
7. Ensuite il s'habille.

8. Il se couche à ____ heures.
9. Quand il se couche, il s'endort tout de suite.

Exercice 2 *(page 310)*
terrain; s'appelle; monte; sac à dos; douche; miroir; chemin; mène

Exercice 2 *(page 311)*
1. Charles se lève à six heures.
2. Oui, il se lave dans la salle de bains.
3. Oui, il se brosse les dents.
4. Il se rase aussi.
5. Il se regarde dans le miroir quand il se rase.
6. Il part pour l'école à sept heures.

Exercice 3 *(page 312)*
1. Oui, Joëlle et Jacqueline se réveillent à sept heures.
2. Oui, elles se lèvent à sept heures et dix.
3. Oui, Joëlle se lave vite.
4. Oui, Jacqueline s'habille en blue-jeans.
5. Oui, les filles se brossent les dents.
6. Oui, elles se brossent les cheveux.

Exercice 4 *(page 312)*
1. te rases
2. me rase
3. te brosses
4. me brosse
5. te brosses
6. me brosse
7. t'habilles
8. m'habille

Exercice 5 *(page 312)*
1. nous couchons
2. nous réveillons
3. nous levons; nous habillons
4. nous promenons
5. vous couchez
6. vous promenez
7. vous couchez
8. vous endormez

Exercice 7 *(page 313)*
1. Oui, Charles appelle son ami au téléphone.
2. Oui, son ami s'appelle Henri.
3. Oui, Charles invite Henri à la boum de Ginette.
4. Oui, Charles s'invite à la boum aussi.
5. Oui, les deux garçons trouvent la maison de Ginette.
6. Oui, la maison se trouve dans la rue de Grenelle.
7. Oui, Charles amuse ses copains à la boum.
8. Oui, il s'amuse aussi.

Exercice 8 *(page 313)*
1. m
2. me
3. me; —
4. s'
5. me; se; s'
6. —
7. —; te

Exercice 10 *(page 315)*
Je me réveille, mais je ne me lève pas tout de suite. J'ai mal au ventre. Enfin je me lève mais je ne me lave pas. Je ne me brosse pas les dents. Je ne me rase pas. Je ne m'habille pas. Je me

regarde dans le miroir. Quel horreur! Je me demande si je vais mourir.

Je me couche mais je ne m'endors pas. Tout à coup je pense: «Mon Dieu! C'est aujourd'hui dimanche! Il n'y a pas de classe!"

Exercice 11 *(page 315)*
Quand nous mangeons beaucoup, nous ne nageons pas tout de suite après. Quand nous nageons, nous commençons lentement.

Exercice 13 *(page 316)*
1. m'appelle
2. achète
3. s'appelle
4. achète
5. commence
6. commençons
7. nageons
8. mangeons; jetons
9. me promène; se promène

Exercice *(page 317)*
1. camping
2. tente
3. caravane
4. se couche par terre dans une tente
5. des sacs de couchage
6. il y a des moustiques

Exercice 1 *(page 320)*
1. b   2. c   3. a   4. a

Exercice 2 *(page 320)*
1. La famille de Joëlle s'amuse sur la plage.
2. La ville s'appelle Agde.
3. Agde se trouve dans le Languedoc.
4. Agde se trouve sur le canal du Midi.
5. Il s'appelle Les Sables d'Or.
6. On va remorquer la caravane.

Exercice 3 *(page 320)*
1. La plage est très belle.
2. Les filles nagent beaucoup.
3. Bertine fait du pédalo.
4. Joëlle bronze.
5. Elles se promènent à vélo.
6. Elles jouent aux boules ou au golf miniature.

Exercice 4 *(page 320)*
salle de jeux; des gens intéressants; de bonne heure; lèvent; coqs; cinq heures.

Activité 1 *(page 320)*
La caravane n'est pas grande, mais elle est confortable. Il y a deux chambres dans la caravane. La cuisine est petite. Sous l'auvent il y a une table et quatre fauteuils.

Leçon 22

Exercice 1 *(page 324)*
1. Les clients sont assis à la terrasse du café.
2. Oui, les clients bavardent.
3. Ils discutent politique.
4. Oui, ils ont commandé des consommations.
5. Oui, le garçon a mis les consommations sur un plateau.
6. Oui, il a servi les consommations.

Exercice 1 *(page 326)*
s'assied; s'asseyent; s'assied; t'assieds; m'assieds; m'assieds

Exercice 2 *(page 327)*
1. Oui, j'ai été au café.
2. Oui, j'ai reçu une lettre de mon ami.
3. Oui, j'ai lu la lettre au café.
4. Oui, j'ai écrit une lettre au café.
5. Oui, j'ai pris un sandwich au café.
6. Oui, j'ai bu un diabolo menthe au café.
7. Oui, j'ai été toute la journée au café.

Exercice 3 *(page 327)*
1. George a pris un sandwich et Michel a pris des gâteaux.
2. Georges a bu un coca et Michel a bu deux citronnades.
3. Ensuite Michel a écrit une lettre et Georges a lu un magazine.
4. Michel a dit quelque chose, mais Georges n'a pas compris.
5. "J'ai écrit à Marie-Claire."
6. "Oh oui? Et qu'est-ce que tu as dit?"
7. "J'ai décrit ce quartier de Paris—les boulevards, les édifices, les cafés.
8. Et j'ai promis d'écrire à son frère."

Exercice 4 *(page 328)*
1. Paul, lève-toi!
2. Paul, lave-toi!
3. Paul, brosse-toi les dents!
4. Paul, habille-toi!
5. Paul, couche-toi!

Exercice 5 *(page 329)*
1. Promenez-vous, Monsieur, s'il vous plaît.
2. Levez-vous, Monsieur, s'il vous plaît.
3. Asseyez-vous, Monsieur, s'il vous plaît.
4. Rasez-vous, Monsieur, s'il vous plaît.

Exercice 6 *(page 329)*
1. Bonne idée! Asseyons-nous.
2. Bonne idée! Lavons-nous les mains.
3. Bonne idée! Levons-nous.
4. Bonne idée! Promenons-nous.

Exercice *(page 331)*
1. Où est-ce que Marie et Léo vont?
2. Avec qui est-ce qu'ils ont rendez-vous?
3. Qu'est-ce que Léo dit?
4. Où est-ce qu'Éric se trouve déjà?
5. Où est-ce que les amis s'asseyent?
6. Marie et Odile, qu'est-ce qu'elles prennent?
7. Pourquoi est-ce qu'Éric ne prend rien?

Exercice 1 (page 332)
1. institution nationale
2. sociale; politique
3. les petits villages
4. café
5. bistro; café du coin
6. les personnes qui habitent près de là

Exercice 2 (page 332)
1. pour rencontrer les amis; pour discuter sports, politique, choses sérieuses; pour téléphoner; pour écouter de la musique; pour jouer aux cartes, aux dames, aux échecs
2. Ils se trouvent sur une grande avenue.
3. On s'assied à la terrasse.
4. On regarde les gens qui passent.
5. On peut commander: du café; du vin; des apéritifs; de la bière; de l'eau minérale; du coca; des orangeades; des citronnades; etc.

Leçon 23

Exercice 1 (page 338)
1. réservoir
2. pare-brise
3. pneus
4. moteur
5. clignotants; fonctionnent

Exercice 2 (page 338)
1. c
2. a
3. b
4. c
5. a
6. b
7. b

Exercice 3 (page 339)
1. Il conduit à 20 kilomètres à l'heure.
2. Il ne connaît pas la route.
3. Il cherche l'autoroute de l'ouest.
4. Sa passagère cherche l'autoroute sur la carte routière.
5. Le conducteur s'arrête au feu rouge.
6. Il y a un encombrement affreux au carrefour.
7. L'agent de police contrôle la circulation.
8. Il indique qu'il y a un virage dangereux.

Exercice 1 (page 340)
1. Paul conduit la Citroën.
2. Il conduit prudemment.
3. Oui, la sœur de Paul conduit bien aussi.
4. Non, il ne connaît pas ses cousins.
5. Il connaît son oncle Jules.

Exercice 2 (page 341)
connaissons; connaissez; Connaissez; connaît; connaissent

Exercice 3 (page 341)
conduisent; conduisons; conduisez; Conduisez; conduit

Exercice 4 (page 342)
1. Oui, je connais la France.
2. Oui, je connais Paris.
3. Oui, je sais que Paris est très beau.
4. Oui, je sais prendre le métro.
5. Oui, je sais où est la tour Eiffel.
6. Oui, je connais un bon hôtel à Paris.
7. Oui, je connais le propriétaire.
8. Oui, je sais le prix d'une chambre.

Exercice 5 (page 342)
connaissent; connaissent; savent; savent; connaître; savoir; connaître

Exercice 6 (page 342)
1. Marc le salue.
2. Le mécanicien le répare.
3. Marc le remercie.
4. Il le ferme.
5. Il le met.

Exercice 7 (page 343)
1. Nathalie la met.
2. Elle la conduit.
3. Elle la connaît.
4. Christophe la cherche.
5. Il la cherche.

Exercice 8 (page 343)
1. Je l'apprends.
2. Je l'aime.
3. Je l'entends.
4. Le professeur l'explique.
5. Je l'écris.

Exercice 9 (page 343)
1. Le mécanicien les salue.
2. Il les vérifie.
3. Il les vérifie.
4. Il les vérifie.
5. Il les vérifie.

Exercice 10 (page 343)
1. Oui, on le répare.
2. Oui, on la remplace.
3. Oui, on les remplace.
4. Oui, on le remplace.
5. Oui, on le répare.
6. Oui, on les remplace.
7. Oui, on le remplace.
8. Oui, on les remplace.
9. Oui, on le répare.
10. Oui, on le répare.
11. Oui, on l'essuie.

Exercice 11 (page 344)
—Quelles belles voitures! Tu les regardes?
—Oui, je les regarde.
—Tu les admires?
—Non, je ne les admire pas.
—Tu les veux?
—Non, je ne les veux pas.
—Alors, ne les achète pas!

Exercice 13 (page 344)
Les voilà; Le voilà; Le voilà

Exercice 1 (page 346)
1. Il a acheté une vieille Citroën deux-chevaux.
2. Édouard est le cousin de Philippe.

3. Bien sûr qu'elle marche!
4. Édouard ne l'accepte pas tout de suite.

Exercice 2 *(page 346)*
1. Philippe a son permis de conduire.
2. Philippe a assez d'essence, assez d'huile, assez d'eau.
3. Philippe n'a pas de pneu à plat.
4. Les clignotants fonctionnent.

Exercice 3 *(page 346)*
1. Philippe est impatient parce qu'il veut se promener un peu en voiture.
2. Édouard refuse l'invitation de Philippe parce qu'il pense que la voiture est un tacot.

Exercice 1 *(page 348)*
1. C'est un beau dimanche de juillet.
2. La Météo a prévu du beau temps.
3. La famille Beauchamp se met en route à huit heures.
4. Ils cherchent un joli endroit dans la campagne.
5. Il est nécessaire de mettre la ceinture de sécurité.

Exercice 2 *(page 348)*
1. joli endroit tranquille dans la campagne
2. la fête de Christine
3. pique-niques
4. après neuf heures
5. vingt kilomètres à l'heure
6. la route qui mène à Châlons-sur-Marne

Exercice 3 *(page 348)*
1. Elle s'énerve parce qu'il y a un virage dangereux.
2. Il dit qu'il connaît cette route comme sa poche.
3. Ils vont s'arrêter à une station-service.
4. Ils s'arrêtent parce que le moteur chauffe un peu.
5. M. Beauchamp parle avec le mécanicien.
6. Grégoire promène le chien Bijou.
7. Mme Beauchamp et Christine regardent les livres et les jouets qu'on vend à la boutique.

Exercice 4 *(page 348)*
1. Le moteur chauffe un peu.
2. À gauche se trouve le petit village d'Écury-sur-Coole.
3. On va pique-niquer à Écury-sur-Coole.

Activité 3 *(page 349)*
Le pompiste met de l'essence dans le réservoir.
Le mécanicien vérifie la pression des pneus. Il met de l'huile dans le moteur.

Leçon 24
Exercice 1 *(page 352)*
1. une vedette   3. le premier
2. les marins   4. étapes

Exercice 1 *(page 354)*
1. Elle m'invite chez elle.
2. Elle m'aide à faire mes devoirs.
3. Elle me sert un coca.
4. Elle m'écoute.
5. Elle me comprend.
6. Elle m'admire.

Exercice 2 *(page 355)*
—Qui est dans le bateau?
—C'est un marin. Pourquoi?
—Il nous regarde.
—Pourquoi est-ce qu'il nous regarde?
—Je ne sais pas pourquoi il nous regarde.
—Ah, je sais! Il nous regarde parce qu'il nous trouve belles!

Exercice 4 *(page 356)*
Bon! Nous allons nous lever et nous allons nous laver.
Ensuite nous allons nous maquiller (raser).
Non, nous ne voulons pas nous maquiller (raser) aujourd'hui. Nous allons nous habiller.
Est-ce que nous pouvons nous promener avant le petit déjeuner?
Oui, nous pouvons nous promener.
Nous allons nous arrêter un peu au café!

Exercice 1 *(page 357)*
1. le joli bateau à voiles   3. le connaît
2. elle connaît le marin   4. oncle

Exercice 2 *(page 357)*
1. L'oncle invite Anne-Marie à bord.
2. Il l'invite parce que c'est le bateau de son père.
3. Elle demande à Arthur s'il veut se promener un peu.
4. Arthur l'accompagne avec plaisir.

Exercice 1 *(page 360)*
1. c   3. a   5. c
2. b   4. c

Exercice 2 *(page 360)*
1. vedettes
2. les amis, les journalistes, les cameramen de la télévision
3. la mère de Philippe, Geneviève Jeantot
4. s'entendent pas
5. bateaux-pompes
6. longue banderole
7. «bon anniversaire»

Exercice 3 *(page 360)*
1. La course commence le 26 août 1982
2. Il y a quatre étapes dans la course.
3. Il y a dix-sept bateaux au départ de la course.
4. «Crédit Agricole» a dix-sept mètres de longueur.
5. Il y a une fuite.
6. Il y a un peu d'eau dans un bidon.
7. Une voile est endommagée. (Le gouvernail est endommagé.)

Révision

Exercice 1 *(page 364)*
me réveille; me lève; me lave; me rase; réveille

Exercice 2 *(page 364)*
se lève; rendort; descend; se dépêcher; s'admirer longtemps; s'amuser avec son chien; s'arrêter chez Paul

Exercice 3 *(page 365)*
Comment s'appellent ces filles-là? Elles s'appellent Francine et Noëlle. Francine et Noëlle vont à la plage du camping. Elles se demandent si elles vont s'ennuyer. Mais elles ne s'ennuient pas. Elles ne se trouvent jamais seules. Elles se promènent avec des amis, elles nagent et elles se bronzent. Elles s'amusent bien!

Exercice 4 *(page 366)*
1. Jean-Marc le cherche.
2. Oui, il les voit.
3. Oui, il les voit.
4. Non, il ne le voit pas.
5. Il le trouve derrière une vieille voiture.

Exercice 5 *(page 366)*
la; la; La; le; la

Exercice 6 *(page 366)*
t'; m'; te; m'; t'

Exercice 7 *(page 367)*
1. Oui, mes parents me donnent de l'argent.
2. Oui, mes amis me téléphonent souvent.
3. Oui, ils m'invitent à toutes les fêtes.
4. Mon prof de français me comprend bien.
5. Oui, on nous donne beaucoup de devoirs à faire.
6. Oui, nos profs nous aident.
7. Oui, l'école secondaire nous prépare pour la vie, et pour l'université.

Exercice 8 *(page 368)*
—Où mènent ces chemins?
—Ces chemins? Ils mènent au lac.
—Vous vous promenez là-bas?
—Oui, nous commençons nos vacances aujourd'hui. Nous nous promenons toujours près du lac.
—Vous nagez dans ce lac?
—Ah oui, nous nageons dans ce lac tous les jours. C'est chouette!
—Vous apportez des sandwiches avec vous?
—Oui, nous mangeons des sandwiches et nous jetons du pain aux poissons.

Exercice 9 *(page 368)*
A. s'assied; s'assied; nous asseyons; asseyez-vous
B. conduit; conduit; conduisent; conduisons
C. connais; sait; sait; sais; connaît

Exercice *(page 369)*
1. Le canal du Midi relie l'océan Atlantique et la mer Méditerranée.
2. Le canal relie Toulouse et Agde.
3. On a commencé la construction du canal en 1666.
4. On a fini le canal en 1680.
5. Entre 10 000 et 12 000 ouvriers ont travaillé sur le canal.
6. Oui, on peut faire un voyage touristique en péniche.

Exercice *(page 370)*
1. Le mois préféré des vacances est août.
2. En août il y a très peu de Parisiens à Paris.
3. Si le magasin est fermé pour les vacances, on voit un écriteau qui dit «Fermeture annuelle».
4. Pour leurs vacances, la majorité des Français restent en France.
5. Plus de 20 pourcent font du camping.

Exercice *(page 371)*
1. Le café le plus fameux de Paris est le Café de la Paix.
2. Il est situé sur le boulevard des Capucines au coin de la place de l'Opéra.
3. On rencontre des représentants de toutes les provinces françaises et de toutes les nations du monde.
4. Le café des Deux Magots et le café de Flore sont situés sur la Rive gauche de la Seine, tout près de l'Église Saint-Germain-des-Prés.
5. Ils sont célèbres dans la littérature.
6. Le philosophe Jean-Paul Sartre a passé beaucoup de temps au café de Flore.
7. Il est fameux pour la doctrine philosophique de l'existentialisme.

Leçon 25

Exercice 1 (*page 372*)
1. guichet
2. postière
3. ville
4. franc
5. précéder
6. livre

Exercice 2 (*page 373*)
1. lettre
2. timbre
3. la boîte aux lettres
4. l'enveloppe
5. le courrier

Exercice 1 (*page 374*)
1. Je lui donne un timbre.
2. Marcelle lui donne une enveloppe.
3. Geneviève lui donne du papier.
4. Gilbert lui donne un stylo.
5. Véronique lui donne un dictionnaire.
6. Laurent lui dit la date.
7. Pauline lui donne l'adresse du destinataire.
8. Simon lui dit de ne pas oublier le code postal.

Exercice 2 (*page 374*)
1. Elle leur vend des timbres.
2. Elle leur montre des timbres commémoratifs.
3. Elle leur dit le prix des timbres.
4. Oui, elle leur vend aussi des cartes postales.

Exercice 3 (*page 375*)
1. Barbara dit «bonjour» à la postière.
2. Elle lui demande trois timbres à un franc vingt.
3. La postière lui donne les trois timbres.
4. Barbara lui donne une pièce de cinq francs.
5. La postière lui rend un franc quarante.
6. Barbara lui dit merci.

Exercice 4 (*page 375*)
Barbara ne dit pas bonjour à la postière. Elle ne lui demande pas trois timbres à un franc vingt. La postière ne lui donne pas les trois timbres. Barbara ne lui donne pas une pièce de cinq francs. La postière ne lui rend pas un franc quarante. Barbara ne lui dit pas merci.

Exercice 6 (*page 375*)
1. Ne lui demandez pas le courrier.
2. Ne lui parlez pas pendant qu'il travaille.
3. Ne lui donnez pas cette lettre.
4. Ne leur lisez pas cette lettre.
5. Ne leur montrez pas ces cartes postales.
6. Ne leur envoyez pas ces photos.

Exercice 7 (*page 376*)
1. J'envoie une lettre à mon amie bretonne, et elle m'invite chez elle.
2. J'appuie sur le bouton et elle arrive.
3. Je m'essuie les pieds et j'entre.
4. J'essaie des robes et je les paie.
5. J'envoie mon amie chez la Bretonne.

Exercice 8 (*page 377*)
1. Le village que nous visitons est breton.
2. Nous buvons le cidre que la Bretonne nous sert.
3. Voilà les sandwiches que vous voulez.
4. Nous aimons beaucoup la robe traditionnelle que la Bretonne porte.
5. Les traditions que nous admirons sont vieilles.

Exercice 1 (*page 379*)
1. Christophe est le petit frère de Françoise.
2. Les jeunes gens attendent le facteur.
3. Il n'y a pas de lettres pour Christophe.
4. Christophe est surpris.

Exercice 2 (*page 379*)
1. Il attend des lettres de son amie algérienne et de ses cousins de Bretagne et de Suisse.
2. Il ne reçoit pas de lettres d'Algérie parce qu'il n'écrit jamais à son amie algérienne.
3. Ils habitent la Bretagne et la Suisse.
4. Il ne leur envoie jamais de lettre.
5. Il est sûr de recevoir beaucoup de courrier parce qu'il a écrit vingt-deux cartes postales ce week-end.

Exercice 1 (*page 382*)
cousine; une jeune Canadienne; mois; la Bretagne; un pardon

Exercice 2 (*page 382*)
1. Elle a écrit deux lettres et huit cartes postales.
2. Elle doit acheter des timbres.
3. On peut acheter des timbres à la poste.
4. Les filles doivent se dépêcher parce que la procession religieuse commence à deux heures.
5. Louiselle s'inquiète.
6. Elle va acheter dix timbres.
7. Elle a écrit à ses parents et à ses grands-parents, à son prof d'histoire, et à ses amis.
8. Claudine téléphone à ses parents. Elle leur dit qu'elles rentrent samedi soir.
9. Louiselle achète des timbres.

Exercice 3 (*page 382*)
1. À La Baule il y a une jolie plage.
2. Carnac est une région de la Bretagne où on trouve beaucoup de monuments préhistoriques.
3. Les binious et les accordéons sont des instruments traditionnels bretons.

McGRAW-HILL

French

rencontres

second part

Jo Helstrom

Conrad J. Schmitt

Webster Division
McGraw-Hill Book company

NEW YORK • ATLANTA • ST. LOUIS • DALLAS • SAN FRANCISCO
• AUCKLAND • BOGOTÁ • HAMBURG • JOHANNESBURG •
LONDON • MADRID • MEXICO • MONTREAL • NEW DELHI •
PANAMA • PARIS • SÃO PAULO • SINGAPORE • SYDNEY • TOKYO
• TORONTO

credits

EDITOR • Jacqueline Rebisz
DESIGN SUPERVISOR • James Darby
PRODUCTION SUPERVISOR • Salvador Gonzales
ILLUSTRATORS • Bert Dodson • Hal Frenck • Les Gray
• Susan Lexa • Jane McCreary
• Susan Swan • George Ulrich
PHOTO EDITOR • Alan Forman
PHOTO RESEARCH • Ellen Horan
COVER DESIGN • Group Four, Inc.
LAYOUT AND DESIGN • Function thru Form, Inc.
LANGUAGE CONSULTANT • Jean-Jacques Sicard,
Alliance Française
EDITORIAL CONSULTANTS • Lorraine Garrand
• Deborah Jennings • Carroll Moulton
• Jean-Jacques Sicard • Carolyn Weir

• Cartographer • David Lindroth

This book was set in 10 point Century Schoolbook by Monotype Composition Co., Inc. Color separation was done by Schawkgraphics, Inc.

Library of Congress Cataloging in Publication Data

Helstrom, Jo.
  McGraw-Hill French rencontres.

  Includes index.
  Summary: A textbook for high school students, introducing the fundamentals of French grammar and vocabulary through written and oral exercises and providing cultural information about French-speaking countries throughout the world.
  1. French language—Text-books for foreign speakers—English.   2. French language—Grammar—1950–   . [1. French language—Grammar] I. Schmitt, Conrad J. II. Title.

PC2129.E5H44   1986   448.2'421   84-23330

ISBN 0-07-028192-0

2 3 4 5 6 7 8 9 DOCDOC 94 93 92 91 90 89 88 87 86

acknowledgments

The authors wish to express their appreciation to the many foreign language teachers throughout the United States who have shared their thoughts and experiences with us. We express our particular gratitude to those teachers listed below who have carefully reviewed samples of the original manuscript and have willingly given of their time to offer their comments, suggestions, and recommendations. With the aid of the information supplied to us by these educators, we have attempted to produce a text that is contemporary, communicative, authentic, and useful to a wide variety of students from all geographic areas.

Delores Allen
Woodrow Wilson High School
Middletown, Connecticut

Richard W. Ayotte
Cony High School
Augusta, Maine

Evelyn Brega
Lexington Public Schools
Lexington, Massachusetts

Julia T. Bressler
Nashua Senior High School
Nashua, New Hampshire

Robert J. Bruggeman
Colonel White High School
Dayton, Ohio

Gail Castaldo
Pingry School
Hillside, New Jersey

Nelly D. Chinn
Voorhees High School
Glen Gardner, New Jersey

Renay Compton
Stivers Intermediate School
Dayton, Ohio

Robert Decker
Long Beach Unified Schools
Long Beach, California

Mary-Jo Fassié
William Fleming High School
Roanoke, Virginia

Regina Grammatico
Amity Regional Senior High School
Woodbridge, Connecticut

Helen Grenier
Baton Rouge Magnet High School
Baton Rouge, Louisiana

Michaele P. Hawthornthwaite
Hillcrest High School
Simpsonville, South Carolina

Marion E. Hines
District of Columbia Public Schools
Washington, D.C.

Katy Hoehn
Troy High School
Fullerton, California

Lannie B. Martin
Jefferson-Huguenot-Wythe High School
Richmond, Virginia

David M. Oliver
Bureau of Foreign Language
Chicago Board of Education
Chicago, Illinois

Eunice T. Pavageau
Zachary High School
Baton Rouge, Louisiana

Zelda Penzel
Southside Senior High School
Rockville Centre, New York

John Peters
Cardinal O'Hara High School
Springfield, Pennsylvania

James L. Reed
Orange High School
Cleveland, Ohio

Charlene Sawyer
J. L. Mann High School
Greenville, South Carolina

James J. Shuster
Olney High School
Philadelphia, Pennsylvania

Alice Stanley
Southfield-Lathrup High School
Lathrup Village, Michigan

Mary Margaret Sullivan
George Washington High School
Charleston, West Virginia

Nina von Isakovics
South Lakes High School
Reston, Virginia

Marie S. Wallace
Tilden Intermediate School
Rockville, Maryland

The authors would like to thank Jeanne M. Driscoll for preparing the end vocabulary. The authors would also like to thank the following persons and organizations for permission to include the following photographs:

R-2:(l), **R-2**:(r), **R-3**:(t) Peter Menzel; **R-3**:(b) Hugh Rogers/Monkmeyer; **R-4**, **R-5**:(t), **R-5**:(b) Peter Menzel; **R-7**:(l) Stuart Cohen; **R-7**:(m), **R-7**:(r) Peter Tatiner/Gamma Liaison; **R-8**, **R-13**, **R-15**: Peter Menzel; **R-16**: Joe Viesti; **R-17**: Mark Antman/The Image Works; **R-19**, **R-21**:(l), **R-21**:(r) Peter Menzel; **R-22**: Index Stone; **R-25**, **R-29**: Peter Menzel; **R-30**: Daniel Simon/Gamma Liaison; **R-31**:Peter Menzel; **190**: Dana Jennings; **192**:(ml) Beryl Goldberg; **192**:(ml) John G. Ross/Photo Researchers; **194**: Beryl Goldberg; **198**:(l) Chris Brown/Stock, Boston; **198**:(r) Jim Dixon/Photo Researchers; **200**: Richard Hackett; **202**, **202**: Beryl Goldberg; **204–205**: Jean Gaumy/Magnum; **204**:(b) Ph. Charliat/Photo Researchers; **204**:(tl) De Andrade /Magnum; **205**:(t) Hugh Rogers/Monkmeyer; **240**: Hugh Rogers/ Monkmeyer Press Photo; **214**: Richard Hackett; **216**: Hugh Rogers/Monkmeyer Press Photo; **217**:(b) Peter Menzel/ Stock, Boston; **217**:(m) Hugh Rogers/Monkmeyer; **217**:(t) J.M. Charles/Rapho/Photo Researchers; **218**: Scott Thode/ International Stock Photo; **222**:Richard Hackett; **224**: Hugh Rogers/Monkmeyer Press Photo; **225**: Scott Thode/ International Stock Photo; **226**: Owen Franken/Stock, Boston; **228**:(bl) Beryl Goldberg; **228**:(br) Hugh Rogers/ Monkmeyer Press Photo; **228**:(tl) Magnum; **228**:(tr) Jean Boughton/Stock, Boston; **229**:(m) Irving Schild Studio/DPI; **230**:(bl) David Burnett/Woodfin Camp; **230**:(tr) Peter Menzel; **233**: Ellen Horan; **238**:(r) Hugh Rogers/Monkmeyer Press Photo; **239**: Erich Hartmann/Magnum; **239**:(ml) Adam Woolfitt/Woodfin Camp; **239**:(ml) Peter Menzel; **240**: Hugh Rogers/Monkmeyer Press Photo; **241**:(ml) Owen Franken/Stock, Boston; **241**:(mr) Hugh Rogers/Monkmeyer Press Photo; **241**:(t) Beryl Goldberg; **243**:(b) Jean Gaumy/Magnum; **243**:(m) Raymond Depardon/Magnum; **243**:(t) Bruno Barbey/Magnum; **244**: Hugh Rogers/Monkmeyer Press Photo; **245**: Beryl Goldberg; **248**: Scott Thode/International Stock Photo; **250**:(ml) Dana Jennings; **250**:(m) Michael Philip Manheim/Photo Researchers; **250**:(mr) Beryl Goldberg; **251**:(ml) Mike Yamashita/Woodfin Camp; **251**:(m), **251**:(mr) Hugh Rogers/Monkmeyer Press Photo; **256**:(l) Berretty/Photo Researchers; **256**:(r) Richard Hackett, **257**:(ml) Fournier/Photo Researchers; **257**:(mr) Richard Hackett; **257**:(tl) Beryl Goldberg; **257**:(tr) Richard Hackett; **260**:(tl) Peter Menzel; **260**:(tr) Richard Hackett; **261**:(b) Beryl Goldberg; **261**:(t) Peter Menzel; **262**: Hugh Rogers/Monkmeyer Press Photo; **273**:(b) American Motorist Alliance-Renault; **273**:(tl) Bois-Prevost/Vival/Woodfin Camp; **273**:(tr) Mike Yamashita/Woodfin

Preface

Bonjour! Now that we have become acquainted, it is time to make a few friends and establish some long-lasting friendships. One of the most valuable parts of learning a language is its application to the understanding of the people who speak that language and their way of life. *McGraw-Hill French* invites you to get to know more about other cultures, about other people, about yourself, and those around you as you meet and form new friendships with the people who speak this language.

McGraw-Hill French has been written to help you develop your language skills through activities that focus on meaningful, personal communication. You will learn about other cultures, about other people, about each other, and about yourself. As you become increasingly aware of the similarities and differences among cultures and among people, we hope you will become more appreciative and enjoy the diversity and uniqueness of both.

The unraveling of the foreign language "mystery" continues. This year you will continue your study of French by learning new concepts and functions, by broadening your communication skills, and by practicing and using them in meaningful, realistic situations and interactions. You will learn to convey messages and to express your ideas, feelings, and opinions in authentic, natural, everyday settings.

If you want to communicate, you must acquire the ability to speak fluently and express your ideas in French. The acquisition of another language takes time. You therefore need practice in using the language. The activities provided in *McGraw-Hill French* focus on real communication and encourage you to talk about the themes presented. The exercises in the text have been written to help you develop active control of the vocabulary and structure concepts presented. A large number of communicative activities reflecting a wide variety of themes have been included—going shopping, using the subway, eating out, going camping, driving a car, going to the post office.

Remember the excitement and enthusiasm you felt when you first began to study a foreign language? Let's keep that enthusiasm alive! *McGraw-Hill French* is a lively, youth-oriented, interesting textbook with many activities which are valuable and fun. Accept each assignment as just another step closer to fluency and proficiency in French. Take every opportunity to practice what you have learned. Never be afraid to make a mistake. Everyone makes mistakes while learning. Learn to use your new language to communicate with one another and with native speakers of the language.

Et maintenant, en avant!

about the authors

Jo Helstrom

Mrs. Helstrom is the former Chairperson of the Language Department of the public schools of Madison, New Jersey. She has taught French and Spanish at the junior and senior high school levels. For a number of years she was Lecturer in French at Douglass College, Rutgers, the State University of New Jersey, where she taught methods of teaching French. She has been a Field Consultant in Foreign Languages for the New Jersey State Department of Education and a member of the Executive Committee of the New Jersey Foreign Language Teacher's Association. Mrs. Helstrom was presented the New Jersey Foreign Language Teachers' Association Award for Outstanding Contribution to Foreign language Education. Mrs. Helstrom is co-author of *La France: Une Tapisserie* and *La France: Ses Grandes Heures Littéraires*. She has studied at the Université de Paris and the Universidad Nacional de México and has traveled extensively in France, Mexico, Canada, Puerto Rico, and South America.

Conrad J. Schmitt

Mr. Schmitt was Editor-in-Chief of Foreign Language, ESL, and bilingual publishing with McGraw-Hill Book Company. Prior to joining McGraw-Hill, Mr. Schmitt taught languages at all levels of instruction, from elementary school though college. He has taught Spanish at Montclair State College, Upper Montclair, New Jersey; French at Upsala College, East Orange, New Jersey; and Methods of Teaching a Foreign Language at the Graduate School of Education, Rutgers University, New Brunswick, New Jersey. He also served as Coordinator of Foreign Languages for the Hackensack, New Jersey, Public Schools. Mr. Schmitt is the author of *Schaum's Outline of Spanish Grammar, Schaum's Outline of Spanish Vocabulary, Español: Comencemos, Español: Sigamos,* and the *Let's Speak Spanish* and *A Cada Paso* series. He is also coauthor of *Español: A Descubrirlo, Español: A Sentirlo, McGraw-Hill Spanish: Saludos* and *Amistades, La Fuente Hispana, Le Français: Commençons, Le Français: Continuons,* and *Schaum's Outline of Italian Grammar.* Mr. Schmitt has traveled extensively throughout France, Martinique, Guadeloupe, Haiti, and North Africa.

Contents

Leçon *17*   **Les jeux vidéo** . . . **252**

Leçon *18*   **Une famille d'ouvriers** . . . **264**

Leçon **25**   **À la poste** . . . **372**

Le monde du français

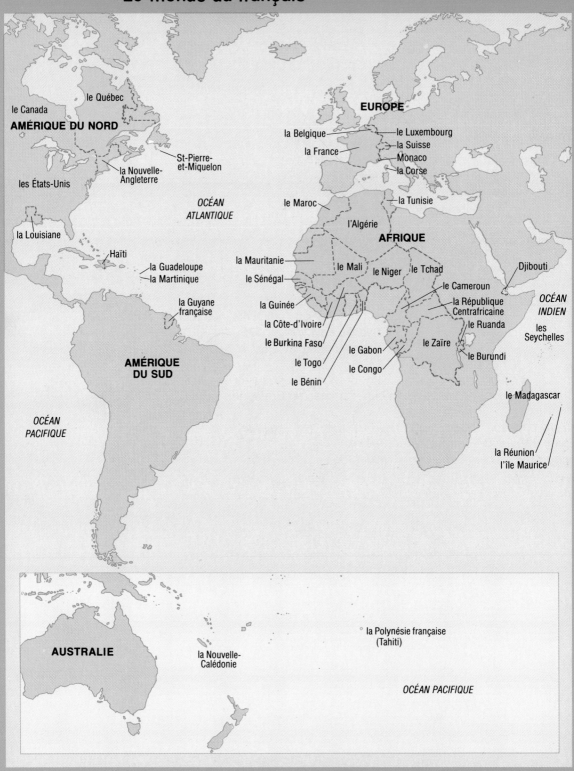

le Québec
le Canada
AMÉRIQUE DU NORD

EUROPE
la Belgique
la France
le Luxembourg
la Suisse
Monaco
la Corse

St-Pierre-et-Miquelon
la Nouvelle-Angleterre

les États-Unis

OCÉAN ATLANTIQUE

le Maroc
la Tunisie

la Louisiane

l'Algérie
AFRIQUE

Haïti
la Guadeloupe
la Martinique

la Mauritanie
le Mali
le Niger
le Tchad
Djibouti

le Sénégal

la Guyane française

la Guinée
la Côte-d'Ivoire
le Burkina Faso
le Togo
le Bénin

le Cameroun
la République Centrafricaine
le Ruanda

le Gabon
le Congo

le Zaïre
le Burundi

OCÉAN INDIEN
les Seychelles

AMÉRIQUE DU SUD

le Madagascar

OCÉAN PACIFIQUE

la Réunion
l'île Maurice

AUSTRALIE

la Nouvelle-Calédonie

la Polynésie française (Tahiti)

OCÉAN PACIFIQUE

xiv

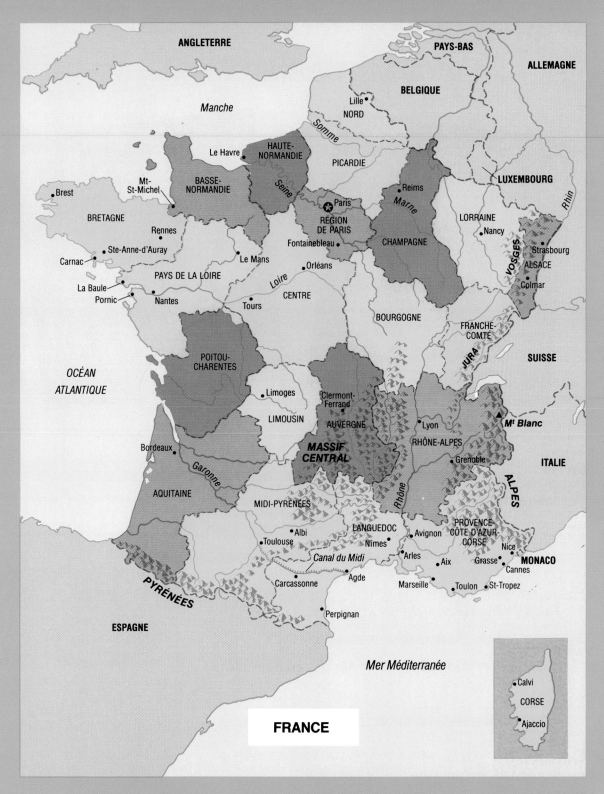

ANGLETERRE

PAYS-BAS

ALLEMAGNE

BELGIQUE

Manche

Lille
NORD

LUXEMBOURG

Le Havre
HAUTE-
NORMANDIE

PICARDIE

Somme

Rhin

Mt-
St-Michel

BASSE-
NORMANDIE

Seine

Reims

Marne

LORRAINE

Brest

Paris

Nancy

Rennes

RÉGION
DE PARIS

CHAMPAGNE

Strasbourg

VOSGES

ALSACE

BRETAGNE

Ste-Anne-d'Auray

Fontainebleau

Colmar

Carnac

PAYS DE LA LOIRE

Le Mans

Orléans

La Baule

Loire

CENTRE

BOURGOGNE

FRANCHE-
COMTÉ

Pornic

Nantes

Tours

JURA

SUISSE

OCÉAN
ATLANTIQUE

POITOU-
CHARENTES

Limoges

Clermont-
Ferrand

Lyon

Mt Blanc

LIMOUSIN

AUVERGNE

RHÔNE-ALPES

Bordeaux

Garonne

MASSIF
CENTRAL

Grenoble

ITALIE

AQUITAINE

Rhône

ALPES

MIDI-PYRÉNÉES

PROVENCE-
CÔTE D'AZUR-
CORSE

Albi

LANGUEDOC

Avignon

Nice

Toulouse

Nîmes

MONACO

Canal du Midi

Arles

Aix

Grasse

Cannes

Carcassonne

Agde

Marseille

Toulon

St-Tropez

PYRÉNÉES

Perpignan

ESPAGNE

Mer Méditerranée

Calvi

CORSE

FRANCE

Ajaccio

 **Révision**

Les amis

Bonjour.
Salut.
Ça va?
Ça va bien, merci.
Pas mal, et toi?

Have students repeat after you.

Au revoir.
À bientôt.

Exercice 1

Say "hi" to a classmate. Use his or her French name.

If students don't have a French name, assign or let them choose one from the list in the teacher's insert.

Exercice 2

Ask a classmate how things are going.

Exercice 3

Answer your classmate that things are going well.

Exercice 4

Say "so long" to a classmate.

Exercice 5

Say "good-bye" to your French teacher.

Have more than one or two students do each of these exercises. You may, afterwards, have them form groups of three or four and repeat Exercises 1–4.

La fille là-bas, c'est Michèle.
Elle est de Paris.
Elle est petite et blonde.
Elle est très sympa.

Have students repeat after you. Then have
students read one sentence each. Finally
have one student read all four sentences.

Exercice 6 C'est Michèle.
Répondez d'après la description.

1. Qui est la fille là-bas? Call on a different student for
each question.
2. D'où est-elle?
3. Elle est américaine ou française?
4. Est-elle grande ou petite?
5. Elle est sympa?

Workbook
Exercise A

Philippe et Jean-Paul sont copains. See suggestions above.
Les deux garçons sont grands et bruns.
Ils sont élèves dans un lycée à Lyon.
Ils sont très intelligents.
Ils sont forts en maths.

Exercice 7 Deux copains
Complétez.

Ask questions on the sentences. Have
students ask questions.

1. Philippe et Jean-Paul ne sont pas frères; ils sont _____.
2. Les deux garçons sont grands et _____.
3. Ils sont _____ dans un lycée.
4. Ils ne sont pas de Paris; ils sont _____ Lyon.
5. Ils sont _____ en maths.

Go over the exercise in class.
Have one student complete all 5 sentences.
Have the exercise written as homework. Correct it at the board the following day.

Workbook Exercise B

Structure

Le verbe *être*

The verb **être** (*to be*) is irregular. Review the following forms.

Infinitive	être		
Singular	je suis	**Plural**	nous sommes
	tu es		vous êtes
	il est		ils sont
	elle est		elles sont

Exercice 1 Es-tu français?
Pratiquez la conversation.

Have students repeat after you. Have students read as a dialog with expression.

— Tu es français, Paul?

— Mais non! Je ne suis pas français. Je suis américain.

— Tu es un ami de Nicole?

— Oui! Nicole est une amie très sincère.

— Vous êtes élèves dans une école américaine?

— Oui, et nous sommes très intelligents! Nicole est forte en sciences et moi, je suis fort en français.

Exercice 2 Paul est américain.
Répondez d'après la conversation.

Students may write this exercise for homework.

1. Qui est américain?
2. Est-ce que Nicole est française?
3. Où est-ce que les amis sont élèves?
4. Sont-ils stupides?
5. Qui est fort en sciences?

Exercice 3 Personnellement
Répondez.

Option:
Have students work in pairs and ask each other these questions.

1. Qui es-tu?
2. D'où es-tu?
3. Es-tu français(e) ou américain(e)?
4. Comment es-tu?

Exercice 4 Ginette et Charles
Complétez.

1. Ginette _____ de Grenoble.
2. Charles _____ français aussi, mais il n'_____ pas de Grenoble.
3. Tu _____ de Paris?
4. Tu n'_____ pas français?
5. Ah, tu _____ américain(e)!
6. Oui, je _____ de Chicago.
7. Je _____ un(e) ami(e) de _____.
8. Nous _____ très sportifs.
9. Nous _____ aussi très intelligents.
10. Vous _____ sportifs?
11. Ginette et Charles _____ élèves dans un lycée français.
12. Ils _____ intelligents et sportifs.
13. Vous _____ élèves dans un lycée français?
14. Mais non! Nous _____ élèves dans une école américaine.
15. Nous ne _____ pas français; nous _____ américains.

Go over exercise in class. Assign for homework.

Le pluriel

In French most nouns are made plural by adding **s**. This **s** is not pronounced.

Singular	Plural
le garçon	les garçons
la fille	les filles
l'ami	les amis
l'amie	les amies

The plural form of the definite articles **le, la,** and **l'** is **les.** Remember the liaison in the plural when the noun starts with a vowel. The final **s** is pronounced as a *z*.

/z/
les amis

Exercice 5 La copine de Suzy
Complétez avec *le, la, l'* ou *les.*

Go over the exercise in class. Have students write it for homework. The following day have several pairs of students prepare to present it to the class.

— Qui est _____ copine de Suzy?
— _____ copine de Suzy est Simone. _____ deux filles sont enthousiastes pour _____ sports.
— _____ garçon là-bas, qui est-ce?
— C'est Alain.
— C'est _____ frère de Suzy?
— C'est ça! C'est aussi _____ petit ami de Simone.
— Il est élève à Madison?
— Oui. Alain et Simone sont élèves dans _____ classe de Monsieur Bernard.
— C'est chouette ça!

L'accord des adjectifs

Adjectives must agree with the nouns they describe. If the noun is feminine, then the adjective must be in the feminine form. If the noun is plural, then the adjective must be in the plural form. Review the following forms:

	Feminine	Masculine
Singular	la fille française la femme célèbre	le garçon français l'homme célèbre
Plural	les filles intelligentes les amies sincères	les garçons intelligents les amis sincères

Workbook Exercises C and D

Exercice 6
Describe the boy.

Exercice 7
Describe the girls.

Activités

Workbook Exercises H and I

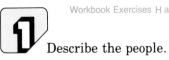

Describe the people.

You may also wish to have students ask questions.
Students may work in groups to prepare their descriptions.

2 Make a list of characteristics that you look for in a friend. You may also list characteristics that he (she) does not possess.

Mon amie n'est pas faible.
Elle n'est pas stupide.

3 Write a brief letter to a friend in Québec. Tell him or her all you can about yourself and your friends, your school, your activities.

le 30 septembre

Cher Jean-Marc,

B Révision

Une surprise-partie

Have two students at a time read this dialog. Ask questions.

Solange   Pierre, où es-tu?

Pierre   Dans la cuisine. Je prépare des pizzas.

Solange   Ah, tu prépares des pizzas pour la surprise-partie, n'est-ce pas?

Pierre   Les copains aiment bien la pizza.

Solange   Les copains, oui. Mais c'est Angèle surtout qui adore la pizza!

Exercice 1   Corrigez.

1. Pierre est dans le séjour.
2. Il prépare une salade.
3. Pierre et Solange donnent un pique-nique.
4. Les amis aiment bien les sandwiches.
5. Angèle déteste la pizza.

À la fête

Les garçons arrivent à huit heures.

Jacques écoute des disques.

Monique regarde la télé.

Les filles chantent.

Marc et Gisèle dansent.

Antoine téléphone à une amie.

Exercice 2 Répondez.

This exercise may be assigned for homework.

1. Qui regarde la télé?
2. Qui arrive à huit heures?
3. Qui téléphone à une amie?
4. Qui danse?
5. Qui chante?
6. Qui écoute des disques?

Have students repeat after you. Have one student read each sentence. Have several students volunteer to read all the sentences. Have students ask questions: **Qui arrive à 8 h? Qui écoute,** etc.

Workbook Exercise A   R-11

Jean invite Alice à dîner. Les amis vont dans un petit restaurant français. Ils dînent très bien. Après le dîner ils vont au cinéma.

Exercice 3   Répondez.

1. Qui invite Alice à dîner?
2. Où vont les amis?
3. Ils dînent bien ou mal?
4. Quand vont-ils au cinéma?

Exercice 4 Choisissez.

1. Les amis écoutent des disques?
   a. Oui, ils détestent la musique.
   b. Oui, ils adorent le rock.
   c. Oui, ils vont au théâtre.

2. Quand regardes-tu la télé?
   a. Samedi soir après le dîner.
   b. Quand je vais à l'école à pied.
   c. Quand nous réservons une table.

3. Tu parles français avec les amis?
   a. Oui, ils sont amis.
   b. Oui, je téléphone à Henri.
   c. Oui, nous parlons très bien.

4. L'appartement est grand?
   a. Oui, il y a quatre étages.
   b. Oui, il y a sept pièces.
   c. Oui, il y a six immeubles.

Structure

Les verbes réguliers en -er

The infinitive of most regular French verbs ends in **-er**. Review the present tense forms of **parler** and **aimer**.

Infinitive	parler	aimer	ENDINGS
Stem	parl-	aim-	
Present tense	je parle	j'aime	-e
	tu parles	tu aimes	-es
	il/elle parle	il/elle aime	-e
	nous parlons	nous aimons	-ons
	vous parlez	vous aimez	-ez
	ils/elles parlent	ils/elles aiment	-ent

Exercice 1 Personnellement
Répondez.

This exercise may be done by students working in pairs. One student may wish to answer all the questions.

1. Où habites-tu?
2. Donnes-tu souvent une surprise-partie?
3. Qui invites-tu à la surprise-partie?
4. Tu chantes pendant la surprise-partie?
5. Tu chantes en français ou en anglais?
6. Avec qui danses-tu?
7. Qu'est-ce que tu manges à la surprise-partie?
8. Tu aimes les surprises-parties?

Exercice 2 Où habitez-vous?
Repeat the questions in exercice 1 with vous.

Exercice 3 Un pique-nique
Complétez.

1. Nathalie _____ un pique-nique pour l'anniversaire de Christine.   **donner**
2. Elle _____ Jean-Loup, Roger, Rosalie et Philippe au pique-nique.   **inviter**
3. Les garçons _____ des sandwiches et les filles _____ une salade.
   préparer / préparer
4. Tout le monde _____ les sandwiches et la salade.   **aimer**
5. Après le déjeuner, les amis _____ la radio.   **écouter**
6. Roger et Nathalie _____ avec la radio et Philippe _____ avec Christine.
   chanter / danser

¹This exercise may be assigned for homework after it is done orally in class.   Workbook Exercises B and C

Les verbes irréguliers *aller, avoir, faire*

Have students pronounce carefully after you.

Aller (*to go*), **avoir** (*to have*), and **faire** (*to do* or *to make*) are irregular verbs. Review the forms of these verbs.

Infinitive	aller	avoir	faire
Present tense	je vais	j'ai	je fais
	tu vas	tu as	tu fais
	il/elle va	il/elle a	il/elle fait
	nous allons	nous avons	nous faisons
	vous allez	vous avez	vous faites
	ils/elles vont	ils/elles ont	ils/elles font

Remember that the verb **aller** is used to express how one feels.

Comment vas-tu? **Je vais bien, merci.**

The verb **avoir** is used to express age.

Ask several students these two questions.

Quel âge as-tu? **J'ai quatorze ans.**

Exercice 4 On fait les courses.
Pratiquez la conversation.

Have this conversation read by several pairs of students, with expression!

— Salut, Michèle. Comment vas-tu?
— Bien, merci. Et toi?
— Pas mal. Où vas-tu?
— Je vais au marché.
— Ah, tu fais les courses.
— Oui, j'ai beaucoup de choses à acheter.

Ask questions about the photo.

Exercice 5 Personnellement
Répondez.

When one student answers all these questions, he/she will produce a coherent paragraph. You may prefer to have students read the answers they have written for homework.

1. Quel âge as-tu?
2. Combien de frères as-tu?
3. Quel âge ont-ils?
4. Combien de sœurs as-tu?
5. Quel âge ont-elles?
6. Avez-vous un chat ou un chien?
7. À quelle école vas-tu?
8. Vas-tu à l'école avec des amis?
9. Allez-vous à l'école à pied ou en bus?
10. Fais-tu les devoirs après les classes?

Exercice 6 La famille Dubois
Complétez.

1. Les Dubois _____ une petite ville. **habiter**
2. Il y _____ trois enfants dans la famille. **avoir**
3. L'appartement des Dubois _____ six pièces. **avoir**
4. Monsieur Dubois _____ en ville tous les jours. **aller**
5. Les enfants _____ au lycée. **aller**
6. Ils _____ du français, des maths et des sciences. **faire**
7. Julie ne _____ pas de latin. **faire**
8. Madame Dubois _____ à la banque tous les jours. **aller**
9. Le samedi les Dubois _____ les courses. **faire**
10. Quand il _____ beau, ils _____ au parc. **faire / aller**
11. Julie, Anne et Louis _____ un chien adorable, Bijou. **avoir**
12. Bijou _____ avec la famille au restaurant. **aller**

Workbook Exercises D and E

Les contractions *au, aux*

The preposition **à** can mean *to, in,* or *at.* It remains unchanged in front of the definite articles **la** and **l'**, but it contracts with **le** to form the word **au** and with **les** to form the word **aux.** Review the following.

à + la = à la	**Je vais à la maison.**
à + l' = à l'	**Je vais à l'école.**
à + le = au	**Je vais au lycée.**
à + les = aux	**Je parle aux élèves.**

Ask questions that require these answers:
Tu vas à la maison?
Tu vas à l'école?

A liaison is made with **aux** and any word beginning with a vowel or silent **h.** When a liaison is made, the **x** is pronounced /z/.

Ask questions about the photo.

Exercice 7 Où allons-nous?
Complétez.

Aujourd'hui, nous n'allons pas _____ parc, nous n'allons pas _____ restaurant, nous n'allons pas _____ maison, nous n'allons pas _____ cinéma, nous n'allons pas _____ concert, nous n'allons pas _____ théâtre et nous n'allons pas chez Marie. Alors où allons-nous? Nous allons _____ école, nous allons _____ classe de français et nous allons parler _____ professeur.

Le partitif

In French the definite article (**le, la, l', les**) is used when speaking of a specific object.

La salade est dans la cuisine.

The definite article is also used when speaking about a noun in the general sense.

Moi, j'aime beaucoup le chocolat.   *I like chocolate. (in general)*

However, when only a part or a certain quantity of the item is referred to, the partitive construction is used. The partitive is expressed in French by **de** plus the definite article.

de + le = du	**J'ai du pain.**
de + la = de la	**J'ai de la crème.**
de + l' = de l'	**J'ai de l'argent.**
de + les = des	**J'ai des légumes.**

When the partitive follows a verb in the negative, **du, de la, de l',** and **des** all become **de (d')**.

Affirmative	*Negative*
J'ai du pain.	**Je n'ai pas de pain.**
J'ai de la crème.	**Je n'ai pas de crème.**
J'ai de l'argent.	**Je n'ai pas d'argent.**
J'ai des légumes.	**Je n'ai pas de légumes.**

Exercice 8 Pas aujourd'hui
Répondez d'après le modèle.

Students may practice this exercise by working in pairs.

L'eau minérale
J'aime l'eau minérale.
J'achète souvent de l'eau minèrale.
Mais aujourd'hui je n'achète pas d'eau minérale.

1. Le poisson
2. La viande
3. Les fruits
4. Les fraises
5. Le pain français

Exercice 9 Alain fait les courses.
Complétez avec le partitif.

Aujourd'hui Alain fait les courses. Il va chez le boucher où il achète _____ viande. Ensuite il achète _____ pain chez le boulanger. Il n'achète pas _____ poisson aujourd'hui, donc il ne va pas chez le poissonnier. Il va à la pâtisserie pour acheter _____ gâteaux. Il regarde les gâteaux et il choisit _____ tartes aux fraises. Alors, c'est tout? Pas encore. Alain va aussi chez le marchand de légumes où il achète _____ fruits et _____ haricots verts.

Alain ne va pas au supermarché? Mais non! Bien sûr il y a _____ supermarchés en France, mais les Français préfèrent les petits magasins.

Activités

À la fête

Look at the illustration. Say all you can about it. You may want to use the following expressions.

- **donner une surprise-partie**
- **inviter des amis**
- **téléphoner à des amis**
- **préparer des sandwiches, des pizzas**
- **écouter des disques**
- **regarder la télé**
- **danser**
- **chanter**
- **parler de sport**

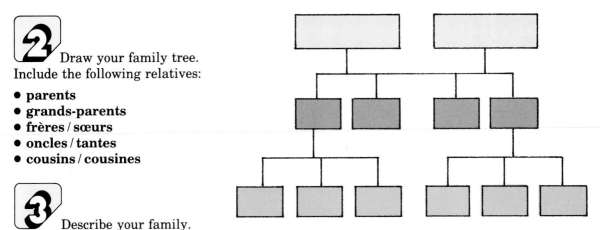

2 Draw your family tree.
Include the following relatives:

- **parents**
- **grands-parents**
- **frères / sœurs**
- **oncles / tantes**
- **cousins / cousines**

3 Describe your family.
The following questions may serve as a guide.

- **Où habites-tu?**
- **Comment est ta maison (ton appartement)?**
- **Combien de personnes est-ce qu'il y a dans ta famille?**
- **Combien de frères et de sœurs as-tu?**
- **Quel âge ont-ils / elles?**
- **Tu as un chien / un chat?**
- **Qui fait les courses chez vous?**

4 **Un copain ou une copine**

Tell all you can about one of your friends. You may wish to use some of the
following verbs.

- **être (sportif, grand, sympa)**
- **faire (du volley, du football, du latin, des maths)**
- **être fort(e) en (sciences, anglais, maths)**
- **aimer (les surprises-parties, danser, la pizza, le rock)**
- **détester (les maths, les devoirs, le lundi)**
- **aller (au cinéma, au concert)**
- **avoir (des disques, une guitare, des cassettes)**

R-21

C Révision

Les vacances

À l'aéroport

Valérie	Salut, Suzanne. Où vas-tu?
Suzanne	Moi, j'attends l'avion pour le Maroc. Et toi?
Valérie	Moi, je pars pour la Martinique. Je vais maintenant choisir une place.
Suzanne	Écoute, on annonce un vol. C'est quel numéro?
Valérie	Le 250.
Suzanne	Bon, c'est mon vol. Bon voyage, Valérie.
Valérie	Bon voyage, Suzanne.

1. Have students repeat after you or cassette.
2. Have students read conversation orally and silently.
3. Have two students read the conversation with expression.

Exercice 1 Repondez.

Have a student ask the question for a change.

1. Qui attend l'avion pour le Maroc?
2. Qui part pour la Martinique?
3. Qu'est-ce que Valérie va choisir?
4. Quel vol est-ce qu'on annonce?
5. Qui prend le vol numéro 250?

Au bord de la mer   Ask questions on the reading.

Les Martin, une famille canadienne, sont au bord de la mer. Richard nage très bien. Sa petite sœur Aline apprend à nager. Madame Martin et son fils font de la planche à voile. Monsieur Martin sort de l'eau. Il prend un bain de soleil. Toute la famille est contente. Quelle belle journée!

Exercice 2   Complétez.   Assign this exercise as homework.

1. C'est une famille _____.
2. Ils sont _____.
3, Richard _____ très bien.
4. Aline _____ à nager.
5. Madame Martin fait de la _____.
6. Monsieur Martin prend un _____.
7. _____ la famille est contente.

Structure

Les verbes en *-ir* et *-re*

Besides **-er** verbs in French, there are also regular **-ir** and **-re** verbs. These are verbs whose infinitives end in **-ir** and **-re**. Review the following forms.

Infinitive	finir	ENDINGS
Stem	fin-	
Present tense	je finis	-is
	tu finis	-is
	il/elle finit	-it
	nous finissons	-issons
	vous finissez	-issez
	ils/elles finissent	-issent

Infinitive	attendre	ENDINGS
Stem	attend-	
Present tense	j'attends	-s
	tu attends	-s
	il/elle attend	-
	nous attendons	-ons
	vous attendez	-ez
	ils/elles attendent	-ent

Ask what sound is heard in plural forms.

Exercice 1 Sur la piste

Lisez le paragraphe et répondez aux questions.

A more able student may be able to give a summary of the paragraph.

Les filles attendent le moniteur. Il choisit pour elles une piste assez facile. Janine et Marie commencent à descendre la piste. Ah zut! Janine perd son bâton! Elle tombe. Elle crie, mais le moniteur n'entend pas. Marie répond enfin aux cris de Janine. Marie est une héroïne moderne, n'est-ce pas?

1. Qui attend le moniteur?
2. Quelle piste est-ce qu'il choisit?
3. Qui perd son bâton?
4. Est-ce que le moniteur entend Janine?
5. Qui est une héroïne moderne?

Exercice 2 Les langues modernes
   Complétez.

Jean-Loup   Quelle langue _____-tu (choisir)?

Catherine   Moi, je _____ (choisir) l'espagnol. C'est très facile. Marie-Claire et
                 Léo _____ (choisir) l'espagnol aussi. Et toi?

Jean-Loup   Moi, je _____ (choisir) l'anglais. C'est très intéressant.

Catherine   Quand le professeur pose des questions, tu _____ (répondre) en
                 anglais?

Jean-Loup   Mais oui! Tous les élèves _____ (répondre) en anglais.

Les verbes irréguliers comme *dormir* et *prendre*

Review the present tense forms of the following irregular verbs.

Infinitive	dormir	partir	servir	sortir
Present tense	je dors	je pars	je sers	je sors
	tu dors	tu pars	tu sers	tu sors
	il/elle dort	il/elle part	il/elle sert	il/elle sort
	nous dormons	nous partons	nous servons	nous sortons
	vous dormez	vous partez	vous servez	vous sortez
	ils/elles dorment	ils/elles partent	ils/elles servent	ils/elles sortent

What sound is heard in the plural?

Infinitive	prendre	apprendre	comprendre
Present tense	je prends	j'apprends	je comprends
	tu prends	tu apprends	tu comprends
	il/elle prend	il/elle apprend	il/elle comprend
	nous prenons	nous apprenons	nous comprenons
	vous prenez	vous apprenez	vous comprenez
	ils/elles prennent	ils/elles apprennent	ils/elles comprennent

Ask simple questions that require use of these verbs: **Tu dors bien? Ta mère sert de l'eau?** etc.

Exercice 3   Micheline fait un voyage.
Complétez.

Micheline arrive à la gare du Nord. Où est-ce qu'on _____ (vendre) les billets?
Ah, voilà le guichet! Micheline _____ (prendre) son billet et elle _____ (sortir)
sur le quai. Son train _____ (partir) du quai numéro trois. Tous les trains _____
(partir) à l'heure. Beaucoup de personnes _____ (dormir) dans le train mais
Micheline ne _____ (dormir) pas. Elle adore voyager en train!

Exercice 4   Personnellement
Répondez.

1. You may wish to have students ask these questions of one another.
2. Students may work in pairs, asking each other the questions.

1. Prends-tu le bus pour aller à l'école?
2. À quelle heure pars-tu pour l'école?
3. Est-ce que tu sors le week-end?
4. Sors-tu avec des amis?
5. Est-ce que tu dors dans la classe de français?
6. Est-ce que tu apprends à parler français?
7. Tu comprends très bien le français, n'est-ce pas?

Les adjectifs possessifs

Like other French adjectives, a possessive adjective must agree with the noun that it describes. Remember that **son, sa,** and **ses** may mean either *his* or *her*.

Masculine singular	mon père	ton père	son père
Feminine singular	ma mère	ta mère	sa mère
Masculine or feminine plural	mes frères mes sœurs	tes frères tes sœurs	ses frères ses sœurs

Remember that the masculine singular form is used if the feminine noun begins with a vowel.

Masculine or feminine singular before a vowel	mon ami mon amie	ton ami ton amie	son ami son amie

The adjectives **notre, votre,** and **leur** have only two forms—singular and plural.

Singular	notre cousin notre cousine	votre cousin votre cousine	leur cousin leur cousine
Plural	nos cousins nos cousines	vos cousins vos cousines	leurs cousins leurs cousines

Exercice 5 Tu as ta valise?
Répondez.

1. Tu as ta valise?
2. Tu as ton passeport?
3. Tu as tes billets?
4. Vous avez vos places?
5. Vous avez votre carte?
6. Vous avez vos bagages?

7. Paul a son ticket?
8. Paul a ses bottes?
9. Paul a son anorak?

Exercice 6 Le pauvre Pierrot perd tout!

Two students may wish to present this conversation as a dramatization before the class.

Complétez.

Pierrot   Mais où est _____ valise?

Monique   _____ valise? Je n'ai pas _____ valise, moi. J'ai seulement _____ valise à moi.

Pierrot   Et _____ bâton! Où est _____ bâton?

Monique   _____ bâton? Ce bâton, c'est _____ bâton. Je n'ai pas _____ bâton!

Pierrot   _____ skis, _____ skis! Où sont _____ skis?

Monique   _____ skis? Tu n'as pas _____ skis? Mais c'est incroyable! Il est impossible de perdre des skis!

Workbook Exercise F

Les adjectifs *ce, quel, tout*

Review the forms of the adjectives **ce, quel, tout**. Remember that the definite article is used with **tout**.

Singular		Plural	
Masculine	**Feminine**	**Masculine**	**Feminine**
quel train	quelle valise	quels trains	quelles valises
ce billet	cette place	ces billets	ces places
(cet avion)			
tout le voyage	toute la nuit	tous les voyages	toutes les nuits

Exercice 7 Quel disque?

Répondez d'après le modèle.

Quel disque prends-tu?
Je prends ce disque-là.

1. Quelle cassette prends-tu?
2. Quelle valise prends-tu?
3. Quel anorak prends-tu?
4. Quels skis prends-tu?
5. Quels bâtons prends-tu?
6. Quelles bottes prends-tu?

Exercice 8 Tous les trains!
Répondez d'après le modèle.

Quels trains vont à Paris?
Tous les trains vont à Paris.

1. Quels élèves vont au musée?
2. Quels garçons vont à l'école?
3. Quelles filles vont à l'école?
4. Quels professeurs prennent l'autobus?
5. Quels billets sont pour le métro?
6. Quelles classes sont intéressantes?

Exercice 9 À la gare
Complétez.

1. _____ train prends-tu? **quel**
2. _____ les trains partent de _____ quai-ci? **tout / ce**
3. On vend _____ les billets à _____ guichets-là. **tout / ce**
4. _____ places as-tu? **quel**
5. À _____ heure partent _____ trains? **quel / ce**
6. _____ la classe fait _____ voyage. **tout / ce**
7. On va passer _____ _____ semaine à la plage. **tout / ce**
8. À la Martinique, _____ les plages sont magnifiques. **tout**
9. _____ joie! **quel**

Workbook Exercises G, H, I

Les pronoms accentués

Compare the subject pronouns to the stress pronouns. Remember that stress pronouns are used alone, after prepositions, or for emphasis.

Subject pronoun	Stress pronoun
je	moi
tu	toi
il	lui
elle	elle
nous	nous
vous	vous
ils	eux
elles	elles

Have students repeat after you.

Qui va nager? Moi!
On va chez lui, pas chez elle.
C'est Marie? Oui, c'est elle.
Eux, ils détestent ce disque.

Ask these questions and other similar simple questions.

Exercice 10 Où est Marcel?
Répondez d'après le modèle.

Où est Marcel? Chez Yvonne?
Oui, il est chez elle.

1. Où est Marcel? Chez Robert?
2. Où est Louise? Chez Marie?
3. Où est Pauline? Avec Marcel?
4. Où est ton frère? Avec toi?
5. Où est David? Avec les filles?
6. Où sont vos cousins? Avec vous?
7. Où es-tu? Avec les amis?

Have a student ask these questions.

Exercice 11 On va à la plage.
Répondez avec le pronom.

1. C'est Roger qui va à la plage?
2. Il nage avec ses copains?
3. Il nage avec sa sœur?
4. Et toi, tu vas à la plage aussi?
5. Vous nagez dans la mer, vous?
6. Je nage bien, moi?
7. On va chez les grands-parents?

Activités

 **À l'aéroport**

Say all you can about the illustration. Here are some expressions you may wish to use.

- le passager
- le vol
- l'avion
- atterrir

- le passeport
- le comptoir
- le porteur
- la carte d'embarquement

- la valise
- le billet
- faire enregistrer les bagages
- la ligne aérienne

 Write a conversation between Lucienne, who is taking a train from Paris to Lyon, and the ticket vendor at the train station. The following words and expressions may be helpful.

- faire un voyage
- la gare
- le guichet
- le ticket
- partir à l'heure

- le quai
- la salle d'attente
- le contrôleur
- annoncer le départ

13 Le métro

You may use the overhead transparencies for the initial presentation of vocabulary.

vocabulaire

You may ask questions about each sentence:
Qui va prendre le métro?
Qu'est-ce que
Marie-Laure va
prendre?

Tape Activity 1

Marie-Laure va prendre **le métro.**
Elle est à **l'entrée** de **la station.**
Elle regarde **le plan** du métro.

un ticket

Tape Activity 2

un escalier mécanique   **un ascenseur**   **un carnet de tickets**

A vocabulary list appears in the Teacher's Resource Kit.

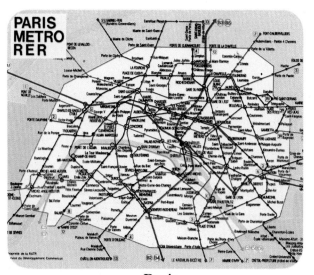

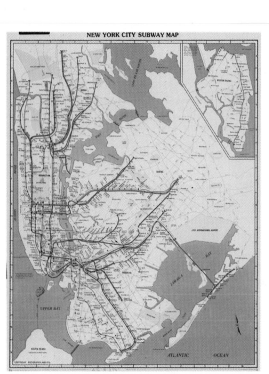

Paris
1900

New York
1904

Paris a un très **bon** système de métro.
Le métro de Paris est **plus vieux que** le
métro de New York. Le métro de Paris **date**
de 1900. Le métro de New York date de
1904.

Exercice 1   Marie-Laure prend le métro.
Complétez l'histoire.

Marie-Laure va prendre le _____ . Elle va à _____ de la station et elle
regarde le _____ . Elle descend dans la station par l'escalier _____ . Au guichet
elle n'achète pas un seul ticket. Elle achète un _____ de tickets.

191

Dans une station de métro

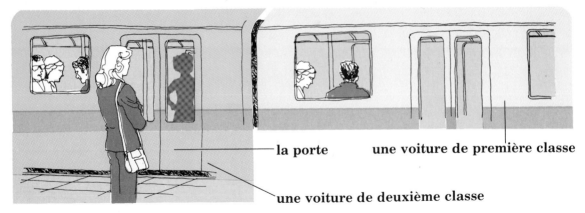

la porte

une voiture de première classe

une voiture de deuxième classe

une **vieille** station de métro
C'est une jolie station.

une **nouvelle** station de métro
Elle est très moderne.

Exercice 2 Dans la station de métro
Répondez.

1. Est-ce que Marie-Laure est dans la station de métro?
2. Est-ce que c'est une nouvelle station?
3. Est-ce que c'est une station de la ligne numéro 3? see p. 203 (oui)
4. Est-ce qu'elle entre dans une voiture de deuxième classe?
5. Est-ce qu'elle entre par la porte?

Expressions utiles

Expressions avec *avoir*

You have seen **avoir** used in the expression **J'ai treize ans** *(I am thirteen years old)*. **Avoir** is used in several other expressions:

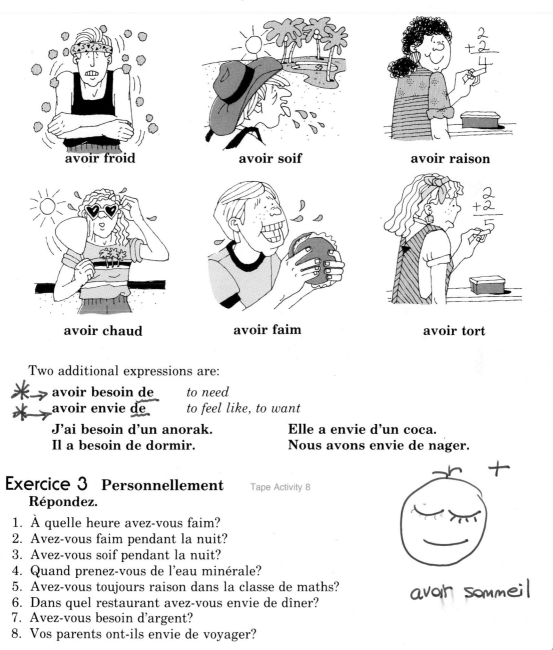

avoir froid　　　　**avoir soif**　　　　**avoir raison**

avoir chaud　　　　**avoir faim**　　　　**avoir tort**

Two additional expressions are:

✳→ **avoir besoin de**　　*to need*
✳→ **avoir envie de**　　*to feel like, to want*

J'ai besoin d'un anorak.　　　**Elle a envie d'un coca.**
Il a besoin de dormir.　　　　**Nous avons envie de nager.**

avoir sommeil

Exercice 3　Personnellement

Tape Activity 8

Répondez.

1. À quelle heure avez-vous faim?
2. Avez-vous faim pendant la nuit?
3. Avez-vous soif pendant la nuit?
4. Quand prenez-vous de l'eau minérale?
5. Avez-vous toujours raison dans la classe de maths?
6. Dans quel restaurant avez-vous envie de dîner?
7. Avez-vous besoin d'argent?
8. Vos parents ont-ils envie de voyager?

Structure

Les adjectifs qui précèdent le nom

In French the adjective almost always follows the noun it modifies. There are, however, a few adjectives that precede the noun. Some of these are:

> **bon**   **petit**
> **joli**   **grand**
> **jeune**

> **Il y a un très bon système de métro à Paris.**
> **L'Étoile est une très grande station de métro.**
> **Molitor est une petite station.**

Note that the plural indefinite article **des** becomes **de** when it is used with a plural adjective that precedes the noun.

> **Il y a <u>de</u> grandes et <u>de</u> petites stations de métro.**

Exercice 1 Un grand appartement dans un bon quartier
Tape Activity 10
Répondez.

1. Est-ce que la jeune femme habite une petite maison?
2. Est-ce que la grande famille habite un grand appartement?
3. Est-ce que leur grand appartement est dans un joli immeuble?
4. Est-ce que le joli immeuble est dans un bon quartier?
5. Est-ce qu'il y a un joli petit parc dans le quartier?

Exercice 2 Tu as toujours raison.
Suivez le modèle. Tape Activity 11

> Le parc est grand, n'est-ce pas?
> *Tu as raison. C'est un grand parc.*

1. Le restaurant est petit, n'est-ce pas?
2. La plage est jolie, n'est-ce pas?
3. L'artiste est bon, n'est-ce pas?
4. L'appartement est grand, n'est-ce pas?
5. Le professeur est jeune, n'est-ce pas?
6. Les omelettes sont bonnes, n'est-ce pas?
7. Les stations sont jolies, n'est-ce pas?

Les adjectifs *beau, nouveau, vieux*

The adjectives **beau, nouveau,** and **vieux** also precede the noun. Study the forms of these adjectives.

Masculine singular	Masculine singular before a vowel or silent *h*	Feminine singular
un **beau** garçon	un **bel** avion	une **belle** fille
un **nouveau** film	un **nouvel** anorak	une **nouvelle** maison
un **vieux** chien	un **vieil** ami	une **vieille** valise

Masculine plural		Feminine plural
de **beaux** skieurs		de **belles** maisons
de **beaux** anoraks		de **belles** îles
de **nouveaux** films		de **nouvelles** valises
de **nouveaux** amis		de **nouvelles** amies
de **vieux** skis		de **vieilles** valises
de **vieux** artistes		de **vieilles** amies

Note that these adjectives have an additional masculine form before nouns that begin with a vowel.

Il habite un nouvel appartement.

· BUT:

Son appartement est nouveau.

Exercice 3   Le bel appartement de la famille Rivage
Répondez.

1. Est-ce que la famille Rivage a un bel appartement à Paris?
2. Est-ce que leur appartement est dans un vieil immeuble?
3. Est-ce que l'immeuble est dans un vieux quartier de Paris?
4. Est-ce qu'il y a beaucoup de belles maisons dans ce vieux quartier?
5. Est-ce qu'il y a une nouvelle station de métro dans le quartier?
6. Est-ce que les nouvelles lignes ont de nouvelles ou de vieilles voitures?

Tape Activity 12

Option:
Have one student read or give his/her answers orally to tell a complete story.

Exercice 4   La ville de Paris
Complétez avec la forme convenable de *vieux*.

Paris est une _____ ville avec beaucoup de _____ maisons. Il y a aussi beaucoup de _____ monuments (*m*) à Paris. Dans les jolis parcs il y a beaucoup de _____ statues (*f*). Mais dans les nouvelles parties de la ville les immeubles naturellement ne sont pas _____ . Eux aussi, ils sont nouveaux.

Exercice 5 Au contraire!

Lisez la conversation. Ensuite, substituez *l'avion* à *la maison*.

— Regardez cette maison-là! Qu'elle est belle!
— Ah oui! C'est vraiment une belle maison!
— Mais elle est très vieille, n'est-ce pas?
— Pas du tout! Ce n'est pas une vieille maison!
  Au contraire! Elle est très moderne.
— Vous avez raison. C'est une nouvelle maison!

Tape Activity 13   Workbook Exercises F–G   Administer Quiz 2.

Les comparaisons

As their name suggests, comparative
constructions are used in comparing two
things. Look at the following sentences.

**L'élève est plus grand
que le professeur.**

Put stick
figures on board,
each with a
name. Have
students give a
list of adjectives
they know. Then
allow students
to make up
sentences,
comparing one
person to
another.

**Le chat est moins content
que le chien.**

**Annie est aussi grande
que sa mère.**

The following words are used to express comparisons.

plus... que	*more . . . than (. . .–er . . . than)*
moins... que	*less . . . than*
aussi... que	*as . . . as*

196

Note the liaison after **plus** and **moins** when the adjective begins with a vowel.

> **plus intelligent   moins élégant**

After **que,** the stress pronouns must be used.

> **Jean est aussi intelligent que moi, mais il est moins intelligent qu'elle.**

The adjective **bon/bonne** has an irregular comparative form:

> **Ce magasin est meilleur que cette boutique.**
> **Cette viande-ci est bonne, mais cette viande-là est meilleure.**

Exercice 6   Qui est plus âgé?
Faites des comparaisons.

Mon grand-père a 65 ans.	Mon oncle a 48 ans.
Ma mère a 44 ans.	Mon père a 46 ans.
Ma cousine a 23 ans.	Mon cousin a 23 ans.

Exercice 7   Des comparaisons
Comparez chaque paire. Employez *plus* ou *moins*.

1. Paris / Washington   **vieux**
2. les monuments de Paris / les monuments de New York   **vieux**
3. le métro de Paris / le métro de New York   **moderne**
4. la pollution / l'inflation   **grave**
5. le métro / le bus   **meilleur**
6. ce plan-ci / ce plan-là   **meilleur**

Exercice 8   Personnellement
Répondez. Employez un pronom dans la réponse.

1. Êtes-vous plus intelligent(e) que vos profs?
2. Vos amis sont-ils plus intelligents que vous?
3. Votre mère est-elle plus âgée que votre père?
4. Votre grand-mère est-elle plus jeune que votre grand-père?

Workbook Exercises H–J

Prononciation

Tape Activities 14–15
Administer Quiz 3.

l mouillé

ill		**ie, ia, ieu**
fille	Mireille	bien
famille	Guillaume	ciel
brille	maillot	chien
vieille	juillet	piano
bouteille	billet	vieux

Tape Activities 16–17

Pratique et dictée

La fille porte un vieux maillot.
La famille de Guillaume a un chien.
En juillet le soleil brille dans le ciel bleu.
Mireille a une très vieille bouteille.

Conversation

On prend le métro

Bernard   Voilà l'entrée du métro. Regardons le plan à l'extérieur de la station.

Charlie   Quelle ligne va à l'Opéra?

Bernard   C'est la ligne Mairie d'Ivry-Fort d'Aubervilliers.

Charlie   Ah, bon! On prend l'escalier mécanique ou on descend à pied?

Bernard   Descendons à pied.

Charlie   **D'accord! Nous sommes deux jeunes hommes forts.**

Bernard   Allez vite! Le train arrive!

Exercice   Répondez.

1. Où sont Charlie et Bernard?
2. Qu'est-ce qu'il y a à l'extérieur
   de la station?
3. Où vont les deux garçons?
4. Quelle ligne prennent-ils?
5. Est-ce qu'ils prennent l'escalier mécanique
   ou descendent à pied?
6. Qu'est-ce qui arrive?

Expressions utiles

There is a common expression in French that people use to show vexation or dissatisfaction. It is roughly equivalent to *Darn!*

Zut!
Zut alors!

There is a colloquial expression that you may use with your friends to say *Don't worry about it!*

Ne t'en fais pas!

199

ℚecture culturelle

Attention aux portes automatiques!

Charlie est un étudiant° américain en France. Il passe une année° chez Bernard, son ami parisien.

Un jour, Charlie regarde ses chaussures.°

— Zut alors! Regarde mes chaussures! Elles sont–euh–finies.

— Finies, non, corrige° Bernard. Mais tu as raison. Elles sont bien vieilles; elles sont fichues.°

— D'accord! Elles sont fichues. J'ai besoin de nouvelles chaussures, n'est-ce pas? Mais je n'ai pas beaucoup d'argent.

— Ne t'en fais pas! Il y a des chaussures bon marché° au Monoprix.

— Monoprix? Qu'est-ce que c'est?

— C'est un des grands magasins de Paris.

— Bon! Allons donc acheter mes chaussures!

Les deux garçons quittent l'appartement et vont à l'entrée du métro. Comme c'est une vieille station, il n'y a pas d'escalier mécanique. Il y a seulement° un vieil ascenseur.

Bernard achète un carnet de tickets et donne un ticket à son ami.

— Vite! Vite! crie Bernard. Un train arrive!

°**étudiant** *college student*   °**année** *year*   °**chaussures** *shoes*   °**corrige** *corrects*
°**fichues** *"shot," ruined*   °**bon marché** *cheap, reasonable*   °**seulement** *only*

Le train arrive bientôt° et les deux amis entrent dans une voiture de deuxième classe. Ils vont en deuxième parce que c'est bien sûr moins cher°qu'en première.

Dans la voiture Charlie regarde le plan de la ligne numéro 7, Mairie d'Ivry-Fort d'Aubervilliers.

— Quelle direction prenons-nous? demande-t-il.

— Fort d'Aubervilliers. Nous descendons à la station des Pyramides. Elle est moins grande que la station de l'Opéra, mais elle est plus près du Monoprix. Les deux amis arrivent. Ils entendent la sonnerie et descendent vite. Même les vieilles lignes du métro ont de nouvelles voitures, et toutes les nouvelles voitures ont des portes automatiques.

Exercice 1 **Complétez.**

1. Charlie passe une _année_ chez Bernard.
2. Les _chaussures_ de Charlie sont fichues.
3. Il a _besoin_ de nouvelles chaussures.
4. Charlie n'a pas beaucoup d'_argent_ .
5. Au Monoprix il va trouver des _chauss-_ bon marché.

Exercice 2 **Choisissez.**

1. Le Monoprix est ___b___ .
   a. un métro
   b. un grand magasin
   c. une station

2. Pour aller sur les quais Bernard et Charlie prennent ___b___ .
   a. la vieille station
   b. un vieil ascenseur
   c. un escalier mécanique

3. Bernard achète un carnet de ___b___ .
   a. cartes
   b. tickets
   c. passeports

4. Bernard crie «Vite!» parce que ___a___ .
   a. le train arrive
   b. le train est vieux
   c. l'escalier est mécanique

Exercice 3 **Répondez.**

1. Quand est-ce que le train arrive? _bientôt_
2. Est-ce que les garçons entrent dans une voiture de première classe? _2e_
3. Qui regarde le plan de la ligne Mairie d'Ivry-Fort d'Aubervilliers? _Charlie_
4. À quelle station est-ce que Bernard et Charlie descendent? _Pyramides_
5. Pourquoi est-ce que les garçons descendent vite? _car les nouvelles voitures ont des portes automatiques_

°**bientôt** *soon* °**cher** *expensive*

Activités

(Optional)

1 Regardez le plan du métro de Paris.

- Quelle ligne prenez-vous pour aller à la Porte d'Orléans?
- Quel est l'autre terminus de cette ligne?
- Nommez les quatre lignes qui vont à Montparnasse-Bienvenue.
- On change de ligne dans une station de correspondance. Nommez deux stations de correspondance.

2 Expliquez pourquoi il y a généralement plusieurs voitures de deuxième classe mais seulement une voiture de première classe.

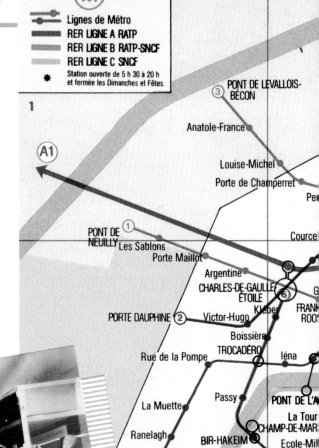

3 Say as much as you can about the photo.

202

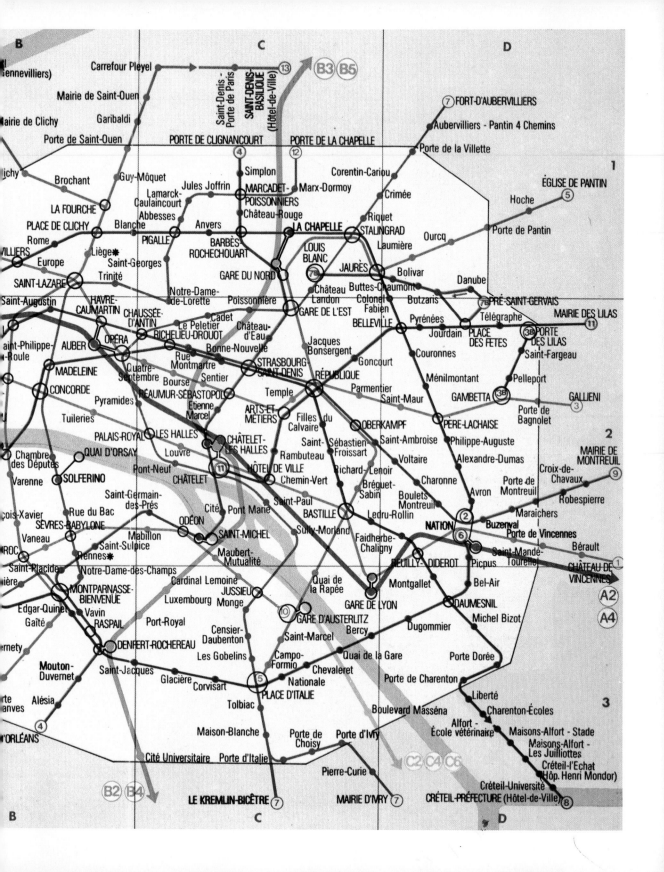

galerie vivante

Voici deux jolies stations de métro à Paris.
Quelle station est plus moderne, La Défense ou Montparnasse-Bienvenüe?

Madame Joinville ne va pas au guichet pour acheter ses tickets de métro. Dans les grandes stations de métro il y a aussi des distributeurs automatiques.

Le train arrive à la station Bir-Hakeim. Est-ce qu'il y a beaucoup de gens qui prennent le métro?

Voici une carte orange pour le métro, le train ou le bus à Paris. On vend des cartes oranges pour un mois ou pour un an. Si on circule souvent dans la région parisienne, c'est une bonne idée d'acheter une carte orange. Avec une carte orange, il n'est pas nécessaire d'attendre au guichet pour acheter des tickets. Et une carte orange coûte moins cher que les tickets individuels.

Voici un ticket de métro. C'est un ticket de première classe ou de deuxième classe? Est-il possible d'utiliser le même ticket dans l'autobus?

14 Les grands magasins

Tape Activity 1

Vocabulaire

un vendeur   une vendeuse

bon marché

en solde

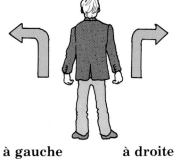

à gauche   à droite

un pull

un chandail

la taille

la pointure

heureux

heureuse

La vendeuse **travaille** dans **un grand
  magasin.**
Elle travaille au rayon des pulls et
  chandails.
La vendeuse **suggère** un beau pull bleu.
La cliente préfère le **vert.**

Exercice 1   Dans un grand magasin
Répondez.

1. Quel rayon est-ce?
2. Est-ce que la vendeuse suggère un pull bleu ou un chandail bleu?
3. Quel pull est-ce que la cliente préfère?
4. Est-ce que le pull vert est cher ou bon marché?
5. Est-il en solde?
6. Est-ce que la cliente est heureuse?

Exercice 2   Complétez.

1. Ce n'est pas un vendeur; c'est une _____ .
2. Le pull n'est pas cher; il est _____ _____ .
3. La cliente n'est pas triste; elle est _____ .
4. Les pulls et les chandails ne sont pas à gauche; ils sont à _____ .
5. Ce n'est pas un chandail; c'est un _____ .

Les couleurs et les vêtements

Quelle couleur préférez-vous?

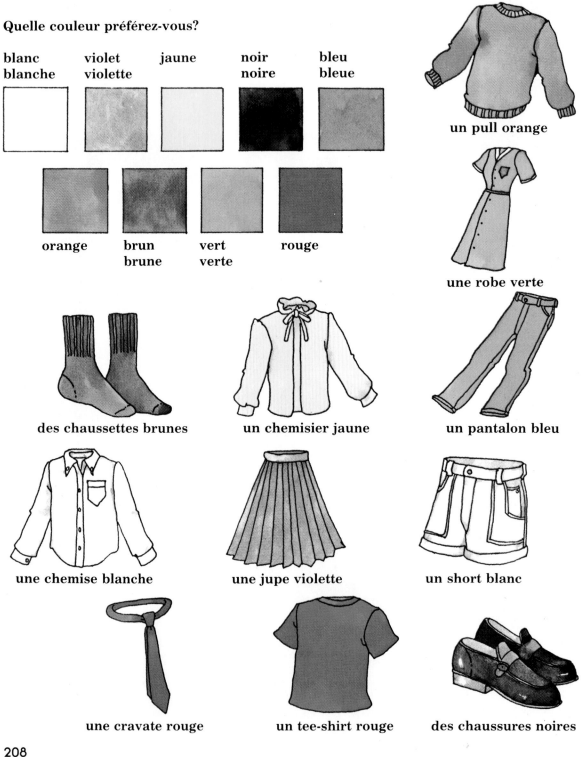

blanc
blanche

violet
violette

jaune

noir
noire

bleu
bleue

orange

brun
brune

vert
verte

rouge

un pull orange

une robe verte

des chaussettes brunes

un chemisier jaune

un pantalon bleu

une chemise blanche

une jupe violette

un short blanc

une cravate rouge

un tee-shirt rouge

des chaussures noires

Exercice 3 Que portent-ils?

Continuez la description de Claire et de Léon d'après les illustrations.

Claire porte un chemisier jaune et...

Léon porte une chemise verte et...

Exercice 4 Personnellement

Choisissez des amis dans la classe. Décrivez ce qu'ils portent aujourd'hui. Et décrivez ce que vous portez aussi.

Tape Activity 6 · Administer Quiz 1.

Structure

Les verbes comme *préférer*

Study the forms of the present tense of **préférer.** Pay attention to the accent on the second **e** of the stem.

Infinitive	préférer
Present tense	je préfère
	tu préfères
	il/elle préfère
	nous préférons
	vous préférez
	ils/elles préfèrent

Note that the **nous** and **vous** forms of **préférer** retain the second **é** of the infinitive, while the other forms change to **è.**

Three other verbs that are conjugated like **préférer** are:

suggérer (*to suggest*): je suggère / nous suggérons

espérer (*to hope*): j'espère / nous espérons

célébrer (*to celebrate*): je célèbre / nous célébrons

209

Exercice 1 Personnellement
Répondez.

Expansion:
Ask students what other
activities they prefer to do.

1. Vous préférez danser ou écouter des disques?
2. Vous préférez regarder la télé ou aller au cinéma?
3. Vos parents préfèrent dîner chez vous ou aller au restaurant?
4. Vos parents préfèrent voyager en train ou en avion?
5. Votre ami(e) préfère aller à la plage ou à la montagne?
6. Votre ami(e) et vous, vous préférez nager ou skier?
7. Vous deux, vous préférez les sports d'été ou les sports d'hiver?

Exercice 2 Martine fait des courses.
Complétez.

Martine fait des courses dans un grand magasin. Elle _____ (espérer) acheter un beau chandail pour sa sœur. La vendeuse _____ (suggérer) un pull.

— Un pull. Eh bien, c'est une bonne idée.
— Quelle couleur _____-vous (préférer), mademoiselle?
— Je _____ (préférer) le bleu.
— Voilà un beau pull bleu. Il est en solde.
— Magnifique!

Tape Activities 7–9
Workbook Exercise C
Administer Quiz 2.

Les adjectifs comme *heureux*

Note the forms of the adjective **heureux.**

Paul est heureux.	**Les vendeurs sont heureux.**
Marie-Claire est heureuse.	**Les vendeuses sont heureuses.**

Adjectives that end in **-eux** in the masculine end in **-euse** in the feminine. The masculine singular and plural forms are the same. You will note that many adjectives that end in **-eux** are cognates.

délicieux   **sérieux**
généreux   **merveilleux**
nerveux

use overhead of a family

210

Exercice 3   Répondez.

1. Ton amie Ginette, est-elle toujours heureuse?
2. Est-elle généreuse?
3. Est-elle sérieuse?
4. Et son ami Jean-Luc, est-il sérieux aussi?
5. Prépare-t-il des dîners délicieux?
6. Et toi? Prépares-tu des dîners délicieux?
7. Es-tu un peu nerveux (-euse) dans la cuisine?

Exercice 4   Un jeune vendeur
Lisez le paragraphe. Ensuite substituez *Diane* à *Richard*.

Richard est un jeune parisien. Il est vendeur dans un grand magasin. Il est heureux parce qu'il aime travailler au magasin. Bien sûr, il est sérieux avec les clients. Richard n'est pas nerveux avec les clients.

Exercice 5   Personnellement
Répondez.

1. Êtes-vous toujours heureux?
2. Quand êtes-vous nerveux?
3. Êtes-vous sérieux au lycée?
4. Vos parents sont-ils toujours sérieux?

Tape Activity 10
Workbook Exercises D–E

Le superlatif

As you know, the comparative construction is used in comparing two things. The superlative is used when one singles out an item from a group and compares it to the group. In English the superlative is expressed by *the most . . .* or *the . . .-est.* Look at the following sentences.

Tape Activity 11

La jupe noire est chère.

La jupe brune est plus chère que la jupe noire.

Mais la jupe bleue est la plus chère du magasin.

The superlative is formed by placing **le plus, la plus,** or **les plus** before the adjective.

Georgette est la vendeuse la plus intelligente du magasin.

The least . . . is expressed by **le moins, la moins,** or **les moins.**

C'est le magasin le moins cher de la ville.

Notice that *in* or *of* after a superlative is expressed by **de.**
The superlative form of **bon/bonne** is irregular.

C'est le meilleur pain de Paris.
C'est la meilleure musique.

211

Exercice 6 Au contraire
Répondez avec le contraire.

C'est le lycée le plus moderne?
Au contraire! C'est le lycée le moins moderne!

1. C'est le vendeur le plus nerveux?
2. C'est l'élève la moins sérieuse?
3. C'est l'avion le plus rapide?
4. C'est le train le moins confortable?

5. C'est le film le plus comique?
6. C'est le programme le moins intéressant?
7. C'est la fille la plus généreuse?

Exercice 7 Des comparaisons
Complétez avec un adjectif de votre choix.

1. Mon grand-père est le plus _____ de la famille. Mon père est le plus _____ et ma mère est la plus _____ . Moi, je suis le (la) plus _____ . Mais je suis le (la) moins _____ .
2. Le meilleur élève (la meilleure élève) en français est _____ , mais le meilleur (la meilleure) en maths, c'est _____ .
3. Moi, naturellement, je suis le meilleur (la meilleure) en _____ !

Tape Activity 12   Workbook Exercise F   Administer Quiz 3.

Prononciation   Les sons /ø/ et /œ/

(Supplement: Tape Activity 13)

Tape Activities 14–15

/ø/	/œ/
eux	leur
deux	heure
bleu	sœur
vieux	couleur
heureux	vendeur
nerveux	professeur
généreux	intérieur

Pratique et dictée

Le professeur est heureux.
Où est leur sœur?
Ces deux vendeurs sont nerveux.

À quelle heure arrive le vieux?
Eux, ils aiment le bleu.
Regardez la ligne bleue à l'intérieur.

Expressions utiles

There are two ways to say *What size are you?* in French. When someone asks you your shoe size they will say:

Quelle pointure faites-vous?

When asking about a clothing size they will say:

Quelle est votre taille?

Conversation

Dans un grand magasin

Vendeur	Bonjour, mademoiselle. Vous désirez?
Marie-Claire	Une cravate pour mon père, s'il vous plaît.
Vendeur	Pour la Fête des Pères?
Marie-Claire	Oui, c'est ça! Quelle sorte de cravate suggérez-vous?
Vendeur	Est-ce que votre père préfère les couleurs vives ou sombres? *
Marie-Claire	Oh, il est très sérieux, mon père! Sa couleur préférée est le bleu foncé. *
Vendeur	Bien. Voici trois jolies cravates bleues, mademoiselle.
Marie-Claire	Quelle cravate est la plus chère?
Vendeur	Cette cravate-ci. Elle est en soie. * C'est aussi la plus élégante, mademoiselle.
Marie-Claire	Alors, c'est la cravate que je voudrais pour papa! Il est toujours très généreux avec moi.

Exercice 1 Corrigez.

1. Marie-Claire est au rayon des chemises.
2. Elle désire acheter une jupe pour sa mère.
3. Le père de Marie-Claire préfère les couleurs vives.
4. Sa couleur préférée est le bleu clair.
5. Marie-Claire choisit la cravate la moins chère.
6. Elle choisit la cravate la moins élégante.

Exercice 2 Répondez.

1. Est-ce que votre père préfère les couleurs vives ou sombres?
2. Quelle couleur préfère-t-il?
3. Et vous, quelle couleur préférez-vous?
4. Est-ce que votre père est très généreux avec vous? Et votre mère?

Expressions utiles

> When English speakers have trouble understanding something, they say *I get it!* when they finally get the point. The equivalent expression in French is:
>
> **J'y suis!**

---

* **vives ou sombres** *bright or dark*   * **bleu foncé** *dark blue*   * **soie** *silk*

Lecture culturelle

uses superlative

Hourrah! Elles sont en solde!

Dans le grand magasin Bernard demande: — Pardon, mademoiselle. Où est le rayon des chaussures?

— Au fond,° à gauche, monsieur, répond la vendeuse.

Les garçons ont de la chance; il n'y a pas beaucoup de clients à cette heure-ci. Le vendeur de chaussures est un jeune homme aimable.°

— Bonjour, messieurs. Vous désirez?

— Je voudrais une paire de chaussures, pas trop° chère, explique° Charlie.

— De quel modèle, monsieur?

— Je préfère les bottes.

— Des bottes de cow-boy ou des bottes de sport?

— De sport, pour la motocyclette.

— Tu blagues, Charlie. Tu n'as pas de moto!

— Tu as raison, Bernard; mais les bottes de moto sont les chaussures les plus solides du monde.

— De quelle couleur préférez-vous les bottes, monsieur?

— Moi, je préfère le noir.

— Quelle pointure faites-vous, monsieur?

Pointures

Pour Femmes					Pour Hommes				
Américain	4	5	6	7	8	Américain	7½	8	8½	9½	10
Français	34/35	35/36	37/38	39/40	41/42	Français	40	41	42	43	44

— Pointure? Je ne comprends pas. Ah, j'y suis! Je fais du neuf et demi.

— Neuf et demi aux États-Unis, mais ici en France ça fait 43. Bon. Un instant, monsieur.

Charlie essaie° plusieurs° paires de bottes. Enfin il choisit une belle paire de bottes noires. Elles sont assez confortables et heureusement elles sont très bon marché. Elles sont en solde!

°**au fond** *in the back*	°**aimable** *nice*	°**trop** *too*
°**explique** *explains*	°**essaie** *tries on*	°**plusieurs** *several*

A lesson test appears in the Test Package.

Exercice 1 Complétez.

1. Bernard et Charlie sont dans _____ .
2. Le rayon des chaussures est _____ .
3. À cette heure-ci il n'y a pas beaucoup de _____ .
4. Le vendeur de chaussures est _____ .
5. Charlie désire acheter _____ .
6. Charlie désire des bottes de sport parce que _____ .

Exercice 2 Répondez.

1. Quelle pointure fait Charlie, d'après le système américain? Et d'après le système français?
2. Combien de paires de chaussures est-ce que Charlie essaie?
3. Qu'est-ce qu'il choisit enfin?
4. Comment sont les bottes de Charlie?
5. Pourquoi sont-elles bon marché?

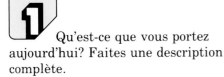

Tape Activities: *Deuxième Partie*

(Optional)

 Qu'est-ce que vous portez aujourd'hui? Faites une description complète.

 Une interview

- Est-ce qu'il y a un grand magasin dans votre ville? Dans une ville près de chez vous?
- Vous allez souvent dans ces magasins?
- Qu'est-ce que vous achetez dans les grands magasins?
- Quels rayons préférez-vous?
- Quels rayons n'aimez-vous pas?

 Charlie désire acheter un blue-jeans. Préparez un petit dialogue (8 lignes) entre le vendeur et Charlie.

Des expressions utiles:

Vous désirez?
De quelle couleur?
s'il vous plaît/merci
je préfère
cher/bon marché
en solde
C'est combien?

Les tailles en France ne sont pas les mêmes qu'aux États-Unis.
Si vous allez acheter quelque chose dans un grand magasin ou dans
une boutique en France, il est nécessaire de donner votre taille
dans le système français. Voici une petite table de conversion.

POUR LES FEMMES				
Les blouses et les pulls				
Etats-Unis 32	34	36	38	40
France 38	40	42	44	46
Les chaussures				
Etats-Unis 5½-6	6½-7	7½-8	8½-9	
France 37-38	38-39	39-40	40-41	

POUR LES HOMMES				
Les chemises				
Etats-Unis 14½	15	15½	16	16½
France 37	38	39	40	41
Les chaussures				
Etats-Unis 6½-7	7½-8	8½-9	9½-10	
France 40-41	41-42	42-43	43-44	

Blouses ou chemises: Quelle est votre taille dans le système américain?
Quelle est votre taille dans le système français?

Chaussures: Quelle est votre pointure dans le système américain?
Quelle est votre pointure dans le système français?

Voici une boutique à Nice.
Est-ce que c'est une boutique
unisexe? Combien coûtent les
tee-shirts?

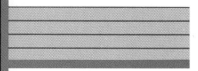

GALERIES LAFAYETTE

Voici les Galeries Lafayette à Paris. C'est un grand magasin. Bientôt on va célébrer Noël. Est-ce qu'on décore les grands magasins en France pour Noël?

Voici l'intérieur des Galeries Lafayette. Est-ce que vous avez un grand magasin comme les Galeries Lafayette près de chez vous? Quel magasin est-ce? Est-ce qu'il y a beaucoup de rayons aux Galeries Lafayette?

Voici l'intérieur du grand magasin La Samaritaine. Qu'est-ce qu'on prend pour aller d'un étage à l'autre? Est-ce qu'on annonce beaucoup de soldes?

15 Plus moderne que le snack

Dans un restaurant «fast food»

Tape Activities 1–2

le poulet

Le restaurant est en France.
Il est à Paris.
La **spécialité-maison** est le poulet.

la caisse

la queue   la caissière

Les garçons **veulent payer.**
Ils **font la queue devant** la caisse.
C'est la caissière qui prend l'argent.

218

Dans un café français

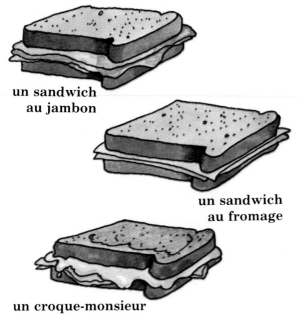

**un sandwich
au jambon**

**un sandwich
au fromage**

un croque-monsieur

Ils veulent payer.
Ils **peuvent** payer le garçon.

Exercice 1   Au restaurant
Choisissez.

1. Nous sommes dans _____ .
   a. un grand magasin
   b. un restaurant
   c. une école

2. Ici on sert _____ .
   a. des hamburgers
   b. des pizzas
   c. du poulet

3. À la caisse les garçons _____ .
   a. font du français
   b. font la queue
   c. font du ski

4. C'est la caissière qui prend _____ .
   a. le poulet
   b. la spécialité
   c. l'argent

5. Un sandwich typiquement français est _____ .
   a. un hamburger
   b. un croque-monsieur
   c. un club sandwich

Exercice 2   Un restaurant à Paris
Tape Activity 3
Répondez.

1. Est-ce que le restaurant «fast food» est à Paris ou à Nice?
2. Est-il en Italie ou en France?
3. Quelle est la spécialité-maison?
4. Est-ce que les garçons veulent payer ou commander?
5. Où font-ils la queue?
6. Qui prend l'argent au restaurant «fast food»?

Structure

Les prépositions avec les noms géographiques

To express *to* or *in* with the name of a city, the preposition **à** is used.

Je suis à Paris.
Il va à Marseille.

With the name of a continent, a feminine country, or a province, **en** is used. Countries whose names end in **e,** with the exception of **le Mexique,** are feminine.

Continent: **Ils vont en Europe.**
Feminine country: **Nous sommes en France.**
Province: **Je vais en Bretagne.**

With a masculine country, **au** or **aux** is used.

Va-t-il au Canada?
Ils sont aux États-Unis.

Exercice 1 Où sont situés ces monuments?
Suivez le modèle.

New York   Moscou
Paris   Rome
Londres

La cathédrale de Notre Dame...
La cathédrale de Notre Dame est à Paris.

1. La statue de la Liberté...
2. Big Ben...
3. Le Kremlin...
4. Le Vatican...
5. La tour Eiffel...

Exercice 2 La famille d'Henri est partout!
Répondez.

1. Qui est en Afrique? Ses cousins?
2. Qui est en Alsace? Ses grands-parents?
3. Qui est en Belgique? Ses cousines?
4. Qui est en Italie? Ses oncles?
5. Qui est en Indochine? Sa sœur?

Exercice 3 Une leçon de géographie
Suivez le modèle.

au Pérou   au Canada   aux États-Unis
au Japon   au Brésil   au Mexique

Je vais à Québec.
Ah, vous allez au Canada!

1. Je vais à Montréal.
2. Je vais à Osaka.
3. Je vais à Boston.
4. Je vais à Rio.
5. Je vais à Lima.
6. Je vais à Acapulco.

Exercice 4 Ma sœur fait un voyage.

Complétez avec la préposition qui convient.

Cet été ma sœur va _____ Canada. Elle va passer deux semaines _____ Montréal; ensuite elle va aller _____ Toronto. Elle pense aller _____ États-Unis et _____ Mexique avant de rentrer _____ France. Mon frère au contraire va passer tout l'été _____ Suisse et _____ Allemagne.

Tape Activities 5–7

Les verbes *pouvoir* et *vouloir* Workbook Exercises C–E
Administer Quiz 2.

Study the forms of the irregular verbs **pouvoir** (*to be able*) and **vouloir** (*to want*).

Infinitive	pouvoir	vouloir
Present tense	je peux	je veux
	tu peux	tu veux
	il/elle peut	il/elle veut
	nous pouvons	nous voulons
	vous pouvez	vous voulez
	ils/elles peuvent	ils/elles veulent

Note that the singular forms sound the same. The **nous** and **vous** forms have the same base as the infinitive. The **ils** and **elles** forms have the same stem as the singular forms but add the consonant of the infinitive.

Exercice 5 Je ne peux pas / Il ne veut pas

Suivez les modèles.

Je veux aller au restaurant mais...
Je veux aller au restaurant mais je ne peux pas.

1. Je veux aller avec vous mais...
2. Je veux dîner en ville mais...
3. Je veux aller au cinéma mais...

Mon frère peut aller au restaurant mais...
Mon frère peut aller au restaurant mais il ne veut pas.

4. Mon frère peut aller avec vous mais...
5. Il peut dîner en ville mais...
6. Il peut aller au cinéma mais...

Exercice 6 Ils veulent aller au Canada.

Complétez avec *vouloir* et *pouvoir*.

Jean et Marie _____ faire le voyage mais ils ne _____ pas. Ils _____ bien aller au Canada. Ils ont très envie de visiter le pays. S'ils _____ visiter le Canada, pourquoi ne _____-ils pas faire le voyage? Très simple! Ils sont fauchés. Dis donc! Tu _____ faire un voyage quand tu es fauché(e)?

Exercice 7   À la fête
Suivez le modèle.

Dînez avec nous!
Nous ne pouvons pas dîner.

1. Chantez avec nous!
2. Jouez avec nous!

3. Dansez avec nous!
4. Nagez avec nous!

Exercice 8   À la fête
Suivez le modèle.

Vous voulez danser?
Mais oui, nous voulons bien!

1. Vous voulez manger du poulet?
2. Vous voulez jouer au Scrabble?

3. Vous voulez écouter des disques?
4. Vous voulez regarder la télé?

Exercice 9   Les garçons sont fauchés!
Complétez le paragraphe avec la forme convenable de *pouvoir* ou *vouloir*.

Pierre et son frère Jacques ont faim. Ils _____ aller dans un restaurant où ils
_____ dîner rapidement. Mais ils sont fauchés et ils ne _____ pas dépenser°
beaucoup d'argent. Pierre a toujours un grand appétit et il _____ deux
hamburgers. Mais Jacques crie, — Pas question! Tu _____ prendre seulement un
hamburger aujourd'hui!
  — Quel radin,° murmure Pierre.

°**dépenser**   *spend*   °**radin**   *tight-fisted person*

Exercice 10 Personellement
Répondez.

1. Où voulez-vous aller après les classes?
2. À quel restaurant pouvez-vous aller?
3. Pouvez-vous aller au restaurant quand vous êtes fauché(e)?
4. Avez-vous un grand appétit?
5. Combien de hamburgers pouvez-vous manger?

Tape Activities 8–10

Workbook Exercises F–H
Administer Quiz 3.

Qui, pronom relatif

The pronoun **qui** (*who, that, which*) is used to link two short sentences in order to make a longer one. **Qui** is always the subject of the clause.

> **C'est Pierre. Pierre a faim.**
> **C'est Pierre qui a faim.**

> **Claire est une étudiante. Elle travaille bien.**
> **Claire est une étudiante qui travaille bien.**

Tape Activity 11

Qui may refer to things as well as persons.

> **Voici une moto. La moto est chère.**
> **Voici une moto qui est chère.**

Note that the verb must agree with the subject replaced by **qui.**

> **C'est vous qui chantez bien.**
> **C'est moi qui veux un coca.**

Exercice 11 Qui aime ça?
Suivez le modèle.

Qui vend ce restaurant? Les Dupont?
*Oui, ce sont les Dupont qui vendent ce
    restaurant.*

1. Qui achète ce restaurant? Les Montaigne?
2. Qui va être le chef? M. Montaigne?
3. Qui veut être le premier client? Paul?
4. Qui adore la cuisine de M. Montaigne? Annie et Marc?
5. Qui sait faire une omelette délicieuse? Mme Montaigne? Tape Activity 12

Exercice 12 La visite de Lise   Tape Activity 13
Décrivez la visite de Lise en six phrases seulement. Employez *qui.*

1. C'est Lise. Elle va au Canada.
2. Elle a des amis. Ils sont canadiens.
3. Lise rend visite à ses amis. Ils habitent la province de Québec.
4. Ce sont les Québécois. Ils parlent français et anglais.
5. Ils habitent une petite ville. Elle est dans les montagnes.
6. Lise aime les montagnes. Elles sont si belles en été.

Tape Activities 14–15
Workbook Exercises I–J

Prononciation

Les sons /ɛn/ et /ɛ̃/

/ɛn/	/ɛ̃/
parisienne	parisien
canadienne	canadien
italienne	italien
chienne	chien
Lucienne	Lucien
aérienne	aérien
américaine	américain
certaine	certain
mexicaine	mexicain
européenne	européen
prochaine	prochain

Tape Activities 16–17

Pratique et dictée

Combien de Canadiennes désirent être mexicaines?
Certaines Américaines ont une chienne et un chien européens.
Cet Italien travaille pour une ligne aérienne canadienne.
Lucienne est la prochaine.

Conversation

Dans un restaurant «fast food»

La serveuse	Vous désirez?
Lucien	Un sandwich au poulet et une salade, s'il vous plaît.
La serveuse	Et avec ça?
Lucien	Un coca. Ça fait combien?
La serveuse	Ça fait trente francs.
Lucien	Bon. Voici les trente francs.
La serveuse	Merci bien. Et voici votre repas. Bon appétit!

Exercice Dans un restaurant «fast food»

Répétez le dialogue avec les changements indiqués.

deux hamburgers
des frites

un milk-shake au chocolat
quarante francs

ℒecture culturelle

Deux Whoppers, s'il vous plaît!

Charlie est bien content de ses bottes. Il passe à la caisse et il fait la queue devant la caissière. Enfin elle prend son argent et Charlie va prendre son paquet.[*]

— Et maintenant pour fêter tes nouvelles bottes, veux-tu aller au Burger King? suggère Bernard.

— Burger King? Ici en France? Charlie est surpris.

— C'est vrai! On peut aller à cinq Burger King à Paris. Deux sont sur les Champs-Élysées.

— Tu veux dire que les Français qui aiment la bonne cuisine acceptent les «fast foods»?

— Pourquoi pas? Comme aux États-Unis la nourriture est simple et bon marché. Et le service est rapide. Il y a beaucoup de personnes qui prennent leur repas de midi dans un restaurant «fast food».

---

[*] **paquet** *package*

225

— Est-ce que les Français aiment la viande hachée?*

— Ah oui! Les hamburgers sont très populaires en France. Mais il y a des Français qui veulent la version française de la restauration rapide ou «fast foods».

— La version française?

— Oui. Des produits* typiquement français—un sandwich au jambon ou au fromage. On peut choisir aussi une omelette, un croque-monsieur ou des pizza-sandwiches à la française.*

— Mais qu'est-ce qu'on sert au Burger King?

— Les spécialités-maison, naturellement! On peut choisir des hamburgers, des Whoppers, des frites, un milk-shake ou un Coca-Cola.

— Sans blague?

— Sans blague! Tu as faim?

— Moi, j'ai toujours faim. Allons acheter des Whoppers!

Exercice 1 Complétez.

1. Charlie est content de ses _____ .
2. Il passe à la _____ .
3. Devant la caissière il fait la _____ .
4. La _____ prend son argent.
5. Enfin Charlie prend son _____ .

Exercice 2 Répondez.

1. Pourquoi est-ce que Bernard et Charlie vont au Burger King?
2. Combien de Burger King est-ce qu'il y a à Paris?
3. Qui aime la bonne cuisine?
4. Pourquoi est-ce que les Français acceptent les «fast-foods»?
5. Qui prend le repas de midi dans un restaurant «fast food»?

---

*hachée *chopped*   *produits *products*   *à la française *French-style*

A lesson test appears in the Test Package.

Exercice 3 Choisissez.

1. On fait des hamburgers avec de _____ .
   a. la viande saignante
   b. la viande hachée
   c. la viande à point

2. Deux produits typiquement américains sont _____ .
   a. un sandwich au jambon et un croque-monsieur
   b. les hamburgers et les milk-shakes
   c. les brioches et les croissants

3. Au Burger King on sert _____ .
   a. les spécialités-maison
   b. la version française
   c. la restauration rapide

4. Charlie a toujours _____ .
   a. froid
   b. faim
   c. chaud

5. Charlie veut prendre _____ .
   a. du poulet
   b. des Whoppers
   c. une pizza

Activités

Tape Activities: *Deuxième Partie*
Workbook: *Un peu plus*

(Optional)

1 Étudiez le menu et choisissez votre repas. Ça fait combien?

Poulet	6,50 F
Hamburger	4,80 F
Cheeseburger	5,70 F
Omelette/Frites	6,00 F
Frites	4,20 F
Milkshake	4,20 F
Coca	1,50 F
Café	1,20 F
Thé	1,20 F
Jus d'Orange	2,80 F

2 Une interview
- Quels restaurants «fast foods» fréquentez-vous?
- Qu'est-ce que vous prenez?
- Préférez-vous les hamburgers, les Big Macs ou les Whoppers? Pourquoi?
- Prenez-vous un Coca-Cola ou un milk-shake?
- Prenez-vous toujours des frites?

3 Préparez un dialogue de six à huit lignes entre le serveur et Charlie au Burger King.

galerie vivante

Il est vrai qu'il y a aujourd'hui beaucoup de restaurants «fast food» américains en France et ils sont très populaires...

Mais il y a aussi beaucoup de cafés français typiques. Les Français vont souvent au café pour un déjeuner rapide.

Voici des jeunes dans un café à Perpignan.

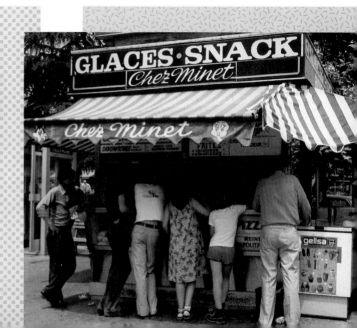

Dans beaucoup d'écoles les élèves
peuvent prendre le déjeuner à la cantine
de l'école. Ici les élèves mangent une
salade de légumes... avec beaucoup de
pain. Avec le déjeuner ils prennent de la
limonade.

Ici on sert des sandwiches
typiquement français comme le
sandwich au jambon, le sandwich au
fromage, le sandwich au pâté ou le
sandwich au saucisson. Autres plats
rapides, favoris des Français:
omelettes ou croque-monsieur.

Il est difficile de préciser ce que les Français
mangent pour le déjeuner. Mais il est facile
de préciser ce qu'ils mangent pour le petit
déjeuner. Voici un petit déjeuner typiquement
français: du café au lait et des croissants. Si on
ne mange pas de croissants, on mange du pain.

16 La haute couture

Tape Activity 1

Vocabulaire

La robe **longue** est **à la mode** cette **saison**.
La robe **courte** est **démodée**; elle n'est pas
chic.

Les clients **assistent au défilé** de
mannequins.

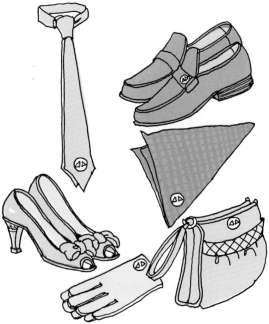

C'est **la boutique** d'un grand **couturier**.
On vend des **accessoires** avec sa **griffe**.

230

Exercice 1　Chez un grand couturier
Répondez.

1. Qui assiste au défilé de mannequins?
2. Combien de mannequins y a-t-il?
3. Quelle robe est à la mode cette saison?
4. Quelle robe est démodée?
5. Quelle robe est chic?
6. De qui est la boutique?
7. Qu'est-ce qu'on vend?

Exercice 2　Personnellement
Répondez d'après votre opinion.

1. Préférez-vous les robes longues ou courtes?
2. Aimez-vous les mini-jupes?
3. Est-ce que le blue-jean est à la mode cette saison?
4. Est-ce que les tee-shirts sont à la mode?
5. Est-ce que la mode masculine est aussi importante que la mode féminine?
6. Achetez-vous des accessoires avec la griffe d'un grand couturier?
7. Est-il nécessaire d'être très belle ou très beau pour être mannequin?

D'autres vêtements

Tape Activity 2

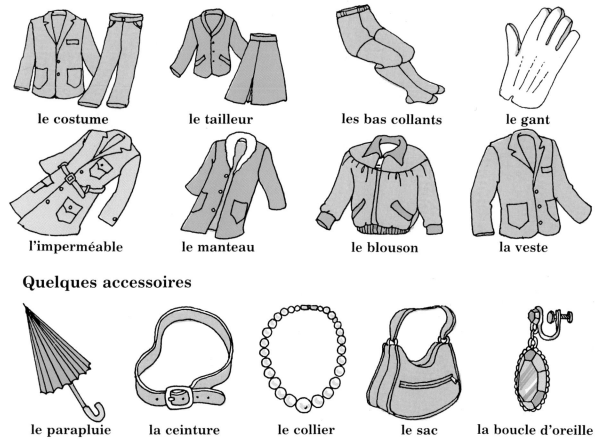

le costume　　**le tailleur**　　**les bas collants**　　**le gant**

l'imperméable　　**le manteau**　　**le blouson**　　**la veste**

Quelques accessoires

le parapluie　　**la ceinture**　　**le collier**　　**le sac**　　**la boucle d'oreille**

Exercice 3 Qu'est-ce qu'on porte?
Complétez avec le mot convenable.

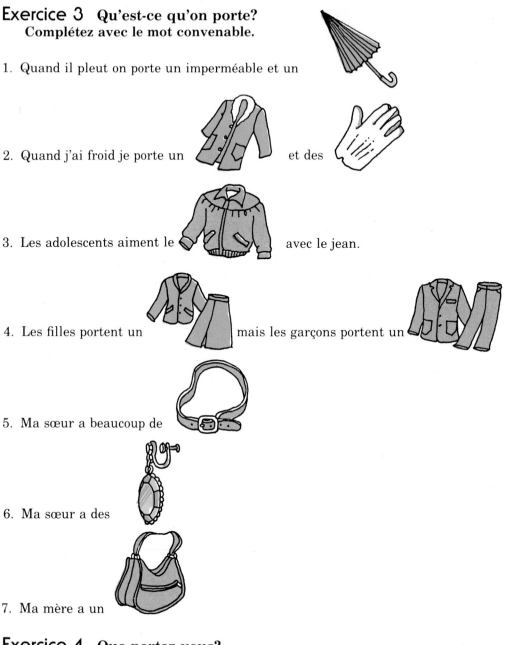

1. Quand il pleut on porte un imperméable et un

2. Quand j'ai froid je porte un   et des

3. Les adolescents aiment le   avec le jean.

4. Les filles portent un   mais les garçons portent un

5. Ma sœur a beaucoup de

6. Ma sœur a des

7. Ma mère a un

Exercice 4 Que portez-vous?
Dites *quand* ou *pourquoi* vous portez ces vêtements. Suivez le modèle.

un blue-jeans
Je porte un blue-jean tous les jours.

1. un manteau
2. un maillot de bain
3. un imperméable

4. des gants
5. un tailleur/costume
6. les bas collants (filles seulement)

$tructure

Les verbes *croire* et *voir*

Study the forms of the irregular verbs **croire** (*to believe*) and **voir** (*to see*).

Infinitive	croire	voir
Present tense	je crois	je vois
	tu crois	tu vois
	il/elle croit	il/elle voit
	nous croyons	nous voyons
	vous croyez	vous voyez
	ils/elles croient	ils/elles voient

Note that the **i** becomes **y** in the **nous** and **vous** forms.

Croire and **voir** are seldom used in the imperative form except for the exclamation **Voyons!** (*Let's see!*)

Note that **que** meaning *that* must always be used in French even though at times it is omitted in English.

Je vois *que* tu es satisfait.   *I see (that) you are satisfied.*
Il croit *que* je suis intelligent.   *He believes (that) I am intelligent.*

Exercice 1   Qu'est-ce que Marthe voit?
**Marthe est dans une boutique de mode.
Dites ce qu'elle voit.**

un beau blouson noir
Elle voit un beau blouson noir.

1. un grand couturier
2. une griffe célèbre
3. des accessoires chers
4. des mini-robes
5. une ceinture originale

Exercice 2   Personnellement
Répondez.

1. Tu vois beaucoup de films?
2. Tu vois les films au cinéma ou à la télé?
3. Tes parents voient beaucoup de films aussi?
4. Vous voyez des films français à la télé?
5. Quels films voyez-vous?

Exercice 3 Qu'est-ce qu'on croit? Tape Activity 5
Répondez à l'affirmatif.

1. Vous croyez que Paris est une belle ville, n'est-ce pas?
2. Vos parents croient que vous êtes intelligent(e), n'est-ce pas?
3. Votre prof de français croit que vous travaillez bien, n'est-ce pas?
4. Vos amis croient que vous êtes bien aimable, n'est-ce pas?
5. Vous et votre meilleur(e) ami(e), vous croyez que les jeans sont élégants, n'est-ce pas?
6. Moi, je crois que le français est important, n'est-ce pas?
7. Votre mère croit que vous êtes adorable, n'est-ce pas?

Tape Activities 6–7
Workbook Exercise C

Les expressions négatives *jamais* et *rien*

Jamais (*never*) and **rien** (*nothing*) are other negative expressions like **pas.** They, too, require **ne** before the verb.

Elle ne va jamais à Paris.	*She never goes to Paris.*
Le train n'arrive jamais à l'heure.	*The train never arrives on time.*
Je ne vois rien.	*I see nothing. (I don't see anything.)*
Tu n'achètes rien.	*You buy nothing. (You don't buy anything.)*

Exercice 4 Elle ne voyage jamais. Tape Activity 8
Suivez le modèle.

Pascale adore voyager.
Tu crois? Mais elle ne voyage jamais.

1. Pascale adore danser.
2. Pascale adore patiner.
3. Pascale adore chanter.
4. Pascale adore skier.
5. Pascale adore nager.

Exercice 5 Jacques ne fait rien. Tape Activity 9
Suivez le modèle.

Jacques ne fait pas ses devoirs.
Tu as raison. Il ne fait rien.

1. Jacques n'écoute pas de disques.
2. Jacques n'achète pas de vêtements.
3. Jacques ne dépense pas d'argent.
4. Jacques ne mange pas son sandwich.
5. Jacques n'aime pas le football.

Workbook Exercise D
Administer Quiz 2.

Qui, pronom interrogatif

You have seen **qui** used as a subject meaning *who*.

> **Qui est là?**
> **Qui parle français?**

Remember that the third person singular form of the verb is used when **qui** is the subject even though the subject of the answer may be plural.

> **Qui assiste au défilé?**
> **Les femmes assistent au défilé.**

Qui may also be used as an object meaning *whom*.

> **Qui est-ce que Jean admire?**   *Whom does John admire?*
> **Qui admires-tu?**   *Whom do you admire?*

Qui may also be the object of the preposition.

> **Avec qui parlez-vous?**   *With whom are you speaking?*
> **De qui parle-t-il?**   *Of whom is he speaking?*

Exercice 6   Qui est-ce?
Lisez le poème et complétez les questions.

Pendant la nuit
J'entends un bruit!*

1. _____ va là?
2. _____ entre?
3. _____ monte?
4. _____ pousse la porte?
5. _____ tombe?

Pauvre de moi!* C'est un fantôme!*

Exercice 7   Qui est-ce qu'on aime?
Posez une question avec *Qui est-ce que.*   Tape Activity 11

1. Philippe aime Monique.
2. Monique aime Louis.
3. Louis aime Claire.
4. Claire aime Georges.
5. Georges aime Chantal.
6. Et Chantal aime Philippe!

Exercice 8   Une interview
Des Américaines sont à Paris pour voir les grandes collections. Demandez

qui elles attendent.
Qui attendez-vous?

1. qui elles admirent.
2. qui elles préfèrent.
3. qui elles aiment.
4. qui elles détestent.

---

* **bruit** *noise*   * **pauvre de moi!** *poor me!*   * **fantôme** *ghost*

Exercice 9 Une conversation

Tape Activity 12

Écrivez une conversation entre Agnès et Jeannette. Suivez le modèle.

Jeannette demande à Agnès avec qui elle va à la fête.
Jeannette: Avec qui est-ce que tu vas à la fête?

1. Jeannette demande à Agnès avec qui elle va à la fête.
2. Agnès répond qu'elle va avec Éric.
3. Jeannette demande à Agnès chez qui elle va passer le week-end.
4. Agnès répond qu'elle va passer le week-end chez Isabelle.
5. Jeannette demande à Agnès avec qui elle va danser.
6. Agnès répond qu'elle va danser avec tous les garçons.
7. Jeannette demande à Agnès pour qui elle va acheter un cadeau (*gift*).
8. Agnès répond qu'elle va acheter un cadeau pour Gabrielle.

Exercice 10 Une curieuse

Récrivez les questions de Jeannette. Employez l'inversion.

Avec qui est-ce que tu vas à la fête?
Avec qui vas-tu à la fête?

Workbook Exercise E
Administer Quiz 3.

Prononciation   Les sons /ɛ̃/ et /in/

/ɛ̃/	/in/
cousin	cousine
voisin	voisine
copain	copine
Alain	Aline
dessin	dessine
féminin	féminine
fin	fine
masculin	masculine

Tape Activities 13–14

Pratique et dictée

Mes cousins sont dans la cuisine et mes cousines sont dans la piscine.
Alain est mon voisin et Aline est ma voisine.
Qui dessine ces jolis dessins?
La mode féminine est plus élégante que la mode masculine.

Expressions utiles

There is a popular way of expressing the idea *very:*

C'est vachement chouette!
Il fait vachement beau!

There is a useful expression that is the equivalent of the English *That's all right!*

Ça ne fait rien!

$\mathcal{C}$onversation

Les mini-jupes sont à la mode.

(Angélique et Sophie sont dans la chambre° de Sophie. Elles parlent de la boum (fête) de samedi soir.)

Angélique	Qu'est-ce que tu vas porter samedi soir?
Sophie	*(Elle montre une nouvelle robe.)* Cette robe-ci. Elle est jolie, n'est-ce pas?
Angélique	Ah! Elle est vachement chouette! Mais je vois qu'elle est très courte!
Sophie	Je crois bien!° Les robes longues sont démodées cette saison. Ce sont les mini-jupes qui sont à la mode!
Angélique	Mais je suis fauchée, moi! Où est-ce que je peux trouver une mini-jupe à bon marché?
Sophie	Va au Marché aux Puces.° Là tu...
Gaston	*(le frère de Sophie)* Mini-jupe? Qui veut une mini-jupe? Moi, j'ai une solution rapide! *(Il sort une paire de ciseaux!)*

Exercice 1 Complétez.

1. Angélique et Sophie sont _____ .
2. Elles parlent de _____ .
3. Sophie montre une _____ .
4. Angélique voit que la robe _____ .
5. Sophie explique que les robes longues _____ .
6. Ce sont les mini-jupes qui _____ .

Exercice 2 Répondez.

1. Qui est fauché?
2. Qu'est-ce qu'Angélique veut?
3. Quel marché est-ce que Sophie suggère?
4. Qui est Gaston?
5. Qu'est-ce qu'il a?
6. Que sort-il?

° **chambre** *bedroom*   ° **je crois bien!** *I should say so!*   ° **le Marché aux Puces** *the Flea Market*

ℚecture culturelle

La mode

La mode féminine change avec les saisons. Ça veut dire qu'on abandonne tous les vieux vêtements chaque saison?

Voici la réaction de deux jeunes Parisiennes. Parisiennes parce que, après tout, le centre de la mode féminine, c'est Paris, n'est-ce pas?

Givenchy, Cardin, Dior, Yves Saint-Laurent! Pour Sophie ce sont des noms connus,° des noms de la haute couture. Ce sont les grands couturiers qui dictent° la mode.

Bien entendu, Sophie n'assiste jamais au défilé de mannequins pour les nouvelles collections. Après tout elle n'est pas princesse! Mais Sophie aime lire° *Elle* et *Jours de France* pour voir quels styles et quelles couleurs sont à la mode, si la robe va être longue ou courte, si la mini-jupe va être acceptée, si on porte un châle, un chapeau, des gants.

°**connus**   *well-known*   °**dictent**   *dictate*   °**lire**   *to read*

Est-ce que Sophie fréquente les maisons de couture? Jamais! Elle achète ses vêtements prêt-à-porter° dans les grands magasins. Mais quelquefois° elle a de la chance. Au Marché aux Puces ou au Marché du Village Suisse elle trouve une «petite robe» ou un accessoire avec la griffe célèbre d'un grand couturier. Quelle joie!°

Pour Diane, tout au contraire, la mode ne signifie rien! Elle est complètement satisfaite de ses blue-jeans, ses blousons d'aviateur et ses sweatshirts. Elle veut des vêtements sportifs,° confortables. Le chic et l'élégance ne sont pas pour elle. Vous croyez que Diane porte l'uniforme des jeunes, n'est-ce pas? Ça ne fait rien! Elle peut toujours personnaliser ses vêtements avec une ceinture originale ou avec des boucles d'oreille folkloriques.

Mais, dites donc, où achète-t-elle ses vêtements?

Dans une boutique unisexe du quartier Latin, naturellement!

° **prêt-à-porter** *ready-to-wear*   ° **quelquefois** *sometimes*   ° **joie** *joy*   ° **sportif** *sporty*

Exercice 1 Choisissez.

1. La mode change _____ .
   a. tous les jours
   b. avec les saisons
   c. avec les heures

2. Nous voyons la réaction de deux Parisiennes parce que _____ .
   a. Paris est une vieille ville
   b. Paris est la ville des jeunes
   c. Paris est le centre de la mode féminine

3. Givenchy, Cardin, Dior et Yves Saint-Laurent sont _____ .
   a. quatre grands couturiers
   b. quatre amis de Sophie
   c. quatre célèbres dictateurs

Exercice 2 Corrigez.

1. Sophie assiste toujours au défilé de mannequins.
2. Sophie est princesse.
3. Elle aime lire *L'Express* at *Le Figaro*.
4. Elle veut voir quels restaurants sont à la mode.
5. Sophie fréquente toujours les maisons de couture.
6. Elle achète des vêtements de haute couture.
7. Elle ne trouve rien au Marché aux Puces.
8. Sophie ne porte jamais la griffe célèbre d'un grand couturier.

Exercice 3 Répondez.

1. Que signifie la mode pour Diane?
2. De quoi est-elle complètement satisfaite?
3. Quelle sorte de vêtements veut-elle?
4. Est-ce que le chic et l'élégance sont pour elle?
5. Quel uniforme est-ce que Diane porte?
6. Avec quoi peut-elle personnaliser ses vêtements?
7. Où est-ce que Diane achète ses vêtements?

240

Activités

1 Une interview

- Est-ce que la mode est importante pour vous?
- Achetez-vous beaucoup de vêtements?
- Dépensez-vous beaucoup d'argent pour vos vêtements?
- Achetez-vous vos vêtements dans les grands magasins ou dans les boutiques élégantes? Et les accessoires?
- Fréquentez-vous le marché aux puces près de chez vous? Qu'est-ce que vous achetez?
- Portez-vous des vêtements ou des accessoires avec la griffe d'un grand couturier?
- Préférez-vous porter l'uniforme des jeunes?

2 Il y a d'autres grands couturiers. Nommez-les. Voyez-vous souvent leurs griffes? Où ça?

3 Dans un journal ou une revue cherchez des annonces des grands couturiers. Apportez ces annonces en classe.

galerie vivante

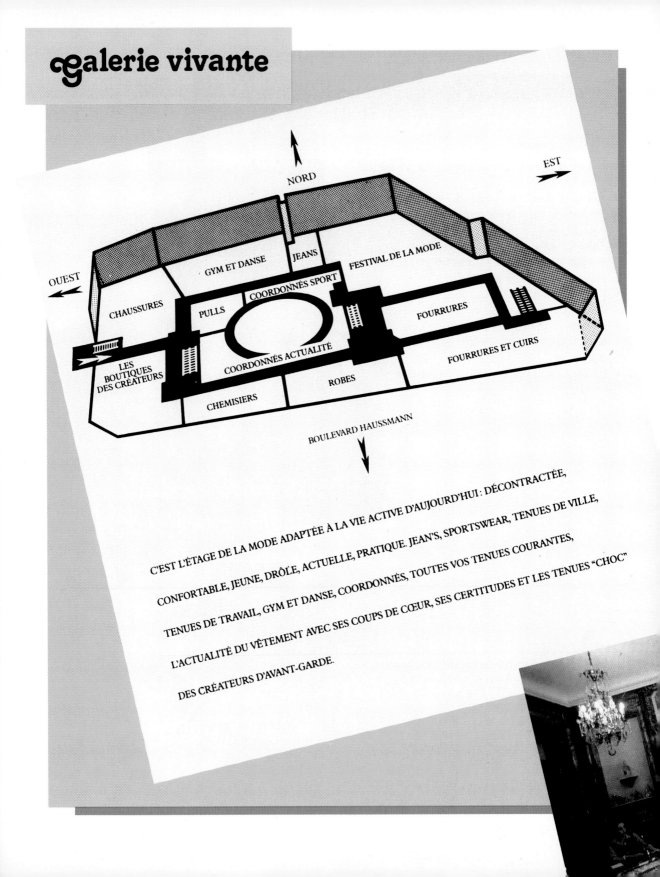

NORD

EST

OUEST

GYM ET DANSE

JEANS

FESTIVAL DE LA MODE

CHAUSSURES

PULLS

COORDONNÉS SPORT

FOURRURES

LES BOUTIQUES DES CRÉATEURS

COORDONNÉS ACTUALITÉ

FOURRURES ET CUIRS

CHEMISIERS

ROBES

BOULEVARD HAUSSMANN

C'EST L'ÉTAGE DE LA MODE ADAPTÉE À LA VIE ACTIVE D'AUJOURD'HUI : DÉCONTRACTÉE, CONFORTABLE, JEUNE, DRÔLE, ACTUELLE, PRATIQUE. JEAN'S, SPORTSWEAR, TENUES DE VILLE, TENUES DE TRAVAIL, GYM ET DANSE, COORDONNÉS, TOUTES VOS TENUES COURANTES, L'ACTUALITÉ DU VÊTEMENT AVEC SES COUPS DE CŒUR, SES CERTITUDES ET LES TENUES "CHOC" DES CRÉATEURS D'AVANT-GARDE.

En France il y a beaucoup de boutiques élégantes et chics.
Qu'est-ce qu'elles sont belles!

La boutique de Dior

La boutique de Guerlain

243

ℜévision

Je suis fauché!

André   Moi, j'ai faim! Et toi?

Maxine   Oui, moi aussi. Tu veux aller dans ce petit café?

André   Bonne idée! Il est moins cher que le snack-bar.

Maxine   On prend un sandwich?

André   Moi non! J'ai juste assez pour un coca.

Maxine   C'est tout? Toi qui as toujours un bon appétit?

André   J'ai un bon appétit, oui, mais j'ai aussi de nouvelles chaussures. C'est pour ça que je suis fauché!

Exercice 1   Le pauvre André!
Répondez en forme de paragraphe.

Qui a faim?

Qui suggère le petit café?

Est-ce que le petit café est moins cher que le snack-bar?

Qu'est-ce qu'André va prendre?

Pourquoi est-ce que Maxine est surprise?

Pourquoi est-ce qu'André est fauché?

 Two final unit tests, one oral and one written, are provided in the Test Package.

Adjectifs qui précèdent le nom

Adjectives usually *follow* the noun. Some adjectives, however, precede the noun.

bon   **petit**
jeune   **grand**
joli

Bonne idée!
une jeune fille
un petit café

Three other adjectives which precede the noun are **beau, nouveau,** and **vieux.** Note the irregular forms **bel, nouvel, vieil.**

le beau chapeau	**les beaux chapeaux**
le bel anorak	**les beaux anoraks**
la belle robe	**les belles robes**
le nouveau train	**les nouveaux trains**
le nouvel ascenseur	**les nouveaux ascenseurs**
la nouvelle station	**les nouvelles stations**
le vieux café	**les vieux cafés**
le vieil escalier	**les vieux escaliers**
la vieille chaussure	**les vieilles chaussures**

Remember the liaison in the plural forms before a vowel.

Exercice 2   Un vieil anorak
Complétez avec la forme convenable de *vieux*.

Jean-Paul porte un _____ anorak et une _____
chemise. Il aime surtout les _____ jeans et les
_____ tee-shirts. Il porte de _____ chaussures
parce qu'il est fauché.

Exercice 3   Un nouvel anorak
**Répétez le paragraphe de l'exercice 2
avec les formes convenables de
nouveau. Substituez *riche* à *fauché*.**

Expressions avec *avoir*

Review the following expressions with **avoir**.

avoir trois ans
avoir faim
avoir soif
avoir chaud
avoir froid
avoir raison
avoir tort

J'ai besoin d'argent.	*I need money.*
J'ai besoin d'étudier.	*I need to study.*
J'ai envie d'une pomme.	*I want an apple.*
J'ai envie de danser.	*I want to dance.*

Exercice 4 J'ai chaud.
Complétez avec l'expression convenable.

J'aime aller à la plage en été quand j'ai _____ . Mais quand j'ai _____ en hiver, je préfère rester à la maison. J'ai un grand appétit; j'ai toujours _____ . Je prends beaucoup d'eau parce que j'ai toujours _____ aussi. J'adore la bonne cuisine; j'ai _____ de dîner dans un bon restaurant. Mais pour ça j'ai _____ de beaucoup d'argent!

Le comparatif et le superlatif

Comparisons are expressed by

plus... que
moins... que
aussi... que

Le prof est plus âgé que les élèves.
Marie est moins sérieuse que Jeanne.
Paul est aussi beau que Gaston.

Remember the irregular comparative forms of **bon**.

Cette boutique est meilleure que ce magasin.
Le poème de Luc est meilleur que mon poème.

The superlative is formed by placing **le, la,** or **les** before **plus** or **moins**. Remember that *in* or *of* is expressed by **de**.

Claire est la fille la plus intelligente de la classe.

Exercice 5 Mon père est plus heureux que...

Complétez avec un adjectif de votre choix.

sérieux / sérieuse
heureux / heureuse
délicieux / délicieuse
généreux / généreuse
merveilleux / merveilleuse

1. Mon père est plus _____ que ma mère.
   moins

2. Mais ma mère est plus _____ que mon père.
   moins

3. C'est mon grand-père qui est le plus _____ de toute la famille.
   moins

4. Les gâteaux de ma grand-mère sont les plus _____ du monde!
   moins

Prépositions avec les noms géographiques

To, in, at with the name of a city is expressed with **à.**

à Paris   à Nice

With a continent, a feminine country, or a feminine province, it is **en.**

en Europe   en Italie   en Alsace

With a masculine country, **au/aux** is used.

au Mexique   au Portugal   aux États-Unis

Exercice 6 Michel va en Suisse.

Complétez avec la préposition convenable.

Michel va _____ Suisse en février, mais sa sœur Aline va _____ Canada. Leurs cousins demeurent _____ Genève et _____ Montréal. Au retour Michel va _____ Italie et Aline va _____ États-Unis.

Le pronom relatif *qui*

Qui is a pronoun that is used to join two short sentences.

C'est Claire. Claire veut nager.
C'est Claire qui veut nager.

Qui may refer to things as well as persons. Note that **qui** is always the subject of the clause.

Voilà la boutique. La boutique est moderne.
Voilà la boutique qui est moderne.

Exercice 7 Je vois une boutique.

Faites une seule phrase des deux phrases données.

— Je vois une boutique. La boutique est chic.
— Ah! Voilà un blouson! Le blouson est très à la mode.
— Sur le blouson il y a une griffe. La griffe est célèbre.
— C'est décidé! Voilà le blouson! Il va aller bien avec mes jeans.

Verbes irréguliers

Review the following irregular verbs.

croire:	je crois, tu crois, il/elle croit, nous croyons, vous croyez, ils/elles croient
voir:	je vois, tu vois, il/elle voit, nous voyons, vous voyez, ils/elles voient
pouvoir:	je peux, tu peux, il/elle peut, nous pouvons, vous pouvez, ils/elles peuvent
vouloir:	je veux, tu veux, il/elle veut, nous voulons, vous voulez, ils/elles veulent
préférer:	je préfère, tu préfères, il/elle préfère, nous préférons, vous préférez, ils/elles préfèrent

Remember the **y** in the **nous** and **vous** forms of **croire** and **voir**.

The **nous** and **vous** forms of **pouvoir** and **vouloir** have the same stem as the infinitive.

The second accent mark in **préférer** changes in all singular forms and in the third person plural.

248

Exercice 8 Elle préfère cette boutique-là.
Lisez le dialogue.

Louise Avec qui vas-tu sortir?

Monique Avec Janine.

Louise Janine? Pourquoi veut-elle aller dans cette boutique?

Monique Elle veut acheter une ceinture.

Louise Mais elle peut trouver une jolie ceinture au Marché aux Puces. Tu ne crois pas?

Monique Moi, je crois que tu as raison. Mais Janine préfère cette boutique-là. Après tout, c'est elle qui décide!

A. Complétez d'après le dialogue. C'est Janine qui parle.

1. Je vais sortir avec _____ .
2. Je veux _____ .
3. Je ne peux pas _____ .
4. Je préfère _____ .
5. C'est moi qui _____ .

B. Complétez les questions d'après le dialogue.

6. Avec qui _____ ?
7. Où _____ ?
8. Pourquoi _____ ?
9. Qu'est-ce que _____ ?
10. Qui _____ ?

Expressions négatives

Never (**ne... jamais**) and *nothing* (**ne... rien**) function like **ne... pas.**

Elle ne veut jamais sortir.
Ils n'achètent rien.

Exercice 9 Je n'achète jamais...
Répondez avec *jamais* ou *rien.*

1. Achetez-vous quelquefois des bracelets de diamants?
2. Mangez-vous quelquefois un steak de tigre?
3. Portez-vous quelquefois un costume de Superman?
4. Qu'est-ce que vous mangez à minuit?
5. Qu'est-ce qu'on mange dans la classe de maths?
6. Qu'est-ce que vous achetez chez un grand couturier?

ℚecture culturelle

supplémentaire

Les autobus parisiens

Les autobus parisiens fonctionnent de sept heures à vingt heures trente. Certaines lignes fonctionnent jusqu'à 0 h 30. Chaque autobus porte le numéro de la ligne à l'avant. À chaque arrêt il y a un tableau avec le numéro de la ligne et une liste de tous les arrêts de cette ligne. Si votre arrêt est dans la partie rouge, vous payez un ticket. Si vous allez plus loin, c'est deux tickets.

Si vous achetez un carnet de dix tickets, vous économisez. Et les tickets sont bons dans le métro et dans les autobus.

À l'intérieur de chaque autobus il y a un plan. Quand vous désirez descendre, vous appuyez sur un bouton. À votre arrêt vous descendez par la porte à l'arrière.

Exercice Corrigez.

1. Tous les autobus parisiens fonctionnent jusqu'à vingt heures trente.
2. Chaque autobus porte une liste des arrêts à l'avant.
3. Si votre arrêt est dans la partie rouge, vous payez deux tickets.
4. Les tickets pour les autobus ne sont pas bons dans le métro.
5. Il y a un plan à l'extérieur de l'autobus.
6. À votre arrêt, vous descendez par la porte à l'avant.

à l'avant *in front*   **arrêt** *bus stop*   **plus loin** *farther*   **appuyez** *push*
à l'arrière *in the rear*

ℚecture culturelle

supplémentaire

Le quartier Latin

Le quartier Latin est un quartier de Paris situé sur la Rive gauche de la Seine. C'est un vieux quartier avec beaucoup de vieilles rues. C'est ici que l'Université de Paris, la Sorbonne, a commencé en 1253. C'est aujourd'hui un centre universitaire où l'on rencontre des étudiants° de toutes les nations.

Alors naturellement il y a des librairies° et des papeteries.° Il y a aussi beaucoup de restaurants et de cafés bon marché et beaucoup de cinémas, cabarets et petites boutiques. Le «Boul'Mich» (le boulevard Saint-Michel), une des artères° principales, est toujours très animé.°

Vous demandez pourquoi le quartier «Latin»? Tout simplement parce que le latin a été° la langue officielle des étudiants jusqu'en 1789.

Exercice Répondez.

1. Où est situé le quartier Latin?
2. Est-ce un nouveau quartier?
3. Quelle université est dans le quartier Latin?
4. Pourquoi y a-t-il beaucoup de librairies et de papeteries dans le quartier Latin?
5. Quel est le nom populaire du boulevard Saint-Michel?
6. Pourquoi est-ce qu'on nomme ce quartier «Latin»?

°**étudiants** *university students*   °**librairies** *book stores*   °**papeteries** *stationery stores*
°**artères** *(traffic) arteries*   °**animé** *animated, lively*   °**a été** *was*

17 Les jeux vidéo

Tape Activities 1–2

Vocabulaire

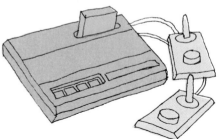

une machine à jeux vidéo (un flipper)

une cassette

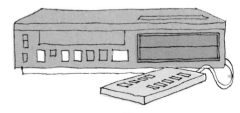

un magnétoscope

Aujourd'hui, c'est mardi.
Hier, lundi, Marie a **téléphoné** à Claire.
Elle a annoncé une bonne **nouvelle:**
«Papa a acheté une machine à jeux
vidéo! Il a acheté beaucoup de
cassettes aussi.»

Exercice 1   Un nouveau jeu
Complétez.

1. Aujourd'hui, c'est _____ .
2. Hier _____ a téléphoné à _____ .
3. Elle a annoncé une _____ _____ .
4. «Papa a acheté une _____ à jeux vidéo.»
5. «Il a acheté beaucoup de _____ aussi.»

Exercice 2   Personnellement
Répondez.   Tape Activity 3

1. Avez-vous une machine à jeux vidéo?
2. Combien de cassettes avez-vous?
3. Aimez-vous les jeux vidéo?
4. Chez qui jouez-vous?
5. Quel est votre jeu favori?
6. Jouez-vous contre (*against*) la machine ou contre un(e) ami(e)?
7. Qui gagne le plus souvent?

252

$tructure

Révision du verbe *avoir*

Infinitive	avoir
Present tense	j'ai
	tu as
	il/elle a
	nous avons
	vous avez
	ils/elles ont

Exercice 1 Allons au café! Tape Activity 4
Répondez.

1. Tu as soif?
2. Les amis ont soif aussi?
3. Ta sœur a soif?
4. Marie et moi, nous avons faim, n'est-ce pas?

5. Moi, j'ai toujours faim, n'est-ce pas?
6. Nous avons tous faim?
7. On va au café alors?

Workbook Exercise B

Le passé composé des verbes en *-er*

The **passé composé** is used to describe actions completed in the past. It is made up of the present of **avoir** and the past participle of the verb.

The past participle of **-er** verbs is formed by dropping the **-er** and adding **-é.**

téléphoner	téléphoné
annoncer	annoncé
parler	parlé

Infinitive	parler
Passé composé	j'ai parlé
	tu as parlé
	il/elle a parlé
	nous avons parlé
	vous avez parlé
	ils/elles ont parlé

The **passé composé** has three English equivalents:

J'ai parlé. *I spoke. / I have spoken. / I did speak.*

253

Exercice 2 On a joué de la guitare. Tape Activity 5
Suivez le modèle.

J'ai une guitare.
J'ai joué de la guitare.

1. J'ai une guitare.
2. Nous avons une guitare.
3. Les amis ont une guitare.
4. Vous avez une guitare.

5. Toi, tu as une guitare.
6. Nathalie a une guitare.
7. Tout le monde a une guitare!

Exercice 3 Qu'est-ce que Chantal va faire?
Suivez le modèle. Tape Activity 6

Tu vas téléphoner à Denise?
Mais non! J'ai téléphoné à Denise hier.

1. Tu vas acheter des disques?
2. Tu vas étudier tes leçons?
3. Tu vas écouter les cassettes?

4. Tu vas dépenser ton argent?
5. Tu vas parler au professeur?

Exercice 4 Est-ce que Luc a travaillé?
Suivez le modèle.

jouer de la guitare
Luc a joué de la guitare.

1. chanter
2. parler au téléphone
3. regarder la télé

4. écouter des disques
5. jouer au Scrabble

Exercice 5 On a changé!
Suivez le modèle.

Je ne mange pas de frites!
Mais hier tu as mangé des frites!

1. Je ne mange pas de frites!
2. Nous ne regardons pas la télé! **(vous)**
3. Vous et Margot, vous ne chantez pas!
   (nous)

4. Antoine ne danse pas!
5. Claire et Anne n'écoutent pas
   la musique pop.
6. Tu ne prépares pas les sandwiches.

Exercice 6 À la boum
Mettez les verbes au passé composé.

Hier soir à la boum Antoine _____ (jouer) du piano et Suzanne _____
(chanter). Victor et Françoise _____ (préparer) beaucoup de sandwiches, et moi,
j' _____ (préparer) des pizzas. Ensuite, Luc et moi, nous _____ (danser). Toi,
tu _____ (danser) avec Philippe, n'est-ce pas? À dix heures on _____ (manger)
les sandwiches et les pizzas. Ensuite on _____ (jouer) des disques et on _____
(danser) jusqu'à minuit.

Le passé composé au négatif

To form the negative of the **passé composé, n'** is placed before the form of **avoir** and **pas** is placed after it.

Tu as parlé.	**Tu n'as pas parlé.**
Marie a téléphoné.	**Marie n'a pas téléphoné.**
Les amis ont chanté.	**Les amis n'ont pas chanté.**

Exercice 7 Pauvre Albert!
Suivez le modèle.   Tape Activity 9

Claire a invité Albert?
Non, Claire n'a pas invité Albert.

1. Georges a invité Albert?
2. Tu as invité Albert?
3. Les Martin ont invité Albert?
4. Vous avez invité Albert? (**nous**)
5. Blanche et Irène ont invité Albert?
6. J'ai invité Albert?

Exercice 8 Pendant les vacances
Répondez à l'affirmatif ou au négatif.

1. Vous avez voyagé pendant les vacances?
2. Vous avez assisté au défilé le 4 juillet?
3. Vous avez téléphoné à vos grands-parents?
4. Vous avez étudié le français?
5. Vous avez fêté votre anniversaire?
6. Vous avez traversé l'océan Atlantique?
7. Vous avez dansé chaque week-end?
8. Vous avez joué au tennis?
9. Vous avez acheté beaucoup de vêtements?
10. Vous avez travaillé dans un magasin?

Le passé composé à l'interrogatif

Questions in the **passé composé** can be formed in three ways.
1. By inverting the subject pronoun and the verb **avoir:**

Vous avez admiré la plage.	**Avez-vous admiré la plage?**
Elle a étudié.	**A-t-elle étudié?**

Note that this construction is normally not used with **je.**

2. By using **est-ce que:**

J'ai invité tous les amis.	**Est-ce que j'ai invité tous les amis?**

3. By intonation:

Tu as joué au tennis.	**Tu as joué au tennis?**↗

Exercice 9 En juillet oui, mais en janvier?
Formez des questions. Suivez le modèle.

J'ai nagé en juillet.
Mais as-tu nagé en janvier?

1. J'ai joué au tennis en juillet.
2. J'ai visité le Pôle Nord en juillet.
3. J'ai mangé des pêches en juillet.

4. J'ai acheté un bikini en juillet.
5. J'ai dansé sur la plage en juillet.

Note

The verb **jouer** may be used with **à** or **de**.
With a game or a sport, **à** plus **le, la, les** must be used.

> **Ils jouent au Monopoly.**
> **Nous avons joué aux échecs** (*chess*).
> **Mon frère joue au basket(ball).**
> **Avez-vous joué au football?**

With a musical instrument, **de** plus **le, la, les** must be used.

> **Julie joue de la trompette.**
> **Mon père a joué du saxophone.**

Exercice 10 Sports, jeux et instruments
Suivez le modèle.

La guitare? Danielle?
Mais oui, elle joue de la guitare.

1. La trompette? Gérard?

2. Le basket? Michel?

3. La guitare? Tes cousins?

5. Le volley? Toi?

4. Le Scrabble? Françoise?

6. Le football? Philippe?

Tape Activity 10   Administer Quiz 1.

Le verbe *savoir*

The verb **savoir** (*to know*) is irregular. It is used in every sense of *to know* except *to know a person or a place.*

Infinitive	savoir
Present tense	je sais
	tu sais
	il/elle sait
	nous savons
	vous savez
	ils/elles savent

Elle est là, tu sais.
Vous savez la leçon, n'est-ce pas?
Sais-tu si Pierre joue au bridge?
Nous ne savons pas où il travaille.

Tape Activity 11

When **savoir** is followed by an infinitive, it means *to know how.*

Savez-vous jouer du piano?

257

Exercice 11 Nous savons beaucoup!
Complétez avec *savoir*.

Mon copain Marcel et moi, nous _____ beaucoup. Lui, il _____ bien jouer au foot; moi je _____ jouer au volley. Nous _____ aussi jouer aux échecs. Nos profs _____ que nous travaillons bien. Nos parents _____ que nous sommes intelligents. Et vous, _____-vous que nous sommes deux chic types (*great guys*)?

Exercice 12 Personnellement
Répondez.

1. Savez-vous toujours toutes vos leçons?
2. Savez-vous où habitent vos profs?
3. Votre meilleur(e) ami(e) sait-il (elle) où vous avez passé les vacances?
4. Vos parents et vous, savez-vous parler espagnol?
5. Vos camarades de classe savent-ils chanter *La Marseillaise?*

Tape Activity 12   Administer Quiz 2.

Prononciation   Tape Activities 13–14   La lettre *g*

Before the letters **a, o,** or **u, g** is pronounced /g/, that is, it is pronounced like a hard **g**. It is pronounced like the French letter **j** before **e, é,** or **i**.

ga	*go*	*gu*	*ge, gé*	*gi*
garçon	golf	légume	gens	Gigi
gare	gothique	guitare	général	original
gants	Hugo	guide	âgé	région
magasin	gourmet	blague	manger	religion
regarde	gouverner	longue	garage	énergie

Pratique et dictée

Ce garçon porte des gants quand il mange des légumes.
Dans ce magasin Gigi a acheté une guitare originale.
Les gens de cette région pratiquent une religion étrange.
Sans blague! Hugo est un guide assez âgé qui regarde toujours le garage!

Conversation   Tape Activities 15–16

Les filles savent tout!

André Tu sais bien, Richard, que nous avons besoin d'un guitariste pour la boum samedi, n'est-ce pas?

Richard Je sais. Est-ce que les violonistes savent jouer aussi de la guitare?

André Je ne sais pas, mais je crois que oui. Pourquoi?

258

Richard	Je sais que Marcel sait jouer du violon. Sait-il jouer aussi de la guitare?
André	Je ne sais pas. Tu sais son numéro?
Richard	Non, malheureusement je ne sais pas son numéro. Mais voilà les filles là-bas. Je suis sûr qu'elles savent le numéro de Marcel!

Exercice   Corrigez.

1. Richard et André savent qu'on a besoin d'un violoniste pour la boum.
2. Marcel sait jouer du piano.
3. Richard et André savent jouer du violon.
4. Richard sait le numéro de Marcel.
5. Les filles ne savent pas le numéro de Marcel.

Expressions utiles

The following expressions are useful for telephone conversations.

Allô.	*Hello.*
C'est Nathalie.	*This is Nathalie.*
Daniel est là?	*Is Daniel there?*
Ne quitte pas.	*One moment, please.*
(Ne quittez pas.)	*(Don't hang up.)*
Quoi de neuf?	*What's new?*

ℒecture culturelle

Une maison électronique

(C'est samedi matin. Arnaud et sa sœur Monique font des projets pour le soir.)

| Arnaud | Tu as téléphoné à Daniel? |
| Monique | Pas encore!* Mais j'ai parlé avec Colette et elle a accepté. Pourquoi ne téléphones-tu pas à Daniel? Voilà son numéro. |

° **Pas encore**   *Not yet*

259

Arnaud	D'accord. *(Il téléphone.)*
Mme Rocher	Allô.
Arnaud	Ah bonjour, madame. C'est Arnaud. Daniel est là?
Mme Rocher	Bonjour, Arnaud. Ne quitte pas. *(À Daniel).* C'est Arnaud à l'appareil. °
Daniel	Ah, tiens! ° Allô, mon vieux! ° Quoi de neuf?
Arnaud	J'ai une bonne nouvelle. La famille Supplée a acheté un «flipper» ° et Georges a invité les amis chez lui ce soir.
Daniel	Georges a une machine à jeux vidéo? Vraiment?
Arnaud	Vraiment! Pendant leurs vacances à New York ses parents ont joué nuit et jour. ° Son père adore jouer aux *Envahisseurs de* *l'espace* ° et sa mère adore *Ms. Pac-Man.*
Daniel	Quelle console de projection ont-ils?
Arnaud	Je crois que c'est une Philips. Ils ont acheté aussi beaucoup de cassettes—tous les nouveaux jeux.
Daniel	Ça a coûté un argent fou, ° n'est-ce pas?
Arnaud	Sans doute! Mais les Supplée sont assez riches. Tu sais, n'est-ce pas, que pour Noël ils ont acheté un magnétoscope?
Daniel	Sans blague! Mais c'est une maison électronique! Georges est membre d'un vidéoclub?
Arnaud	Bien sûr! Il a un tas ° de catalogues de vidéocassettes. Hier soir nous avons regardé *Le retour du Jedi* pour la sixième fois! °
Daniel	Formidable!
Arnaud	Alors tu veux jouer au Phénix ce soir? Colette a déjà accepté, tu sais.
Daniel	Dans ce cas, ° moi aussi j'accepte.

LA GUERRE DES ÉTOILES
LE RETOUR DU JEDI

°**appareil** *apparatus (telephone)*	°**tiens** *well, so*	°**mon vieux** *old buddy, old pal*
°**«flipper»** *slang for video game*	°**nuit et jour** *night and day*	°**Envahisseurs de l'espace**
Space Invaders °**un argent fou** *a fortune*	°**un tas** *a pile*	°**fois** *time*
°**Dans ce cas** *In that case*		

Exercice 1 Répondez.

1. Avec qui est-ce que Monique a parlé?
2. Est-ce que Colette a accepté?
3. À qui est-ce qu'Arnaud téléphone?
4. Avec qui est-ce qu'Arnaud parle d'abord?

Exercice 2 Formez au moins une phrase sur chaque sujet.

1. la bonne nouvelle
2. l'invitation de Georges
3. les vacances de M. et Mme Supplée
4. les achats (*purchases*) de M. et Mme Supplée
5. le vidéoclub
6. *Le Retour du Jedi*
7. la petite amie de Daniel

Activités

Tape Activities:
Deuxième Partie

(Optional)

1 À quoi jouez-vous?

- De quels instruments de musique jouez-vous?
- De quels instruments de musique avez-vous joué au passé?
- À quels sports jouez-vous?
- À quels jeux jouez-vous?

2 Avec un(e) camarade préparez une conversation au téléphone (au moins 8 lignes). Vous êtes Georges Supplée (ou sa sœur Jeanne-Marie). Vous invitez des amis chez vous pour jouer aux jeux vidéo.

3 Lisez le paragraphe suivant. Ensuite, formez au moins quatre questions sur le paragraphe.

Les jeux vidéo ont commencé au Japon et aux États-Unis. Ils sont déjà très populaires en France. Ce sont surtout les jeunes qui veulent posséder une machine à jeux vidéo. Mais elles ne sont pas bon marché! Heureusement maman et papa aussi adorent ces jeux!

galerie vivante

Les jeunes français aiment aller au cinéma. On joue beaucoup de films américains en France. Voici des films américains. Pouvez-vous deviner leurs titres anglais? Les réponses sont en bas.

1. Les Trois Mousquetaires
2. Les Aventuriers de l'Arche perdu
3. Le Tour du monde en 80 jours
4. Orange mécanique
5. Une Étoile est née
6. Vivre et laisser mourir
7. Les Oiseaux
8. Un Jour aux courses
9. L'Empire contrattaque
10. Les Dents de la mer
11. La Fièvre du samedi soir
12. Autant en emporte le vent
13. Kramer contre Kramer

1. The Three Musketeers   2. Raiders of the Lost Ark
3. Around the World in 80 Days   4. A Clockwork Orange
5. A Star is Born   6. Live and Let Die   7. The Birds
8. A Day at the Races   9. The Empire Strikes Back
10. Jaws   11. Saturday Night Fever   12. Gone With the Wind
13. Kramer versus Kramer

Les Français aiment jouer aux cartes. Les cartes françaises sont un peu différentes des cartes américaines. Voici quelques cartes françaises:

l'as de carreau

le roi de pique

la dame de cœur

À quoi est-ce qu'on joue? Comme aux États-Unis, on joue au bridge, au poker, à la canasta, au cribbage. On joue aussi à la belote, qui ressemble un peu au « pinochle ». Et vous, aimez-vous jouer aux cartes? Quels sont vos jeux favoris?

le valet de trèfle

le six de trèfle

le joker

Avez-vous une petite sœur ou un petit frère? Dans votre famille, à quoi jouent les petits enfants? Voici quelques jeux qui sont populaires parmi les petits enfants en France et aux États-Unis. Pouvez-vous deviner leurs noms anglais?

1. On joue à **la marelle**.
2. On **saute à la corde**.
3. On joue **aux billes**.
4. On joue **au chat**.
5. On **lance un cerf-volant**.
6. On joue **à cache-cache**.

a. **tag**
b. **kite flying**
c. **hopscotch**
d. **hide-and-seek**
e. **marbles**
f. **jump rope**

18 Une famille d'ouvriers

Use the overhead transparencies for the initial presentation of vocabulary.

Monsieur et Madame Langevin

Vocabulaire

Tape Activity 1

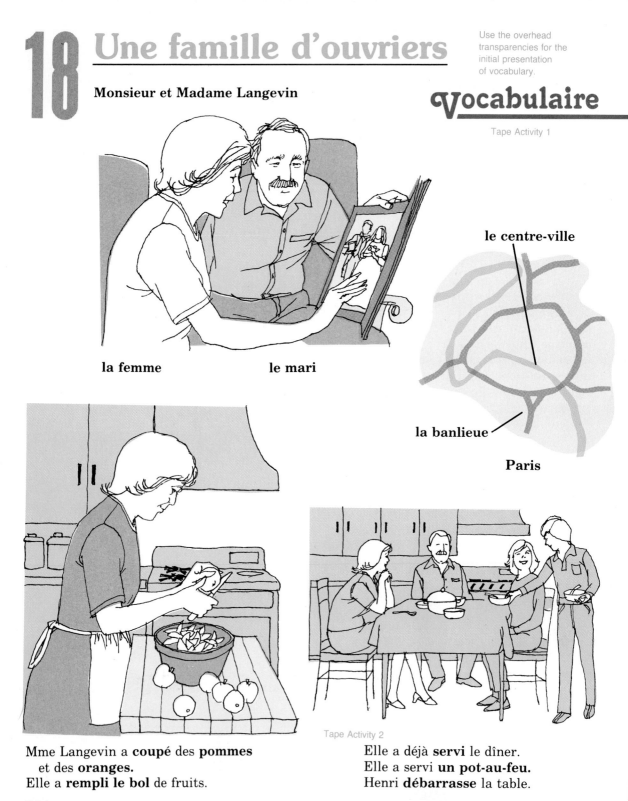

la femme   le mari

le centre-ville

la banlieue

Paris

Tape Activity 2

Mme Langevin a **coupé** des **pommes**
  et des **oranges.**
Elle a **rempli le bol** de fruits.

Elle a déjà **servi** le dîner.
Elle a servi **un pot-au-feu.**
Henri **débarrasse** la table.

Ginette **met les assiettes** dans
le lave-vaisselle.
Elle **fait la vaisselle.**

Monsieur et Madame Langevin **lisent** le journal.
Henri **écrit.**

Exercice 1   Un soir chez les Langevin
Répondez.

Exercises can be done
orally, written or both.

1. Qui est la femme de M. Langevin?
2. Et qui est le mari de Mme Langevin?
3. Est-ce que la famille habite la banlieue?
4. Dans la cuisine, est-ce que Mme Langevin a rempli un bol de pommes et
   d'oranges?
5. A-t-elle déjà servi le dîner?
6. Ce soir, qu'est-ce qu'elle a servi pour le dîner?
7. Après le dîner, qui débarrasse la table?
8. Et qui met les assiettes dans le lave-vaisselle?   Tape Activity 3
9. Qu'est-ce que Ginette fait?
10. Qu'est-ce que M. et Mme. Langevin lisent après le dîner?
11. Qu'est-ce qu'Henri fait?

La table   Tape Activity 4

un couvert

un set

une cuiller

un couteau

une assiette

une fourchette

une serviette

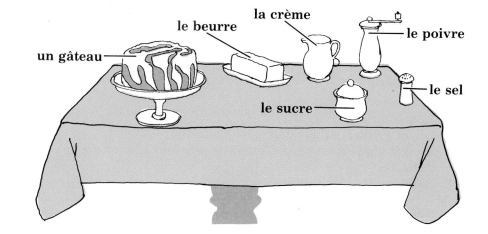

Exercice 2 La table
Répondez d'après le dessin.

1. Combien de couverts voyez-vous?
2. Qu'est-ce qu'on sert dans une assiette creuse?
3. Qu'est-ce qu'on sert dans une tasse?
4. Avec quel ustensile est-ce qu'on coupe la viande?
5. Avec quel ustensile est-ce qu'on prend de la soupe?
6. Est-ce que la serviette est placée à gauche ou à droite des assiettes?
7. Où est placé le couteau?
8. De quelle couleur est le sel?

Exercice 3 Personnellement
Répondez.

1. Est-ce qu'on met une nappe ou des sets sur la table chez vous?
2. Combien de couverts est-ce qu'il y a?
3. De quelle couleur sont les assiettes?
4. Est-ce qu'on sert toujours de la soupe au dîner?
5. Où met-on le sucre et la crème?

Structure

Le verbe *mettre*

Mettre (*to put, to place*) is an irregular verb.

Infinitive	mettre
Present tense	je mets tu mets il/elle met nous mettons vous mettez ils/elles mettent
Imperative	Mets le sel sur la table! Mettons la table! Mettez le journal là, s'il vous plaît.

Mettre may also mean:

1. *to put on* or *to wear* clothing

    Je mets mon anorak.

2. *to set* the table

    Ma sœur met la table.

3. *to turn on* a radio, a TV set, etc.

    Mettez la télé, s'il vous plaît.

Three other verbs that are conjugated like **mettre** are **promettre** (*to promise*), **permettre** (*to permit*), and **remettre** (*to postpone*).

Exercice 1   Qui met quoi sur la table?

Toute la famille aide Mme Claude à mettre la table.

1. Mme Claude

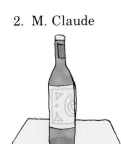

2. M. Claude

3. Annette et Virginie

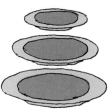

4. Pierre et Lucien

Exercice 2 Personnellement
Répondez.

1. Qui met la table chez vous?
2. Est-ce que votre père met du sucre dans le café?
3. Promettez-vous de faire un gâteau au chocolat pour le dîner?
4. Est-ce que vos grands-parents promettent de dîner avec vous?
5. Après le dîner, à quelle heure mettez-vous d'ordinaire la télé?

Tape Activities 7–8   Workbook Exercises E–F   Administer Quiz 2.

Le passé composé des verbes en -ir

The past participle of **-ir** verbs ends in **-i**.

Papa a rempli les verres.
Maman a servi le dîner.
Avez-vous choisi le dessert?
Elle a fini ses devoirs.

Here are other useful verbs that end in **-ir**.

Marie rougit (*blushes*) **toujours.**
Je vais maigrir (*lose weight*) **cette semaine.**
Elle grossit (*gains weight*) **en été.**
Jean réussit à (*passes, succeeds in*) **ses examens.**

Exercice 3 Le dîner d'hier soir
Répondez selon l'indication.

1. Qui a servi le dîner? **Maman**
2. Qui a rempli les verres? **Papa**
3. Qu'est-ce que Maman a servi pour le dîner? **un pot-au-feu**
4. Qu'est-ce que tu as choisi comme dessert? **un gâteau au chocolat**
5. Est-ce que tu as réussi à beaucoup manger? **bien sûr**
6. À quelle heure avez-vous fini le dîner? **à vingt heures**
7. Après le dîner, ta sœur et toi, avez-vous fini tous vos devoirs? **sans problème**
8. Ensuite, quel programme de télévision avez-vous choisi? **un bon film**
9. Et avez-vous dormi neuf heures? **Non, huit heures**

Exercice 4 Chez nous hier soir
Complétez au passé composé.

Chez nous hier soir Eugénie a aidé Maman. Elle _choisi_ (choisir) les sets et les assiettes. Elle _remplit_ (remplir) les verres d'eau. Maman et Eugénie _servent_ (servir) un excellent dîner. Papa _sert_ (servir) du vin.

Après, Papa a regardé un bon film à la télé, mais Eugénie, Marc et moi, nous _finissons_ (finir) nos devoirs.

À dix heures Maman a réveillé (*woke up*) Papa:
— C'est la fin du film! Tu _dors_ (dormir) deux heures!
Pauvre Papa, il veut dormir.

268

La position des adverbes au passé composé

J'ai déjà mangé.   *I have already eaten.*

Note the position of **déjà** in the sentence above. Short adverbs such as **déjà, bien, vite** are placed between **avoir** and the past participle in the **passé composé.**

Adverbs of time and place, such as **hier** and **aujourd'hui,** follow the past participle.

> **Il a déjà atterri.**
> **Tu n'as pas bien choisi.**
> **Elle a vite servi le café.**
> **J'ai travaillé hier.**
> **Elles n'ont pas téléphoné aujourd'hui.**

Exercice 5 À table

Répondez.

1. Avez-vous déjà servi le dîner?
2. Avez-vous bien mangé?
3. Avez-vous déjà servi le dessert?
4. Avez-vous débarrassé la table hier?
5. Avez-vous servi du café ce matin?

Les verbes *dire, écrire, lire*

The verbs **dire** (*to say, to tell*), **écrire** (*to write*), and **lire** (*to read*) are irregular.

Infinitive	dire	écrire	lire
Present tense	je dis	j'écris	je lis
	tu dis	tu écris	tu lis
	il/elle dit	il/elle écrit	il/elle lit
	nous disons	nous écrivons	nous lisons
	vous dites	vous écrivez	vous lisez
	ils/elles disent	ils/elles écrivent	ils/elles lisent
Imperative	Dis!	Écris!	Lis!
	Disons!	Écrivons!	Lisons!
	Dites!	Écrivez!	Lisez!

Remember that the **s** and **t** in the singular forms are silent.
Note the **s** sound in the plural forms of **dire** and **lire** and **v** sound in **écrire.**
Pay special attention to the **vous** form of **dire: vous dites.**

Exercice 6 Je lis bien.
Répétez la conversation.

Lucien Tu lis en français, Marianne?
Marianne Mais oui, je lis bien mais j'écris mal.

Exercice 7 Que dit Marianne?
Répondez d'après la conversation de l'exercice 1.

1. Est-ce que Marianne lit en français?
2. Est-ce qu'elle lit bien ou mal?
3. Est-ce qu'elle écrit en français?
4. Qu'est-ce qu'elle dit?

Exercice 8 Personnellement
Répondez.

1. À qui dites-vous «bonjour» tous les jours?
2. Quel journal lisez-vous?
3. Et vos parents, quel journal est-ce qu'ils lisent?
4. Écrivez-vous souvent à vos cousins (cousines)?
5. Quel livre lisez-vous maintenant?
6. Vous et vos camarades, dites-vous «au revoir» à tous vos profs?
7. Dites-vous toujours «merci»?
8. Est-ce que je dis que le français est intéressant?
9. Est-ce que vos amis écrivent beaucoup de lettres?
10. Est-ce que les poètes écrivent des poèmes?

Exercice 9 Vous êtes très polis parce que vous dites toujours... *Tell two friends how polite they are because they say . . .*

1. bonjour
2. s'il vous plaît
3. merci
4. pardon
5. Madame ou Monsieur

Tape Activities 13–15   Workbook Exercise H   Administer Quiz 4.

Prononciation   Les sons /e/ et /ɛ/

Tape Activities 16–17

/e/	/ɛ/
ces	cette
mes	mère
tes	terre
chez	cher
clé	clair
chez	achète
des	Adèle
ses	sept

Pratique et dictée

Le père d'Adèle est chez Claire avec ses sept chiens.
Elle met sept verres près de Robert.
Quelle belle fête chez Michel cet après-midi!
Hélas, j'ai les clés, mon cher Gilbert!

Conversation Tape Activities 18–19

Cécile cherche un petit ami.

Cécile   Dis donc! Qu'est-ce que tu fais? Tu écris un poème?

Maryse   Mais non! J'écris une lettre à mon ami en Italie.

Cécile   Tu écris en italien?

Maryse   Bien sûr que non! J'écris en français. Giovanni lit bien le français.

Cécile   Tu dis Giovanni. Ton ami est un garçon alors! Euh... Sais-tu s'il a un copain?

Exercice 1   Corrigez.

1. Maryse écrit un ~~poème~~. *lettre* ~~*ami*~~
2. Elle écrit à son ~~cousin~~. *ami*
3. Son ami habite en ~~Espagne~~. *Italie*
4. Maryse écrit en ~~italien~~. *français*
5. ~~Franco~~ est le nom de son ami. *Giovanni*
6. Giovanni ~~ne~~ lit ~~pas~~ le français. *bien*
7. Cécile veut savoir si Giovanni a une ~~sœur~~. *copain*

Exercice 2   Complétez.

Cécile ne *sait* pas ce que fait Maryse. Elle demande si elle *écrit* un *poém*. Maryse répond que non, qu'elle *écrit* une *lettre* à son ami en *Italie*.

Cécile demande si elle *écrit* en italien. Maryse *dit* (dire) que non, qu'elle *écrit* en français parce que Giovanni *lit* bien le français.

Quand Cécile apprend que l' *ami* de Maryse est un garçon, elle veut *sait* s'il a un *copain*. Mais pourquoi?

---

chercher   *to look for*   *bien sûr que non!*   *of course not!*

Une soirée en famille

Voici la famille Louvel. Mme Louvel est guichetière˚ de banque et M. Louvel est un ouvrier˚ chez Renault. Les Louvel ont deux fils, Louis, âgé de quinze ans, et Étienne qui a onze ans. Ils habitent la banlieue de Paris.

Ce soir, comme tous les soirs en semaine, Mme Louvel rentre de la banque et commence à préparer le dîner. Comme elle travaille, elle ne fait pas tout chez elle. Louis et Étienne aident Maman. Louis coupe des pommes pour une macédoine˚ de fruits et Étienne met la table. Il met des sets et quatre couverts sur la table.

M. Louvel rentre à dix-neuf heures. À dix-neuf heures trente le dîner est servi. Qu'est-ce que Mme Louvel a servi ce soir? Elle a servi un dîner typique de la classe moyenne˚ française—un pot-au-feu, de la salade, du fromage et des fruits. M. Louvel a rempli les verres de vin. Il a servi un peu de vin aux enfants aussi mais avec de l'eau minérale. À vingt heures quinze la famille finit le dîner.

Étienne débarrasse la table et Louis fait la vaisselle. Ensuite les enfants font leurs devoirs et Monsieur et Madame Louvel lisent le journal et regardent la télé.

˚**guichetière** *teller* ˚**ouvrier** *worker* ˚**macédoine** *salad (fruit)* ˚**moyenne** *middle*

Étienne entre dans la salle de séjour. Son professeur de sciences veut trois exemples de la technologie avancée de la France. Étienne veut les opinions de ses parents. Maman suggère le Concorde. Bien sûr! Ce sont les Français et les Anglais qui ont fabriqué° cet avion supersonique.

— Si on parle de la vitesse,° on ne peut pas oublier le TGV, dit Papa. Le train à grande vitesse est le plus rapide du monde et c'est un train français.

Étienne a besoin d'un troisième exemple. Papa dit qu'il peut mentionner les usines° Renault dans le nord de la France. Les usines Renault sont les plus automatisées du monde. On emploie toutes sortes de robots dans la fabrication des autos. Il n'y a pas de doute que la France d'aujourd'hui est un des grands pays industrialisés.

°**ont fabriqué** *manufactured*   °**vitesse** *speed*   °**usines** *factories*

Exercice 1 Choisissez.

1. L'appartement des Louvel est __b__ .
   a. au centre de Paris
   b. dans la banlieue de Paris
   c. sur la Rive gauche à Paris

2. Mme Louvel __c__ .
   a. ne travaille pas
   b. travaille dans un magasin
   c. travaille dans une banque

3. M. Louvel __b__ .
   a. vend des autos
   b. fabrique des autos
   c. achète des autos

4. Louis et Etienne sont __a__ .
   a. frères
   b. maris
   c. cousins

Exercice 2 Complétez.

1. Mme Louvel prépare le _dinner_ .
2. Louis coupe des pommes pour une _macédoine_
3. Étienne _met_ la table.
4. M. Louvel rentre à dix-neuf _heur_ .
5. Mme Louvel a _prepare_ un pot-au-feu.
6. M. Louvel a rempli les _verre_ de vin.

Exercice 3 Répondez.

1. Qui débarrasse la table? _Etienne debarasse la table_
2. Qui fait la vaisselle? _Louis fait la vaisselle_
3. Ensuite, que font les garçons? _Ils font leurs devoirs_
4. Qui lit le journal? _Les parents lit le journal_
5. Que veut le professeur de sciences? _Il veut 3 examples de tecknolgy advancé_
6. Quel est le nom de l'avion supersonique? _L'avion s'appelle le concord_
7. Qu'est-ce que c'est que le TGV? _C'est une train supersonic_
8. Quelles usines sont les plus automatisées du monde? _Les usines renault et plus automatiques_
9. Qu'est-ce qu'on emploie dans la fabrication des autos?

A lesson test appears in the Test Package.

Activités

(Optional)

1 Écrivez un petit paragraphe sur la famille Louvel. (au moins 6 phrases)

2 Finissez la lettre de Maryse à Giovanni.

3 Écrivez une phrase sur chacun des sujets suivants:

1. le Concorde
2. le T.G.V.
3. les robots Renault

Cher Giovanni,

Comment ça va? Est-ce que tes vacances ont déjà commencé?

Tout va bien ici. Nos vacances commencent bientôt et je _____

_____

_____

J'ai une amie Cécile qui est _____

_____

Bien à toi,
Maryse

galerie vivante

Un des pays les plus industrialisés, la France fait des progrès remarquables dans le domaine de la technologie.

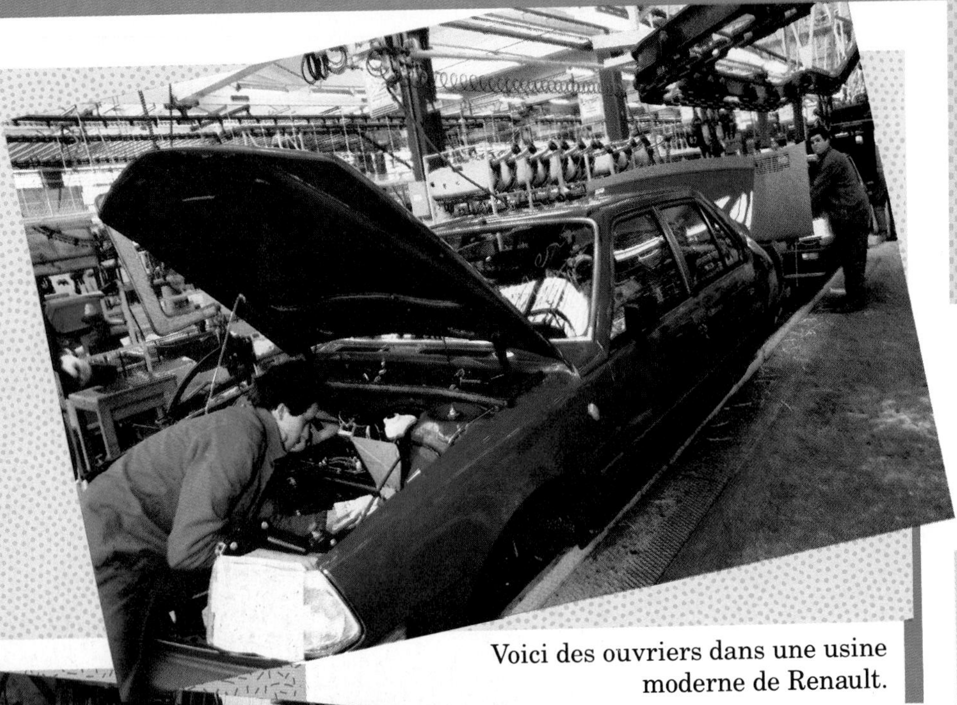

Voici des ouvriers dans une usine moderne de Renault.

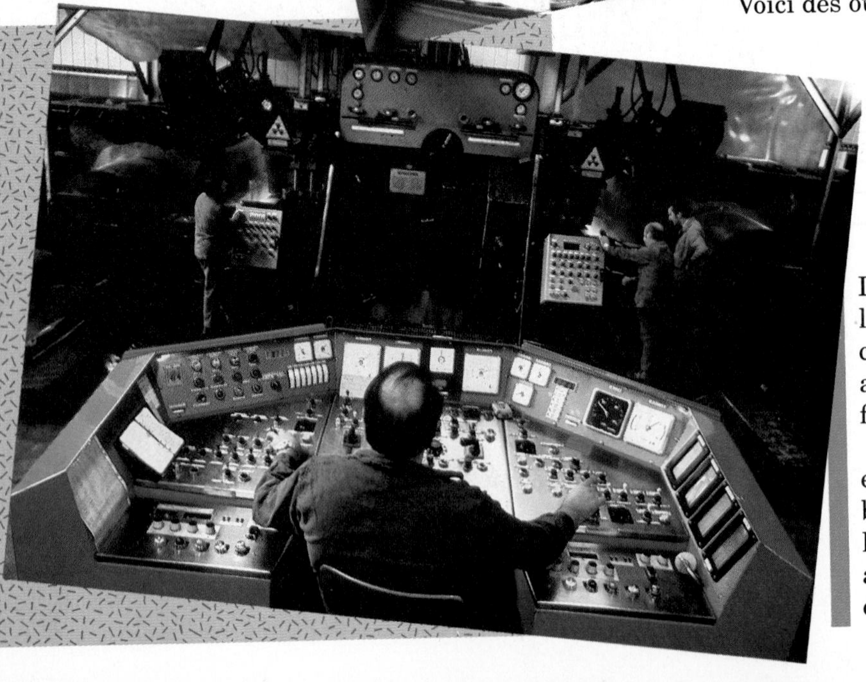

Ici des ouvriers de l'usine Peugeot contrôlent les robots qui aident beaucoup dans la fabrication des autos.

L'industrie automobile est centralisée dans la banlieue de Paris. Où l'industrie automobile américaine est-elle centralisée?

Le Concorde est un avion franco-britannique. C'est le seul avion commercial supersonique.

Toulouse est le centre le plus important de l'industrie aéronautique française. C'est à Toulouse qu'on a construit le Concorde. À Toulouse on construit aussi l'Airbus. Avez-vous jamais voyagé en Airbus?

Si Toulouse est le centre de l'industrie aéronautique en France, quelle ville est le centre de l'industrie aéronautique aux États-Unis?

Le TGV (le Train à Grande Vitesse) est le train le plus rapide du monde. Le 26 février 1981 le TGV bat le record mondial de vitesse avec 380 km/h (kilomètres par heure).

Même si le TGV peut circuler à 380 km/h, la vitesse est limitée à 260 km/h.

vocabulaire

être en bonne santé

être malade

faire de la gymnastique

rester en forme

un sweat suit

des tennis (m)

un bandeau

un collant

une jambière

278

Exercice 1 Jeanne est très sportive.
Répondez.

1. Est-ce que Jeanne est en bonne santé ou est-elle malade?
2. Fait-elle toujours de la gymnastique?
3. Est-ce qu'elle fait de la gymnastique pour rester en forme?
4. Qu'est-ce qu'elle met pour faire de la gymnastique?

Tape Activity 2

Quelquefois Jacques fait **du jogging.**
Hier il a mis ses tennis et un short.

Il a mal aux **jambes.**
Il a beaucoup **couru.**

Exercice 2 Le coureur
Répondez.

1. Est-ce que Jacques fait toujours du jogging?
2. Qu'est-ce qu'il a mis pour faire du jogging?
3. Est-ce qu'il a mal aux jambes?
4. Est-ce qu'il a beaucoup couru hier?
5. Est-ce qu'il a mal aux jambes parce qu'il a trop couru?

Exercice 3 Personnellement
Répondez.

1. Êtes-vous en bonne santé?
2. Que faites-vous pour rester en forme?
3. Faites-vous du jogging?
4. Faites-vous de la gymnastique?
5. Quand avez-vous mal aux jambes?
6. Quand portez-vous un bandeau?
7. Mesdemoiselles, quand portez-vous un collant et des jambières?

Le corps humain Tape Activity 5

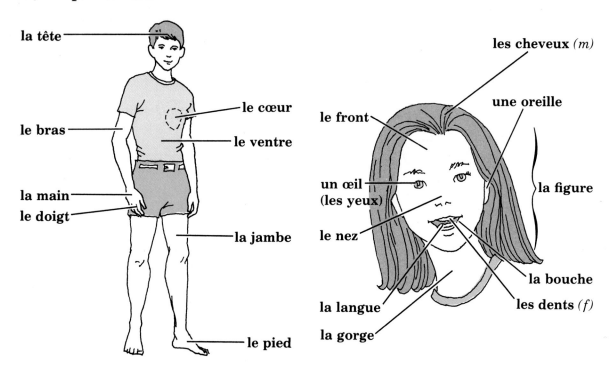

Exercice 4 Le corps humain

Dites avec quelle partie du corps on fait ces choses.

On mange...
On mange avec la bouche et les dents.

1. On parle...
2. On danse...
3. On voit...
4. On joue au football...
5. On nage...
6. On joue de la guitare...
7. On écoute...
8. On chante...

Exercice 5 Personnellement

Répondez.

1. Avez-vous les cheveux bruns, blonds, roux ou gris?
2. Avez-vous les cheveux longs ou courts?
3. De quelle couleur avez-vous les yeux?
4. Avez-vous mal à la gorge quand vous parlez trop?
5. Avez-vous mal à la tête quand vous avez beaucoup de devoirs à faire?
6. Quand avez-vous les yeux plus grands que le ventre?

Structure

Le verbe *venir* au présent

The verb **venir** (*to come*) is irregular in the present tense. Study the following forms.

Infinitive	venir
Present tense	je viens tu viens il/elle vient nous venons vous venez ils/elles viennent
Imperative	Viens ici! Venons! Venez vite!

Another verb conjugated like **venir** is **revenir** (*to come back*).

Exercice 1 Qui vient à la boum?
Répondez.

1. Georges vient à la boum ce soir?
2. Il vient avec Marcelle?
3. Liliane vient aussi?
4. Elle vient avec son frère?
5. Ils viennent à moto.
6. Tu viens à la boum aussi?
7. Tu viens avec un(e) copain (copine)?
8. Vous venez à pied?

Tape Activity 7

Exercice 2 On revient cet après-midi.
Suivez le modèle.   Tape Activity 8

Marie est là?
Non, elle revient cet après-midi.

1. Mon père est là?
2. Les amis sont là?
3. Le professeur est là?
4. Les élèves sont là?
5. Sophie est là?

Le passé composé des verbes en -re

The past participle of regular verbs that end in **-re** is formed by dropping the **-re** from the infinitive and adding **-u.**

attendre	attendu
entendre	entendu
perdre	perdu
répondre	répondu
vendre	vendu

The *passé composé* of **-re** verbs is formed by using the present tense of the verb **avoir** and the past participle. Study the following.

Infinitive	vendre
Passé composé	j'ai vendu
	tu as vendu
	il/elle a vendu
	nous avons vendu
	vous avez vendu
	ils/elles ont vendu

Exercice 3 Alain est toujours fauché!   Tape Activity 9
Jouez le rôle d'Alain. Suivez le modèle.

Chantal Pourquoi ne vends-tu pas ta guitare?
Alain *J'ai déjà vendu ma guitare.*

1. Pourquoi ne vends-tu pas tes disques?
2. Pourquoi ne vends-tu pas ta moto?
3. Pourquoi ne vends-tu pas tes skis?
4. Pourquoi ne vends-tu pas ton transistor?
5. Pourquoi ne vends-tu pas tes patins à glace?

Exercice 4 Thérèse a toujours des projets!
Suivez le modèle.

Thérèse va vendre ses livres?
Elle a déjà vendu ses livres.

1. Thérèse va vendre ses livres?
2. Elle va répondre à cette lettre?
3. Elle va répondre à ses cousins?
4. Elle va attendre ses amis?
5. Elle va attendre longtemps?
6. Elle va perdre patience?
7. Elle va entendre toutes les excuses?

Le passé composé des verbes irréguliers: -u

The past participle of some irregular verbs also ends in **-u**. *many verbs in —"oir"*

avoir	eu
courir	couru
croire	cru
lire	lu
pouvoir	pu
voir	vu
vouloir	voulu

Exercice 5   Hier aussi
Suivez le modèle.

Georges a soif.
Hier aussi il a eu soif.

1. Georges a soif.
2. Il voit un café.
3. Il lit le menu.

4. Au café il voit un ami.
5. Son ami entend une histoire drôle.
6. Georges croit l'histoire.

Exercice 6   Personnellement
Répondez.

1. Combien de fois avez-vous lu votre livre favori?
2. Avez-vous pu finir vos devoirs hier soir?

3. Avez-vous eu le temps de regarder la télé hier soir?
4. Avez-vous vu un bon film?

Exercice 7   Il a trop fait
Complétez.

Hier j'_____ _____ (courir) avec un ami au bord de la mer. Nous
_____ _____ (courir) trois kilomètres. J'_____ _____ (vouloir) courir quatre
kilomètres, mais je n'_____ pas _____ (pouvoir). Mon ami Philippe n'est pas en
très bonne forme parce qu'il ne fait jamais de gymnastique. Il _____ trop _____
(courir) et il _____ _____ (avoir) mal aux jambes.

Note

Le before the name of a day of the week indicates repeated occurrence. Compare:

> **Lundi il va au théâtre.**
> *(On) Monday he is going to the theater.*
>
> **Le lundi il va au marché.**
> *On Mondays (every Monday) he goes to the market.*

Exercice 8   Jean-Marc est très sportif.

Que fait Jean-Marc chaque semaine pendant ses vacances? À vous de choisir.

le volley	le football
le judo	le golf
la natation	la gymnastique
le tennis	le ski nautique

mercredi
Le mercredi il fait du volley.

1. mardi
2. lundi et mercredi
3. vendredi
4. jeudi et samedi
5. dimanche

Exercice 9   **Personnellement**
Répondez.

1. Quel jour n'allez-vous pas au lycée?
2. Aidez-vous votre mère ou votre père à la maison le samedi ou le dimanche?
3. Allez-vous au cinéma le vendredi ou le samedi?
4. Quel jour avez-vous votre leçon de musique (golf, tennis)?

Verbes irréguliers au passé composé: *-is*

Some of the irregular **-re** verbs that you have learned also have an irregular past participle. Study the following:

mettre	**mis**	**prendre**	**pris**
permettre	**permis**	**apprendre**	**appris**
promettre	**promis**	**comprendre**	**compris**
remettre	**remis**	*surprendre*	*surpris*

Exercice 10   Une leçon de ski
Mettez au passé composé.

1. Lisette apprend à faire du ski.
2. Elle met les skis.
3. Le moniteur permet aux élèves de skier sur la piste facile.
4. Tous les élèves comprennent le moniteur.
5. Ils promettent de skier prudemment.

Exercice 11   Personnellement
Répondez.

1. Hier, est-ce que tu as beaucoup appris dans la classe de français?
2. Tu as compris toute la leçon?
3. Est-ce que le prof a posé beaucoup de questions?
4. Tu as entendu toutes les questions?
5. Tu as compris les questions?
6. Tu as répondu aux questions?
7. En classe, est-ce que tous les élèves ont lu une lecture?
8. Vous avez compris la lecture?
9. Vous avez compris tout ce que vous avez lu?
10. Vous avez vu un film français en classe?

Tape Activity 13
Workbook Exercise G
Administer Quiz 3.

Prononciation   Tape Activities 14–15   La lettre x

/gz/	/ks/	/s/	/z/	muet	
exact	boxe	soixante	deuxième	prix	deux
examen	exprime	Bruxelles	sixième	doux	veux
exemple	taxi	six	dixième	paix	peux
exister	Alexandre	dix		choix	mieux
exotique	Luxembourg				
exercice	exposition				
hexagone					

Pratique et dictée

Alexandre fait de la boxe à Bruxelles.
Tu peux prendre un taxi pour aller à l'exposition d'art exotique.
C'est un exemple exact de la paix qui existe au Luxembourg.

Christine a maigri

Liliane   Mon Dieu, Christine! Tu as beaucoup maigri!

Christine   Oui, je sais. J'ai perdu trois kilos.

Liliane   Ce n'est pas à cause d'une maladie, j'espère.

Christine   Non, je suis toujours en bonne santé. Je ne suis presque jamais malade.

Liliane   Dis-moi alors. Comment as-tu réussi à perdre trois kilos? Tu sais, moi aussi j'ai besoin de maigrir.

Christine   C'est bien simple. On fait des exercices vigoureux pendant une demi-heure, tous les jours.

Liliane   Zut! Ce n'est pas simple du tout!

Exercice   Complétez.

Un jour Liliane rencontre _____ . Elle est très surprise de voir que Christine a beaucoup _____ . Christine dit qu'elle a _____ trois kilos. Liliane demande si ce n'est pas à _____ d'une maladie. Christine répond qu'elle est en bonne _____ . Ensuite Liliane demande comment Christine a _____ à _____ trois kilos. Christine dit qu'elle _____ des exercices vigoureux pendant une _____ , tous les jours. Liliane n'aime pas cette idée du tout.

Lecture culturelle

Dix mille fanas!

Laure	Salut, les amies! Où allez-vous?
Mariel	Au club «fitness» Bonne Santé. Nous avons un cours d'aérobic.°
Laure	Vous portez la tenue° de l'aérobic?
Coralie	C'est ça! Un collant, des jambières et des «tennis».
Laure	Et sur le front un bandeau. Très chic! Mais qu'est-ce que c'est que l'aérobic?
Mariel	C'est une gymnastique sur un rythme de musique rock ou pop. Les exercices sont assez vigoureux.
Laure	Alors pas de jogging avec Walkman aux oreilles?
Coralie	Au contraire! Le mardi et le jeudi nous faisons du jogging. Le mercredi et le samedi nous faisons de l'aérobic.
Laure	Et vous faites aussi de la gymnastique?
Mariel	Quinze minutes tous les matins!
Laure	Mais pourquoi tous ces exercices? Vous n'avez pas grossi!

° **aérobic**   *aerobic exercises (for cardiovascular improvement)*   ° **la tenue**   *clothes*

A lesson test appears in the Test Package.

Coralie	Oh, ce n'est pas seulement pour maigrir! Nous voulons rester en forme. D'ailleurs, nous voulons courir dans le prochain Marathon de Paris.
Laure	Vraiment? J'ai vu des photos des coureurs du Marathon de Paris—10 000 fanatiques!

Workbook Exercise H

Exercice 1 Répondez.

1. Où vont Mariel et Coralie?
2. Pourquoi vont-elles au club?
3. Quelle tenue portent-elles?
4. Comment est cette tenue?
5. Qu'est-ce que c'est que l'aérobic?

Exercice 2 Corrigez.

1. Coralie et Mariel ont fini de faire du jogging.
2. Elles font du jogging le mercredi.
3. Elles font de l'aérobic le lundi.
4. Elles ne font pas de gymnastique.
5. Elles ont grossi.
6. Elles veulent courir dans le prochain Marathon de New York.

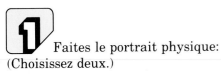
Activités

(Optional)

 1 Faites le portrait physique:
(Choisissez deux.)

a. d'un ami ou d'une amie
b. d'un membre de votre famille
c. d'un acteur ou d'une actrice
d. d'un (une) athlète célèbre

2 Charles a perdu quelques kilos.
Qu'est-ce qu'il a fait pour perdre les kilos?

	Oui	Non
1. Il a fait de la gymnastique.	☐	☐
2. Il a mangé beaucoup de gâteaux.	☐	☐
3. Il a beaucoup dormi.	☐	☐
4. Il a beaucoup couru.	☐	☐
5. Il a lu beaucoup de livres de sport.	☐	☐
6. Il a joué au volley.	☐	☐
7. Il a mis des tennis.	☐	☐
8. Il a très peu mangé.	☐	☐
9. Il a pratiqué l'aérobic.	☐	☐

 3 Que faites-vous pour rester en
forme? Décrivez en détail votre programme.

4 Décrivez tout ce que vous voyez dans
l'illustration.

289

galerie vivante

Tout le monde veut être en forme. Au mois d'octobre il y a un grand marathon à Paris. Est-ce que beaucoup de gens participent au marathon?

Remarquez que tous les participants sont des hommes. En France les femmes participent très peu aux sports, surtout aux sports organisés.

Après son travail, M. Fresneau fait de la gymnastique pour rester en forme. Est-ce que ce type d'exercices est populaire aux États-Unis aussi?

La famille Suchard fait du jogging dans le Bois de Boulogne à Paris. Remarquez que Christian Suchard porte un tee-shirt avec le nom d'une université américaine. Les jeunes Français aiment beaucoup ces tee-shirts.

Les copains font des exercices d'aérobic. Il y a même des soirées aérobic pour les jeunes. Faites-vous des exercices d'aérobic?

Les jeunes et les vieux participent au cross du Figaro, un journal français.

20 Les coureurs cyclistes

Use the overhead transparencies for the initial presentation of vocabulary.

*v*ocabulaire

Tape Activity 1

le stade

le coureur cycliste

le vélo

le pays

la foule

la coupe
le trophée

le gagnant

Le premier **gagne la course.**
Il **reçoit** le trophée.

l'équipe

Here are some additional cognates. You should be able to guess their meanings very easily.

les amateurs   la bicyclette
les professionnels   représenter
les spectateurs   international
le champion

Exercice 1   Une course cycliste
Répondez.

1. Est-ce que les garçons montent à vélo?
2. Sont-ils dans le stade?
3. Est-ce que chaque équipe représente son pays?
4. Est-ce que c'est une course internationale?
4. Qu'est-ce que le gagnant reçoit?

Exercice 2   Choisissez.

1. Un vélo est _____ .
   a. une bicyclette
   b. une auto
   c. un stade

2. _____ monte à velo.
   a. La bicyclette
   b. Le coureur cycliste
   c. La foule de spectateurs

3. Dans une course internationale, chaque équipe _____ .
   a. gagne un trophée
   b. reçoit la coupe
   c. représente son pays

4. Le gagnant de la course est _____ .
   a. la coupe
   b. le champion
   c. le coureur

5. _____ reçoivent de l'argent.
   a. Les professionnels
   b. Les amateurs
   c. Les spectateurs

6. _____ gagne.
   a. Le premier
   b. Le dernier
   c. Toutes les équipes

7. Le gagnant reçoit _____ .
   a. la foule
   b. une nouvelle bicyclette
   c. la coupe

Exercice 3   Personnellement
Répondez.

1. Avez-vous un vélo?
2. Est-ce qu'il y a un stade dans votre ville?
3. Avez-vous vu une course cycliste?
4. Avez-vous participé à une course cycliste?
5. Avez-vous gagné un trophée?

Structure

Les verbes *boire, devoir, recevoir*

The verbs **boire** (*to drink*), **devoir** (*must, to owe*), and **recevoir** (*to receive*) are irregular in the present tense. Study the following forms.

Infinitive	boire	devoir	recevoir
Present tense	je bois	je dois	je reçois
	tu bois	tu dois	tu reçois
	il/elle boit	il/elle doit	il/elle reçoit
	nous buvons	nous devons	nous recevons
	vous buvez	vous devez	vous recevez
	ils/elles boivent	ils/elles doivent	ils/elles reçoivent
Imperative	Bois de l'eau!		
	Buvons du lait!		
	Buvez lentement!		

The verbs **devoir** and **recevoir** are seldom used in the imperative.

Note that all these verbs have a **v** in the plural forms. Pay attention to the cedilla (**ç**) in the verb **recevoir.** The **ç** must be used before the vowel **o** to maintain the soft /s/ sound.

The verb **devoir** has two meanings:

Je dois écrire une lettre.	*I must write a letter.*
Je dois cinq francs à Jean.	*I owe John five francs.*

Note the **passé composé** of these verbs.

Passé composé	j'ai bu	j'ai dû	j'ai reçu

Exercice 1 Qu'est-ce que tu bois?
Suivez le modèle.

Tu bois du lait?
Oui, je bois du lait.

1. Tu bois de l'eau?
2. Tu bois du coca?
3. Tu bois du chocolat?
4. Tu bois de l'eau minérale?

Exercice 2 Qu'est-ce que vous ne buvez pas?
Suivez le modèle.

Vous buvez du café?
Non, nous ne buvons pas de café.

1. Vous buvez du thé?
2. Vous buvez du vin?
3. Vous buvez du champagne?
4. Vous buvez de la bière?

Exercice 3 Qu'est-ce qu'ils boivent?
Employez *boire.*

Le matin Jacques _____ de l'eau et du lait. Avec les repas il _____ du coca. Quand il a soif, il _____ de l'eau minérale. En hiver il _____ du chocolat chaud.
Les frères de Jacques _____ du lait, mais ils ne _____ pas d'eau. Avec les repas ils _____ du lait. Quand ils ont soif, ils _____ un coca. En hiver ils _____ du thé.

Exercice 4 À la fête
Employez *boire.*

À la fête je _____ du champagne. Et toi, qu'est-ce que tu _____ ? Est-ce que ce garçon _____ plus de champagne que cette fille? Mais oui! Elle ne _____ rien!

Exercice 5 Répétez *À la Fête* au pluriel *(nous).*

Exercice 6 Répétez *À la Fête* au passé.

Exercice 7 Qu'est-ce qu'on doit faire pour être un bon étudiant?
Suivez le modèle.

Devons-nous venir en classe?
Oui, vous devez venir en classe.

1. Devons-nous faire attention?
2. Devons-nous apprendre les leçons?
3. Devons-nous écouter attentivement?
4. Devons-nous recevoir de bonnes notes *(marks)*?

Exercice 8 On doit courir!
Complétez avec *devoir.*

— Qu'est-ce que nous _____ faire maintenant?
— Vous _____ monter à vélo et vous _____ courir dans la course cycliste. Bien sûr, vous _____ gagner si c'est possible.
— Et moi, qu'est-ce que je _____ faire? Je _____ courir aussi?
— Oui, tu _____ courir aussi, mais d'abord tu _____ payer au club les vingt francs que tu _____ !

Exercice 9 Qu'est-ce qu'ils reçoivent pour leur anniversaire?

Répondez avec *Les filles, Les garçons* ou *Les filles et les garçons reçoivent...*

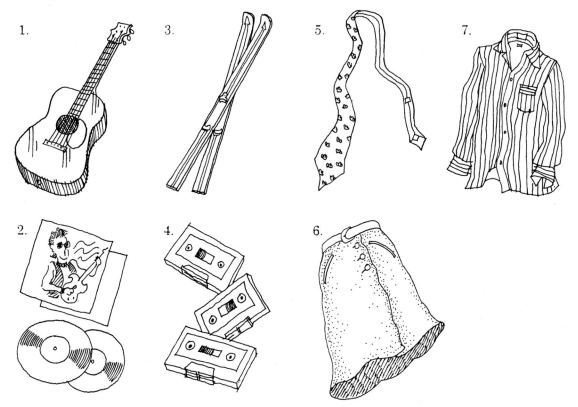

1.

2.

3.

4.

5.

6.

7.

Exercice 10 Les joueurs de football

Complétez avec la forme convenable de *boire, devoir* ou *recevoir.*

Pendant le match de football les joueurs _____ courir et faire des passes. À la fin du match les gagnants _____ le trophée. Ils _____ aussi de l'argent.

Pour célébrer leur victoire, tous les membres de l'équipe vont au restaurant. Ils mangent un steak-frites et ils _____ du champagne. Ils _____ les félicitations (*congratulations*) de tous leurs amis.

Tape Activities 4–5   Workbook Exercises C–G   Administer Quiz 2.

Noms et adjectifs en *-al/-aux*

Noms

Certain nouns end in **-al** in the singular. The **-al** changes to **-aux** in the plural.

le général	**les généraux**
le journal	**les journaux**
un animal	**des animaux**
un cheval	**des chevaux**

Exercice 11 Le cheval a faim.
Lisez le dialogue. Ensuite, répétez le dialogue au pluriel.

— Ah! Le général a un cheval!
— Oui, il adore cet animal.
— Mais le cheval du général mange mon journal!

Adjectifs

Certain adjectives end in **-al** in the masculine singular and in **-aux** in the masculine plural.

le club national	**les clubs nationaux**
un poème original	**des poèmes originaux**

The feminine forms of these adjectives are regular. Add **-e** to form the feminine singular. Add **-es** to form the feminine plural.

une coupe nationale	**des coupes nationales**
la classe originale	**les classes originales**

Here are other adjectives like those above. You should have no problem with their meaning.

international	**municipal**	**spécial**
minéral	**principal**	**tropical**
local	**social**	

Exercice 12 Le parc municipal
Lisez le paragraphe. Ensuite, répétez le paragraphe au pluriel.

C'est un parc municipal. Dans le parc il y a de l'eau minérale spéciale. Cette statue originale vient d'un pays tropical, mais le monument principal est par un artiste local.

Tape Activity 6

Prononciation

Tape Activities 7–8

Le son /ɲ/

The French sound /ɲ/ is produced when the letters **gn** come together. It is similar to the English sound in *canyon*.

ga<u>gn</u>er	Espa<u>gn</u>e
ga<u>gn</u>ant	Breta<u>gn</u>e
A<u>gn</u>ès	ma<u>gn</u>ifique
monta<u>gn</u>e	compa<u>gn</u>on
champa<u>gn</u>e	oi<u>gn</u>on

Pratique et dictée

Le gagnant boit du champagne sur la montagne.
Agnès écrit que la Bretagne est magnifique.
Nos compagnons d'Espagne aiment les oignons.

Expressions utiles

Following are some expressions that can be used during spectator sports.

Vas-y!	*Go!*	**Quel est le score?**	
Hourrah!		**(C'est) 2 à 1.**	
Bravo!		**Match nul.**	*It's tied.*
Hou!	*Boo!*		

Conversation   Tape Activities 9–10

Au Stade-Vélodrome

(Au centre du stade il y a un terrain de football. Le match aujourd'hui est spécial. C'est pour la Coupe de France—Nantes contre Strasbourg.)

Simone   Ce stade est énorme! Combien de personnes peut-il contenir?

Caroline   Trente mille. Mais fais attention au match!

Simone   Quel est le score?

Caroline   C'est 2 à 1 en faveur de Nantes. Regarde Bernard! Il a le ballon! Vas-y! Vas-y!

Simone   Quelle jolie passe avec la tête!

Caroline   Magnifique! L'équipe de Nantes a gagné!

Simone   Mon Dieu! Écoute la foule! On bat* des mains! On bat des pieds! Quelle émotion!

Exercice   Répondez.

1. Où sont Simone et Caroline?
2. Pourquoi le match est-il spécial aujourd'hui?
3. Combien de personnes est-ce que le stade peut contenir?
4. Quel est le score en ce moment?
5. Qui prend le ballon?
6. Fait-il la passe avec le pied ou avec la tête?
7. Quelle équipe a gagné?
8. Que fait la foule?

---

* *Battre* is conjugated like *mettre: je bats, tu bats, il/elle bat, nous battons, vous battez, ils/elles battent.*

Options for **Conversation:**
1. Class can practice it orally.
2. Students can present it to class.
3. Students can work in pairs at their seats.
4. Students can read the conversation.
5. Students can write the answers to the Exercise.
6. Students can prepare a skit.
7. Students can write a résumé of the conversation.

ℚecture culturelle

Options: 1. Have students repeat a paragraph in unison. 2. Ask questions about the paragraph. 3. Call on individuals to read. 4. Have students read silently. 5. Assign reading as homework.

Le football ou le cyclisme?°

Est-ce que les Français sont des sportifs sérieux? D'après les résultats° des Jeux Olympiques la réponse doit être que non. Il est impossible de comparer la France avec les États-Unis et l'U.R.S.S!°

Il est vrai que les sports sont négligés° dans les lycées français. Mais le gouvernement fait des efforts pour encourager les sports. Chaque année il y a de nouveaux stades, terrains de sports et piscines.

Presque tous les sports sont pratiqués en France sauf° le base-ball et le football américain. Mais les deux sports principaux sont le football et le cyclisme.

En France, comme dans beaucoup de pays, c'est le football qui est le sport national. Chaque grande ville a son équipe. Des championnats° nationaux et internationaux sont organisés. La coupe du monde de football passionne° les fanas du monde entier. Chaque nation a envie de gagner la coupe.

° **cyclisme** *cycling (bike racing)* ° **résultats** *results* ° **U.R.S.S.** *Union des républiques socialistes soviétiques* ° **négligés** *neglected* ° **sauf** *except* ° **championnats** *championships* ° **passionne** *excites*

Expansion: Have more able students write a composition based on the information in the story.

299

Le pays du cyclisme, c'est la France! Les courses dans les vélodromes attirent[*] toujours une grande foule. Dans les villages, quand il y a une fête, on organise souvent[*] une course de cyclistes amateurs.

Et puis[*] en juillet, c'est le Tour de France, la célèbre course internationale tout autour du[*] pays. Les coureurs professionnels viennent de tous les pays du monde. Le gagnant reçoit beaucoup d'argent et, bien sûr, il devient un héros national!

Workbook Exercise H

Exercice 1 Corrigez.

1. Les Français et les Américains sont plus sportifs que les Russes.
2. Les sports sont négligés dans les lycées américains.
3. Le gouvernement ne veut pas encourager les sports en France.
4. Chaque année il y a de nouveaux lycées.

Exercice 2 Répondez.

1. Quels sports ne sont pas pratiqués en France?
2. Nommez les deux grands sports français.
3. Quel est le sport national?
4. Quels championnats sont organisés?
5. Qu'est-ce qui passionne les fanas du monde entier?
6. Quel pays est le pays du cyclisme?
7. Quelles courses attirent une grande foule?
8. Qu'est-ce qu'on organise dans les villages quand il y a une fête?
9. Qu'est-ce que c'est que le Tour de France?
10. D'où viennent les coureurs professionnels?
11. Qui devient un héros national?

---

[*]**attirent** *attract*   [*]**souvent** *often*   [*]**puis** *then*   [*]**autour de** *around*

A lesson test appears in the
Test Package.

$\mathcal{A}$ctivités

(Optional)

1 Décrivez (*Describe*) le stade de votre école. Si votre école n'a pas de stade, décrivez le stade le plus proche:

- Quels jeux est-ce qu'on joue au stade?
- Combien de spectateurs est-ce que le stade contient?
- Combien coûtent les meilleures places?
- Combien de fois allez-vous au stade chaque année?
- Quels sports aimez-vous regarder au stade?

2 Préférez-vous regarder le football américain au stade ou à la télé? Pourquoi?

3 Menez un sondage d'opinion (*Conduct a public opinion poll*) parmi vos camarades de classe sur la question:

- Quel est le meilleur sport: le base-ball ou le football américain?

Additionnez les réponses et calculez les pourcentages. Discutez les résultats du sondage.

4 Décrivez les photos.

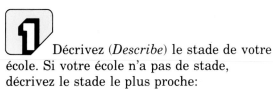

301

galerie vivante

Le tennis est plus populaire que jamais en France. Ainsi il y a beaucoup de nouveaux courts de tennis. Aimez-vous jouer au tennis? Est-ce qu'il y a beaucoup de courts où vous habitez?

80 COURTS DE TENNIS AUX PORTES DE PARIS

FOREST HILL AUBERVILLIERS
111, avenue Victor Hugo
93300 Aubervilliers.
18 courts couverts en synthétique souple,
3 courts de squash,
salle de gymnastique, sauna, bain tourbillon, club-house, bar, restaurant, salle de projection, boutique, parking privé, vidéo-service.

FOREST HILL LA DÉFENSE
19, avenue de la Liberté
92000 Nanterre.
12 courts couverts en terre battue, 2 courts de squash,
salle de gymnastique, 2 saunas, piscine couverte, club-house, bar, bain tourbillon, restaurant, boutique, parking privé, vidéo-service.

FOREST HILL FONTENAY-SOUS-BOIS
Rue Carnot
94120 Fontenay-sous-Bois.
10 courts couverts en green set, club-house, bar, restaurant, boutique, sauna, bain tourbillon, parking privé, vidéo-service.

FOREST HILL MEUDON
40, av. de Lattre-de-Tassigny
92360 Meudon-la-Forêt.
9 courts couverts en moquette,
3 courts extérieurs, éclairés, mur d'entraînement, piscine chauffée, sauna, bain tourbillon, club-house, bar, restaurant, boutique, parking privé, vidéo-service.

PARIS SUD TENNIS FOREST HILL IVRY
Rue Jules Vanzuppe
94200 Ivry.
9 courts couverts en green set,
6 courts de squash, club-house, bar, restauration, boutique, sauna, parking privé, vidéo-service.

PARIS SUD TENNIS FOREST HILL MONTROUGE
15, rue de la Vanne
92120 Montrouge.
14 courts couverts en green set, tous temps,
5 courts extérieurs, éclairés, mur d'entraînement, club-house, bar, restauration, boutique, parking privé, vidéo-service.

TENNIS FOREST HILL

...éressé par
...HILL Aubervilliers
...LL Fontenay-sous-Bois
...TENNIS FOREST HILL Ivry
...ENNIS FOREST HILL Porte d'Orléans
...Meudon-la-Forêt
...Défense

☐ **Formule club année**
☐ Leçons

renseignements et inscriptions :
renvoyez le coupon-réponse ci-dessous à
TENNIS CLUB FOREST HILL
40, av. du Maréchal-de-Lattre-de-Tassigny - 92360 Meudon-la-Forêt

Nom _____
Prénom _____
Profession _____
Société _____
Responsable _____
Adresse _____
Code postal _____
Tél (bur.) _____ Ville _____
(dom.) _____

Voici Catherine Tanvier, la joueuse numéro un du tennis français. Nommez un champion ou une championne de tennis aux États-Unis.

Voici des cyclistes dans le Tour de France. Ils traversent tout le pays—la campagne et les villes. Est-ce que le cyclisme est très populaire aux États-Unis?

Révision

Vive le gagnant!

En juillet Simon a invité Bernard, son cousin québécois, à Paris. (Bernard n'a jamais vu le Tour de France.) Les deux garçons ont regardé les premières étapes* à la télé. Ils ont choisi leurs cyclistes favoris. Ils ont étudié tous les détails du Tour. Ils ont lu tous les articles dans les journaux et dans les magazines.

Au vélodrome ils ont attendu l'arrivée des cyclistes. Ils ont crié avec la foule. À la fin ils ont félicité le gagnant et ils ont bu du champagne pour célébrer sa victoire.

Exercice 1 Qui a invité Bernard?
Répondez d'après la lecture.

1. Qui a invité Bernard à Paris?
2. Qui n'a jamais vu le Tour de France?
3. Où est-ce que les deux garçons ont regardé les premières étapes?
4. Qui est-ce qu'ils ont choisi?
5. Qu'est-ce qu'ils ont étudié?
6. Qu'est-ce qu'ils ont lu?
7. Où ont-ils crié avec la foule?
8. Qui ont-ils félicité?
9. Qu'est-ce qu'ils ont bu?

Le passé composé

To form the **passé composé** (the conversational past), the verb **avoir** is used with the past participle.

Infinitive	parler	finir	attendre
Past participle	parlé	fini	attendu
Passé composé	j'ai parlé tu as parlé il/elle a parlé nous avons parlé vous avez parlé ils/elles ont parlé	j'ai fini tu as fini il/elle a fini nous avons fini vous avez fini ils/elles ont fini	j'ai attendu tu as attendu il/elle a attendu nous avons attendu vous avez attendu ils/elles ont attendu

Exercice 2 Arlette n'a pas grossi.
Lisez le dialogue et complétez le paragraphe qui suit.

— As-tu grossi, Arlette?
— Au contraire; j'ai maigri. Je fais du jogging avec Robert le lundi, le mercredi et le vendredi.

---

* **étapes** *legs, stages*

— Tu fais aussi de la gymnastique?
— Seulement le samedi.
— Combien as-tu perdu?
— J'ai perdu deux kilos. Maintenant je peux acheter un nouveau bikini!

Arlette n'a pas _____ ; elle _____ . Elle fait _____ le lundi, le mercredi et le vendredi avec Robert. Arlette fait _____ le samedi. Elle _____ deux kilos. Maintenant elle _____ .

Verbes irréguliers au présent

savoir   je sais, tu sais, il/elle sait, nous savons, vous savez, ils/elles savent

mettre   je mets, tu mets, il/elle met, nous mettons, vous mettez, ils/elles mettent

dire   je dis, tu dis, il/elle dit, nous disons, vous dites, ils/elles disent

venir   je viens, tu viens, il/elle vient, nous venons, vous venez, ils/elles viennent

boire   je bois, tu bois, il/elle boit, nous buvons, vous buvez, ils/elles boivent

Écrire et **lire** are like **dire** except for the **vous** form:

> **vous écrivez**
> **vous lisez**

Devoir and **recevoir** are like **boire** except for the **nous** and **vous** forms:

> **nous devons**   **nous recevons**
> **vous devez**   **vous recevez**

Exercice 3   Tu sais jouer au tennis?

Complétez avec la forme convenable du verbe donné.

A. savoir
— Dis donc, tu _____ jouer au tennis?
— Pas très bien, mais je _____ jouer au badminton.
— Ton frère et toi, vous _____ jouer de la guitare, n'est-ce pas?
— Oui, et nous _____ jouer aussi de l'accordéon.
— Chic, alors! Venez à la boum samedi soir!

B. venir
— Qui _____ dîner chez nous ce soir?
— Ce sont tes grands-parents qui _____ célébrer ton anniversaire.
— Ah bon! Mon oncle Thomas _____ aussi?
— Oui, lui aussi, il _____ .

C. mettre
— Maman, je _____ des sets ou la nappe sur la table?
— _____ la nouvelle nappe et les serviettes blanches.
— Nous _____ des fleurs ou des fruits?
— _____ des fleurs pour commencer.

D. boire
— Papa _____ du vin ce soir, n'est-ce pas? Clarisse et moi, nous _____ de l'eau minérale. Et toi, maman, qu'est-ce que tu _____ ?

A complete cross-referenced Self-Test is provided in the Workbook.

Two unit tests, one written and one oral, appear in the Test Package.

305

See page 22 for suggestions
concerning the optional readings.

Lecture culturelle

supplémentaire

La télévision en France

Il y a en France trois chaînes* de télévision; TF1 (Télévision Française 1), A2 (Antenne 2) et FR3 (France Régions 3). Certaines émissions* sont relayées par satellites; il y a aussi la télévision par câble.

Si on habite près des frontières,* il y a d'autres possibilités. Dans le sud on peut voir la télévision de Monaco. Dans l'est c'est la télévision suisse, et dans le nord ce sont les émissions de Belgique et du Luxembourg.

On peut trouver les programmes dans des revues spécialisées comme *Télépoche* et *Télé 7 jours*. Il y a une grande variété—sports, théâtre, musique, jeux, météo, actualités* et, bien sûr, feuilletons*—français *et* américains! Parmi* les programmes américains les plus populaires en ce moment sont *Dallas* et *Starsky et Hutch*. Et puis il y a le classique *Bugs Bunny!*

P.-S. La publicité* n'interrompt pas une émission en France! Il y a dix minutes de publicité entre les émissions.

Exercice 1 Répondez.

1. Combien de chaînes de télévision y a-t-il en France? Nommez-les.
2. Est-ce que la télévision par câble existe en France?
3. Qu'est-ce qu'on peut voir si on habite dans le sud de la France?
4. Qu'est-ce qu'on peut voir si on habite dans l'est?
5. Qu'est-ce qu'on peut voir si on habite dans le nord?
6. Quelles sortes de programmes est-ce qu'on peut voir?

Exercice 2 Personnellement
Répondez.

1. Combien de chaînes de télévision y a-t-il chez vous?
2. Quelle chaîne mettez-vous le plus souvent?
3. Avez-vous la télévision par câble?
4. Quels sports regardez-vous à la télé?
5. Quel est votre feuilleton favori?
6. À votre opinion, est-ce une bonne idée d'avoir dix minutes de publicité entre les émissions?

---

chaînes *channels*   *émission* *program*   *frontières* *borders*   *actualités* *news*
feuilletons *serials or soap operas*   *Parmi* *Among*   *publicité* *commercials*

ℚecture culturelle

Un trapéziste audacieux

Ses parents choisissent pour lui la profession d'avocat.˙ Mais Jules ne veut pas être avocat! Son père a un gymnase à Paris et Jules est fasciné par la gymnastique. Il aime surtout le trapèze.

C'est lui qui a inventé en 1859 le trapèze volant.˙ C'est lui qui a inspiré la vieille chanson américaine:

> *Oh, he flies through the air with the greatest of ease,*
> *The daring young man on the flying trapeze!*

C'est lui qui a donné son nom au costume que portent aujourd'hui les acrobates et les danseurs. Nous parlons de Jules Léotard! Il est mort˙ de la variole˙ à l'âge de trente et un ans.

Exercice Répondez.

1. Quelle profession est-ce que les parents de Jules choisissent pour lui?
2. Est-ce qu'il est d'accord?
3. Qu'est-ce que le jeune Jules aime surtout?
4. Qu'est-ce qu'il a inventé?
5. Pouvez-vous chanter la chanson qu'il a inspirée?
6. À quoi a-t-il donné son nom?

˙**avocat** *lawyer*   ˙**volant** *flying*   ˙**est mort** *died*   ˙**variole** *smallpox*

21 Dans un terrain de camping

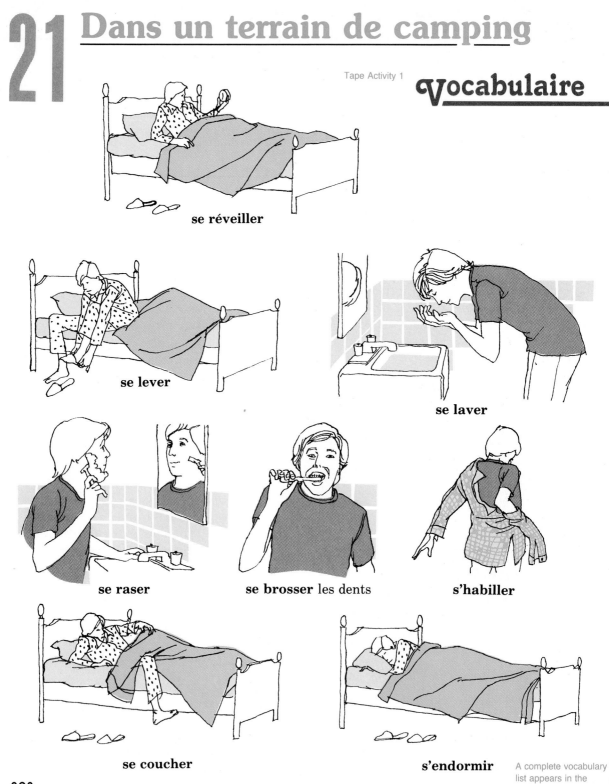

Tape Activity 1

vocabulaire

se réveiller

se lever

se laver

se raser

se brosser les dents

s'habiller

se coucher

s'endormir

A complete vocabulary list appears in the Teacher's Resource Kit.

Use the overhead transparencies for initial presentation of vocabulary.

Exercice 1 Une journée dans la vie d'Henri
Répondez.

Tape Activity 2

1. Est-ce qu'Henri se réveille à six heures et demie?
2. Est-ce qu'il se lève à sept heures?
3. Quand il se lève, est-ce qu'il se lave?
4. Il se rase aussi?
5. Il se brosse les dents?
6. Il se brosse les cheveux aussi?
7. Ensuite, est-ce qu'il s'habille?
8. À quelle heure est-ce qu'il se couche?
9. Quand il se couche, est-ce qu'il s'endort tout de suite?

Game: Call a student who has a dramatic flair to the front of the room. Have him/her dramatize the verbs. Other students tell what he/she is doing.

Dans un terrain de camping
Tape Activity 3

la tente   **la caravane**   **les douches** *(f)*   **les toilettes** *(f)*

un sac de couchage   **le miroir**   **un sac à dos**   **le chemin**

Tape Activity 4

Le **terrain de camping s'appelle** "Les Pins".
Carole **monte** une tente.

Carole et Robert **se promènent.**
Ils se promènent sur un chemin.
Le chemin **mène** à la plage.

Exercice 2   Carole fait du camping
Complétez.

Pendant les vacances d'été Carole fait du camping. Elle aime beaucoup le camping. Elle passe quinze jours avec sa famille dans un _____ de camping qui _____ «Les Pins». Ce camping se trouve sur la côte d'Azur. Quand elle arrive au camping Carole _____ une tente. Le soir elle dort dans un _____ _____ _____ sous la tente. Le matin elle se lève et prend une _____ dans la salle de bains. Ensuite elle se brosse les dents et les cheveux. Quand elle se brosse les cheveux elle se regarde dans un _____ .

Ensuite elle se promène sur un _____ . Le chemin _____ à la plage. Quand Carole arrive à la plage, elle nage avec ses copains.

Exercice 3   Personnellement
Répondez.

1. Avez-vous passé des vacances dans un terrain de camping? Où ça ?
2. Avez-vous dormi dans une caravane?
3. Avez-vous dormi dans un sac de couchage?
4. Est-ce que vous trouvez un sac de couchage confortable?
5. Avez-vous dormi sous une tente?
6. Avez-vous pris une douche avec de l'eau froide?
7. Si vous faites du camping, mettez-vous vos vêtements dans une valise ou dans un sac à dos?

Tape Activities 5–6   Workbook Exercises A–B   Administer Quiz 1.

Structure

Les verbes réfléchis

Observe and compare the following sentences.

Ginette lave le bébé.

Ginette se lave.

Ginette couche le bébé.

Ginette se couche.

Ginette regarde le bébé.　　　　　　　**Ginette se regarde.**

In the sentences in the first column the baby is the receiver of the action of the verb. In the sentences in the second column Ginette herself is the receiver of the action of the verb. In these sentences Ginette both performs and receives the action of the verb. For this reason the pronoun **se** must be used. **Se** refers to Ginette and is called a reflexive pronoun. It indicates that the action of the verb is reflected back to the subject.

Each subject pronoun has a reflexive pronoun. Look at the forms of a reflexive verb.

Infinitive	se laver	s'habiller
Present tense	je me lave	je m'habille
	tu te laves	tu t'habilles
	il/elle se lave	il/elle s'habille
	nous nous lavons	nous nous habillons
	vous vous lavez	vous vous habillez
	ils/elles se lavent	ils/elles s'habillent

Note that **me, te,** and **se** become **m', t',** and **s'** when followed by a vowel or silent **h.**

Exercice 1　Pratiquez la conversation.

Tape Activity 7

Expansion: Students change mini-conversation to tell about their own morning activities.

— Charles, tu te lèves à quelle heure?
— Moi, je me lève à six heures.
— Tu te lèves à six heures?
— Oui. Je me lave, je me brosse les dents et je me rase. À sept heures je pars pour l'école.

Exercice 2　Répondez.

Tape Activity 8

Répondez d'après la conversation de l'exercice 1.

1. Charles se lève à quelle heure?
2. Il se lave dans la salle de bains?
3. Il se brosse les dents?
4. Il se rase aussi?
5. Il se regarde dans le miroir quand il se rase?
6. À quelle heure part-il pour l'école?

Expansion: Students can retell Charles's activities in their own words.

Exercice 3 Joëlle et Jacqueline
Répondez que *Oui*.

1. Est-ce que Joëlle et Jacqueline se réveillent à sept heures?
2. Est-ce qu'elles se lèvent à sept heures et dix?
3. Est-ce que Joëlle se lave vite?
4. Est-ce que Jacqueline s'habille en blue-jeans?
5. Est-ce que les filles se brossent les dents?
6. Est-ce qu'elles se brossent les cheveux?

Exercice 4 Marc et son frère
Complétez.

1. Marc, tu _____ ? **se raser**
2. Oui, je _____ . **se raser**
3. Tu _____ les cheveux? **se brosser**
4. Oui, je _____ les cheveux. **se brosser**
5. Tu _____ les dents maintenant? **se brosser**
6. Oui, je _____ les dents. **se brosser**
7. Tu _____ maintenant? **s'habiller**
8. Oui, je _____ vite. **s'habiller**

Exercice 5 On fait du camping.
Complétez.

1. Quand nous faisons du camping, nous _____ sous la tente. **se coucher**
2. Nous _____ avec le soleil. **se réveiller**
3. Nous _____ et nous _____ vite.
   se lever / s'habiller
4. Nous _____ dans la forêt. **se promener**
5. Et vous, vous _____ sous la tente ou dans une caravane? **se coucher**
6. Vous _____ dans la forêt? **se promener**
7. Vous _____ tard? **se coucher**
8. Vous _____ tout de suite, n'est-ce pas?
   s'endormir

Exercice 6 Personnellement
Répondez.

1. À quelle heure est-ce que vous vous réveillez?
2. À quelle heure est-ce que vous vous levez?
3. Est-ce que vous vous brossez les dents avec de l'eau chaude?
4. Est-ce que votre père se rase tous les jours?
5. Est-ce que vous vous habillez vite ou lentement?
6. À quelle heure est-ce que vous vous couchez?
7. Est-ce que vous vous endormez tout de suite?

CAMPING PLAGE CONFOLANT ★★★

63 MIREMONT
TEL. (73) 79.92.76

Note

Many different French verbs can be used with reflexive pronouns. Often the reflexive pronoun gives a different meaning to the verb. Study the following examples.

Marie amuse ses amis.	*Mary amuses her friends.*
Marie s'amuse.	*Mary has a good time. (Mary "amuses herself.")*
Marie demande l'addition.	*Mary asks for the check.*
Marie se demande si c'est vrai.	*Mary wonders ("asks herself") if it is true.*
Marie appelle son amie.	*Mary calls her friend.*
Elle s'appelle Marie.	*Her name is Mary. ("She calls herself Mary.")*
Elle trouve la maison.	*She finds the house.*
La maison se trouve dans la rue Baudin.	*The house is located ("finds itself") on Baudin Street.*

Exercice 7 Charles appelle son ami.
Répondez.

1. Est-ce que Charles appelle son ami au téléphone?
2. Est-ce que son ami s'appelle Henri?
3. Est-ce que Charles invite Henri à la boum de Ginette?
4. Est-ce que Charles s'invite à la boum aussi?
5. Est-ce que les deux garçons trouvent la maison de Ginette?
6. Est-ce que sa maison se trouve dans la rue de Grenelle?
7. Est-ce que Charles amuse ses copains à la boum?
8. Est-ce qu'il s'amuse aussi?

Exercice 8 Je réveille mon frère!
Complétez avec un pronom réfléchi si c'est nécessaire.

1. Bonjour! Je _____ appelle Suzanne.
2. Je _____ lève à six heures du matin.
3. Quand je _____ lève, je _____ réveille mon frère.
4. Mon frère _____ appelle Gilbert.
5. Je n'entends rien. Je _____ demande si mon frère _____ lève ou _____ endort de nouveau.
6. J'_____ appelle «Gilbert».
7. Je _____ demande à mon frere, «Gilbert, tu _____ lèves?»

Les verbes réfléchis au négatif

In the negative form of a reflexive verb, **ne** is placed before the reflexive pronoun. (The reflexive pronoun is *never* separated from the verb.) **Pas** follows the verb.

Affirmative	Negative
Je me couche tout de suite.	Je ne me couche pas tout de suite.
Nous nous regardons.	Nous ne nous regardons pas.

Exercice 9 Personnellement
Répondez avec oui ou non.

1. Est-ce que vous vous levez à midi?
2. Est-ce que vous vous lavez avec de l'eau froide?
3. Est-ce que vous vous rasez le matin et le soir?
4. Est-ce que vous vous habillez en blue-jeans quand vous allez en classe?
5. Est-ce que vous vous amusez à l'école?
6. Est-ce que vous vous couchez tous les soirs dans un sac de couchage?
7. Est-ce que vous vous couchez à une heure du matin?
8. Est-ce que vous vous endormez tout de suite quand vous vous couchez?

Exercice 10 **Vincent ne se lève pas.**

Lisez le paragraphe. Ensuite, répétez le paragraphe avec *je*.

Vincent se réveille, mais il ne se lève pas tout de suite. Il a mal au ventre. Enfin il se lève mais il ne se lave pas. Il ne se brosse pas les dents. Il ne se rase pas. Il ne s'habille pas. Il se regarde dans le miroir. Quel horreur! Il se demande s'il va mourir (*to die*).

Il se couche mais il ne s'endort pas. Tout à coup il pense: «Mon Dieu! C'est aujourd'hui dimanche! Il n'y a pas de classe!»

Tape Activity 11   Administer Quiz 2.

Verbes avec changements d'orthographe

Verbs like *manger* and *commencer*

Certain verbs require changes in spelling in order to maintain the same pronunciation.

Verbs in **-ger** like **manger** and **nager** add an **e** in the **nous** form of the present tense in order to maintain the soft *g* sound.

> **nous mangeons**
> **nous nageons**

Verbs in **-cer** like **commencer** have a cedilla in the **nous** form of the present tense in order to maintain the soft *s* sound.

> **nous commençons**

Exercice 11 **Quand je mange...**

Lisez le paragraphe. Ensuite, écrivez le paragraphe avec *nous*.

Quand je mange beaucoup, je ne nage pas tout de suite après. Quand je nage, je commence lentement (*slowly*).

Verbs like *mener*

Verbs like **mener, se promener, se lever,** and **acheter** take a grave accent (`) in the singular forms and in the third person plural form.

Infinitive	mener	acheter	se lever
Present tense	je mène	j'achète	je me lève
	tu mènes	tu achètes	tu te lèves
	il/elle mène	il/elle achète	il/elle se lève
	nous menons	nous achetons	nous nous levons
	vous menez	vous achetez	vous vous levez
	ils/elles mènent	ils/elles achètent	ils/elles se lèvent

Note that the syllable with the grave accent is the syllable that is stressed.
Note the pronunciation of the **nous** and **vous** forms.

315

Verbs like *appeler*

Verbs like **appeler** and **jeter** (*to throw, to throw away*) double the **l** or the **t** in the **je, tu, il/elle,** and **ils/elles** forms.

Infinitive	appeler	jeter
Present tense	j'appelle	je jette
	tu appelles	tu jettes
	il/elle appelle	il/elle jette
	nous appelons	nous jetons
	vous appelez	vous jetez
	ils/elles appellent	ils/elles jettent

Note the pronunciation of the **nous** and **vous** forms.

Exercice 12   Personnellement
Répondez.

1. Quand tu vas à la plage, achètes-tu de la lotion solaire?
2. Appelles-tu un ami pour aller à la plage avec toi?
3. Comment est-ce qu'il s'appelle?
4. Est-ce que vous vous promenez le long de la mer?
5. Est-ce que vous vous promenez sur un petit chemin qui mène à la plage?
6. Quand vous allez à la plage, est-ce que vous nagez dans la mer?
7. Si vous prenez ou mangez quelque chose, est-ce que vous jetez les boîtes ou les bouteilles sur la plage?

Exercice 13   J'achète un petit cadeau.
Complétez.

1. Je _____ Paul.   **s'appeler**
2. Aujourd'hui j'_____ un petit cadeau pour mon meilleur ami.   **acheter**
3. Mon meilleur ami _____ Georges.   **s'appeler**
4. J'_____ un maillot pour Georges.   **acheter**
5. Je sais qu'il a besoin d'un maillot parce qu'il _____ ses vacances.   **commencer**
6. Georges et moi, nous _____ nos vacances ensemble et nous allons à la plage.   **commencer**
7. Quand nous sommes à la plage nous _____ beaucoup.   **nager**
8. Quelquefois nous _____ un sandwich mais nous ne _____ rien sur la plage.   **manger, jeter**
9. Je _____ le long de la mer mais Georges ne _____ jamais.   **se promener**

Prononciation

La lettre *h*

The letter **h** is never pronounced in French. Liaison is made, however, only when the **h** is silent, not aspirate.

h muet		*h* aspiré	
les hommes	en hiver	un/héros	un/homard
les heures	les huîtres	les/haricots verts	les/huit chaises
nous nous habillons	les hôtels	les/hors-d'œuvre	le/hockey
elles habitent	les hôpitaux	en/Hollande	en/haut

Pratique et dictée

Nous nous habillons pour jouer au hockey en hiver.
Elles habitent en Hollande et elles aiment les huîtres.
Les hôtels et les hôpitaux servent des haricots verts et des hors-d'œuvre.
Ces hommes passent des heures à manger des homards.

Conversation

Ces sacrés moustiques!

Clément	On s'amuse bien dans ce camping, n'est-ce pas?
Rosalie	Assez bien! Vous êtes sous la tente ou dans une caravane?
Clément	Nous avons une tente. Vous aussi?
Rosalie	Nous avons une petite caravane. On se couche par terre dans une tente?
Clément	Nous nous couchons par terre, oui, mais dans des sacs de couchage.
Rosalie	C'est confortable?
Clément	Pas mal, sauf quand il y a des moustiques!

Exercice   Complétez.

1. Rosalie et Clément sont dans un _____ .
2. La famille de Clément a une _____ .
3. La famille de Rosalie a une _____ .
4. Rosalie demande si on _____ .
5. Clément répond qu'ils se couchent dans _____ .
6. Clément dort bien sauf quand _____ .

---

sacrés moustiques *darn mosquitos*   **par terre** *on the ground*   **sauf** *except*

Lecture culturelle

Un camping près de la mer

(Solange et Joëlle parlent des projets pour les grandes vacances.)

Solange C'est décidé donc! Nous allons au Maroc en août!

Joëlle Ah! Tu vas enfin voir un charmeur de serpents! N'oublie pas de prendre sa photo!

Solange D'accord! Et toi, où vas-tu?

Joëlle On a voté pour le camping près de la mer. Nous nous amusons beaucoup sur la plage.

Solange Sur la côte du Languedoc° où vous avez été l'an dernier? Comment s'appelle cette ville?

Joëlle C'est ça. La ville s'appelle Agde. Elle est sur le canal du Midi,° tu sais. Le terrain de camping s'appelle Les Sables d'Or.

Solange Très joli nom! Vous allez remorquer° la caravane, je suppose.

Joëlle Mais bien sûr!

Solange Comment est-elle, votre caravane?

Joëlle Pas très grande, mais assez confortable. Il y a deux chambres, l'une pour mes parents, l'autre pour Bertine et moi. Il y a aussi une petite cuisine. Sous l'auvent° il y a une table et quatre fauteuils.°

Solange Pas de salle de bains?

Joëlle Non! Mais toutes les installations sanitaires se trouvent tout près— toilettes, douches, machines à laver.

Solange Tu ne t'ennuies° pas là-bas?

Joëlle Absolument pas! La plage est très belle et nous nageons beaucoup. Bertine fait du pédalo° et moi, je bronze. Après le dîner nous nous promenons à vélo ou nous jouons aux boules° ou au golf miniature.

Solange Et comment est-ce que vous vous amusez le soir?

Joëlle Il n'y a pas de problème! La salle de jeux est énorme! D'ailleurs, dans un camping on rencontre° des gens intéressants de tous les pays.

Solange Ah, oui?

Joëlle Ah, oui! Mais généralement nous nous couchons et nous nous levons de bonne heure.° Les coqs° commencent à chanter à cinq heures!

°**le Languedoc** *a region of France located in the southeast, west of the Côte d'Azur* °**le canal du Midi** *a canal that joins the Atlantic Ocean and the Mediterranean Sea* °**remorquer** *to tow* °**Sous l'auvent** *Under the canopy* °**fauteuils** *armchairs* °**t'ennuies** *get bored* °**pédalo** *paddle boat* °**boules** *a game similar to lawn bowling, played with metal balls* °**rencontrer** *to meet* °**de bonne heure** *early* °**coqs** *roosters*

En Camargue
(Languedoc)

Cap d'Agde

Le Canal du Midi

319

Exercice 1 Choisissez.

1. La famille de Solange va passer les grandes vacances _____ .
   a. en Amérique
   b. en Afrique
   c. en Europe

2. Solange a envie de voir _____ .
   a. une photo
   b. des serpents
   c. un charmeur de serpents

3. Joëlle demande à Solange _____ .
   a. de prendre une photo
   b. de charmer un serpent
   c. d'acheter un serpent

4. La famille de Joëlle va _____ .
   a. à la plage
   b. à la montagne
   c. à Paris

Exercice 2 Répondez.

1. Qui s'amuse sur la plage?
2. Comment s'appelle la ville?
3. Dans quelle province se trouve Agde?
4. Quelle ville se trouve sur le canal du Midi?
5. Comment s'appelle le terrain de camping?
6. Qu'est-ce qu'on va remorquer?

Exercice 3 Corrigez.

1. La plage est horrible!
2. Les filles ne nagent pas.
3. Joëlle fait du pédalo.
4. **Bertine bronze.**
5. Elles se promènent à cheval.
6. Elles jouent au volley.

Exercice 4 Complétez.

Le soir les filles s'amusent dans la _____ . Elles rencontrent _____ . Généralement elles se couchent _____ . Elles se _____ de bonne heure aussi parce que les _____ commencent à chanter à _____ .

A lesson test appears in the Test Package.

Activités

Tape Activities: *Deuxième Partie*
Workbook Exercises: *Un peu plus*

(Optional)

1 Décrivez la caravane de la famille de Joëlle.

Dites...

- si elle est grande, petite, confortable
- combien de chambres il y a
- comment est la cuisine
- ce qu'il y a sous l'auvent

2

Décrivez les activités de Joëlle et de Bertine.

- sur la plage
- après le dîner
- le soir

3

Décrivez votre journée. Commencez avec *Je me réveille...* et finissez avec *Je me couche...* (au moins 6 phrases).

4

Décrivez ce que vous voyez dans l'illustration.

Voici le camping Serre-Ponçon dans les Hautes Alpes.
Beaucoup de familles françaises font du camping pendant leurs vacances.
Avez-vous jamais fait du camping? Où ça?

Voici une péniche dans le Canal du Midi dans le Languedoc. Certaines familles habitent sur les péniches. D'autres familles passent leurs vacances sur une péniche. Les péniches parcourent les canaux de France.

22 À la terrasse d'un café

Tape Activity 1 **Vocabulaire**

le café

la terrasse

le bureau de tabac

la carotte rouge

le patron   la patronne

les consommations

le plateau

Asseyez-vous, s'il vous plaît.

Les clients sont **assis.**
Ils **bavardent.**
Ils **discutent politique.**

Tape Activity 2

Exercice 1   Au café
Répondez.

1. Est-ce que les clients sont assis à la terrasse du café ou au bureau de tabac?
2. Est-ce que les clients bavardent?
3. Discutent-ils politique?
4. Est-ce qu'ils ont commandé des consommations?
5. Le garçon a-t-il mis les consommations sur un plateau?
6. A-t-il servi les consommations?

Expansion: 1. Have students retell the story in their own words. 2. Pass out paper. Have students write several sentences or a short paragraph about a café.

324

Les consommations

Tape Activity 3

une citronnade¹   **une orangeade¹**   **un citron pressé²**

une grenadine³   **des apéritifs**   **un diabolo menthe⁴**

On peut commander aussi:

   un esquimau   **une glace**

Exercice 2 Personnellement
Répondez.

1. Préférez-vous la citronnade ou le citron pressé?
2. Préférez-vous l'orangeade ou le jus d'orange?
3. Préférez-vous la glace au chocolat, à la vanille ou à la fraise?
4. Préférez-vous un sandwich au fromage ou au jambon?
5. Quand mangez-vous un esquimau?

Tape Activity 4
Workbook Exercise A   Administer Quiz 1.

¹ **Citronnade** and **orangeade** are *not* lemonade and orangeade; they are similar to lemon and orange soda.

² **Citron pressé** is lemon juice served with water and sugar—a fresh lemonade.

³ **Grenadine** is pomegranate syrup with water.

⁴ **Un diabolo menthe** is lemon soda mixed with peppermint syrup.

Structure

Le verbe *s'asseoir*

The reflexive verb **s'asseoir** (*to sit down*) is irregular. Study the following forms of the present tense.

Infinitive	s'asseoir
Present tense	je m'assieds
	tu t'assieds
	il/elle s'assied
	nous nous asseyons
	vous vous asseyez
	ils/elles s'asseyent

Exercice 1 Tu ne t'assieds pas?
Complétez avec *s'asseoir*.

Une dame entre dans un café et choisit une table. Elle _____ et demande un express. Bientôt deux de ses amies arrivent et elles _____ avec leur amie. Plus tard une quatrième dame arrive, mais elle ne _____ pas.

— Pourquoi est-ce que tu ne _____ pas? demande la première dame.

— Je ne _____ pas parce que je suis tellement (*so*) fatiguée. Si je _____ , je ne me lève jamais!

Workbook Exercise B

Participes passés irréguliers   Much of this is review.

Many verbs have an irregular past participle. You already know several that end in **u.** Let's review them.

avoir	**eu**	**pouvoir**	**pu**
boire	**bu**	**recevoir**	**reçu**
croire	**cru**	**voir**	**vu**
devoir	**dû**	**vouloir**	**voulu**
lire	**lu**		

J'ai eu de la chance. J'ai reçu un cadeau.
Pendant l'après-midi j'ai vu un bon film. Le soir j'ai lu un bon livre.

Other irregular past participles end in an /i/ sound. Review the following, taking care to note the spelling.

mettre	**mis**	**prendre**	**pris**
promettre	**promis**	**apprendre**	**appris**
permettre	**permis**	**comprendre**	**compris**

326

Study the following past participles that also end in an /i/ sound. Pay particular attention to the spelling.

dire   **dit**
écrire   **écrit**
décrire   **décrit**

Il a dit bonjour.
Tu as écrit la lettre?
Elle a décrit la scène.

The verbs **être** and **faire** have completely irregular past participles.

être   **été**   **faire**   **fait**

Tu as été au café?
Est-ce que la patronne a fait des sandwiches au jambon?

Exercice 2   Qu'est-ce que tu as fait au café?
Répondez.

1. Tu as été au café?
2. Tu as reçu une lettre de ton ami?
3. Tu as lu la lettre au café?
4. Tu as écrit une lettre au café?
5. Tu as pris un sandwich au café?
6. Tu as bu un diabolo menthe au café?
7. Tu as été toute la journée au café?

Have students discuss the photograph.

Exercice 3   Au café
Répétez au passé composé.

1. Georges prend un sandwich et Michel prend des gâteaux.
2. Georges boit un coca et Michel boit deux citronnades.
3. Ensuite Michel écrit une lettre et Georges lit un magazine.
4. Michel dit quelque chose, mais Georges ne comprend pas.
5. «J'écris à Marie-Claire.»
6. «Oh oui? Et qu'est-ce que tu dis?»
7. «Je décris ce quartier de Paris—les boulevards, les édifices, les cafés.
8. Et je promets d'écrire à son frère.»

Tape Activities 5–8
Workbook Exercises C–D
Administer Quiz 2.

327

Les verbes réfléchis à l'impératif

The negative command of reflexive verbs is similar to the declarative sentence. As with all commands, however, the subject pronoun is omitted. Note the following forms.

Nous ne nous levons pas.	*We don't get up.*
Ne nous levons pas!	*Let's not get up!*
Vous ne vous asseyez pas.	*You don't sit down.*
Ne vous asseyez pas!	*Don't sit down!*

Remember that there is no **-s** in the familiar (**tu**) command of regular **-er** verbs.

Tu ne te rases pas.	*You don't shave.*
Ne te rase pas!	*Don't shave.*

In the affirmative command forms of reflexive verbs, the reflexive object pronoun *follows* the verb. It is attached to it by a hyphen.

Vous vous lavez.	*You wash yourself.*
Lavez-vous!	*Wash yourself!*
Nous nous asseyons.	*We sit down.*
Asseyons-nous!	*Let's sit down!*

Note that the reflexive pronoun **te** changes to the emphatic pronoun **toi** when used in the imperative form.

Tu te lèves.	*You get up.*
Lève-toi!	*Get up!*
Tu t'assieds.	*You sit down.*
Assieds-toi!	*Sit down!*

Exercice 4 Dites à Paul
Tell Paul what to do.

1. Paul, _____ .

2.

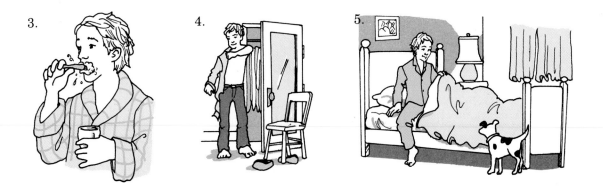

Exercice 5 Dites à Monsieur Coty

Tell Monsieur Coty what to do. Be polite with Monsieur and use his title and add
s'il vous plaît.

1. _____ , Monsieur, s'il vous plaît.

3.

2.

4.

Exercice 6 Asseyons-nous!
Suivez le modèle.

> Tu veux t'asseoir?
> *Bonne idée! Asseyons-nous.*

1. Tu veux t'asseoir au café?
2. Tu veux te laver les mains avant de commander?
3. Tu veux te lever?
4. Tu veux te promener un peu?

Tape Activities 9–11
Workbook Exercises E–F
Administer Quiz 3.

329

Prononciation

Les lettres *s* et *t*

The letter **s** is pronounced /s/ when it occurs at the beginning of a word or when it is followed by a consonant. It is pronounced /z/ when it falls between two vowels. It is also pronounced /z/ in cases of liaison.

The letter **t** is pronounced /t/ in all cases except in the ending **-tion,** when it is pronounced /s/.

s = /s/	*s* = /z/	*s* = /z/ (liaison)
sur	cuisine	ils ont
salade	maison	vous avez
disque	visiter	nous allons
discuter	musée	elles habitent
touriste	usine	les enfants
esquimau	serveuse	les huîtres

t = /t/	*t* = /s/
tu	conversation
table	addition
travaille	nation
plateau	condition
apéritif	tradition
patron	consommation

Pratique et dictée

Vous avez mis les plateaux sur la table dans la cuisine.
Nous allons discuter la condition des usines de la nation.
Les enfants vont visiter le musée avec la serveuse.

Conversation

Au café du Chat qui danse

Marie	Dépêche-toi, Léo! Nous avons rendez-vous au café avec Odile et Éric.
Léo	Oui! Oui! Calme-toi! Je me dépêche! *(Ils arrivent au café.)*
Marie	Ah, voilà Odile qui arrive!
Léo	Et voilà Éric déjà au comptoir.
Marie, Odile, Léo	Salut! Salut! *(Ils se serrent la main.)*

Éric	Salut, les amis! J'arrive dans un instant.
Odile	Asseyons-nous à cette table près de la fenêtre, voulez-vous?
Léo	Bonne idée! Qu'est-ce que vous prenez?
Marie et Odile	Une grenadine.
Léo	Et pour toi, Éric?
Éric	Rien pour moi! J'ai déjà pris trois cocas!

Exercice Des questions

Formez une question pour chaque réponse.

1. Marie et Léo vont au café.
2. Ils ont rendez-vous avec Odile et Éric.
3. Léo dit qu'il se dépêche.
4. Éric est déjà au comptoir.
5. Les amis s'asseyent à une table près de la fenêtre.
6. Marie et Odile prennent une grenadine.
7. Éric ne prend rien parce qu'il a déjà pris trois cocas.

Lecture culturelle

Les cafés français

Tape Activities 14–15

Vous demandez-vous quel est le rôle du café dans la vie française? Il faut dire˚ tout simplement que le café en France est une institution nationale. Il est important dans la vie sociale et politique, surtout dans les petits villages.

Le café de quartier se trouve très souvent à côté du bureau de tabac avec sa «carotte» rouge. Ce café, qui s'appelle aussi «bistro» ou «café du coin», a une ambiance˚ intime. Il est fréquenté par les personnes qui habitent près de là. Bien

---

˚**Il faut dire** *One must say*   ˚**ambiance** *atmosphere* entendu les femmes sont admises, mais la plupart des clients dans un café de quartier sont les hommes.

C'est ici qu'on vient pour rencontrer les amis. C'est ici qu'on vient pour discuter sports, politique, choses sérieuses. Naturellement le patron, qui est considéré comme un ami, participe aux conversations. C'est ici qu'on vient pour téléphoner, pour écouter de la musique, pour jouer aux cartes, aux dames,° aux échecs.

Les cafés «à la mode», généralement plus grands, se trouvent sur une grande avenue comme les Champs-Élysées. On s'assied à la terrasse et on regarde les gens qui passent pendant qu'on bavarde et prend sa consommation.

Mais qu'est-ce qu'on commande dans un café? Évidemment° on sert du café—café crème ou café filtre.° Et du vin, des apéritifs, de la bière, de l'eau minérale et du coca. Sur le plateau de la serveuse ou du garçon on peut voir aussi des orangeades, des citronnades, des jus de fruits, des glaces et des esquimaux. Dans certains cafés on sert aussi des repas simples ou des sandwiches.

Workbook Exercises G–H

Exercice 1 Complétez.

1. En France le café est une _____ .
2. Le café joue un rôle important dans la vie _____ et _____ .
3. Le café est important surtout dans _____ .
4. Le bureau de tabac se trouve souvent à côté du _____ .
5. Le café de quartier s'appelle aussi _____ et _____ .
6. Il est fréquenté par _____ .

Exercice 2 Répondez.

1. Pourquoi va-t-on au café? (Nommez au moins quatre raisons.)
2. Où se trouvent les cafés «à la mode»?
3. Où est-ce qu'on s'assied?
4. Qu'est-ce qu'on regarde?
5. Qu'est-ce qu'on peut commander dans un café? (Nommez au moins six possibilités.)

°**dames** *checkers*   °**Évidemment** *Evidently*   °**café filtre** *strong filtered coffee*

A lesson test appears in the Test Package.

${\mathcal A}$ctivités

(Optional)

 Une discussion

- Avez-vous été dans un café?
- Y a-t-il des cafés dans une grande ville près de chez vous?
- Où va-t-on dans votre ville pour prendre une glace après le cinéma?
- Qu'est-ce que vous prenez?

- Et vos amis, qu'est-ce qu'ils prennent?
- Combien de serveuses et de garçons y a-t-il?
- Le patron et/ou la patronne sont-ils présents?

 Un petit dialogue: *Au café*. Préparez avec un(e) camarade de classe un petit dialogue (au moins 5 lignes) entre deux clients ou entre un client et le patron/la patronne d'un café.

Sujets possibles:
- où on s'assied
- ce qu'on commande
- ce qu'on a vu à la télé
- ce qu'on a lu dans le journal

 Décrivez ce que vous voyez sur les photos.

galerie vivante

Dans presque tous les cafés en France il y a une liste de consommations et un menu que les clients peuvent regarder avant de s'asseoir. Cette liste donne toujours les prix et indique si le service est compris.

Madeleine-tronchet

NOUS NOUS EXCUSONS DE NE POUVOIR ACCEPTER LES CHEQUES

Café express	
Décaféiné	5,00
Sup. Pot de Lait	5,00
Grand crème	3,00
Grand noir	10,00
Chocolat	10,00
Lait chaud-Viandox	10,00
Thé-Infusions	8,00
D.A.B. export	10,00
le double	8,00
Guiness, bouteille	16,00
Carlsberg, bouteille	15,00
Bavière brune	15,00

BOISSONS FRAICHES

Le quart-Eaux	
Avec sirop	8,00
Pschitt	10,00
Coca-Cola	10,00
Gini, Orangina	10,00
Schweppes	10,00
Gin Tonic	10,00
San Pellegrino—Ricqlès	22,00
Pamplemousse	10,00
Ananas	10,00
Tomate—Raisin	10,00
Fruits pressés	10,00
Lait froid gd verre	12,00
Lait avec sirop	7,00
Liqueur de menthe à l'eau	9,00
	12,00

A toute heure:

Croque-Monsieur	
Assiette Crudités	15,00
Salade de Tomate	18,00
Jambon de Paris	18,00
Jambon de Parme	20,00
Viandes froides assorties	35,00
Charcuteries variées	30,00
	30,00

SANDWICHES

Jambon ou Fromage ou Ail	10,00
ou Salami	10,00
Jambon et Gruyère	10,00
Terrine du Chef	12,00
Faux-filet	15,00
Jambon de Parme	18,00
	25,00

Aux heures de repas:

Soupe à l'oignon gratinée	22,00
Omelette : jambon ou fromage ou champignons	22,00

GLACES (2 boules)

Vanilla, Café, Chocolat	17,00
Sorbet : cassis - poire - fraise	20,00
Café Liégeois	20,00
Pêche ou Ananas Melba	25,00
Toast beurre confiture	10,00
Tarte maison pur beurre	15,00

SERVICE NON COMPRIS 15%

35 PLACE DE LA MADELEINE   1 RUE TRON

Les Français aiment passer le temps dans les cafés. Les clients peuvent commander une consommation ou un petit plat mais on n'est jamais pressé. Au café on peut parler avec des amis, lire le journal, écrire une carte postale, ou seulement regarder les gens qui passent. Est-ce que nous avons beaucoup de vrais cafés aux États-Unis?

335

À la station-service

Vocabulaire

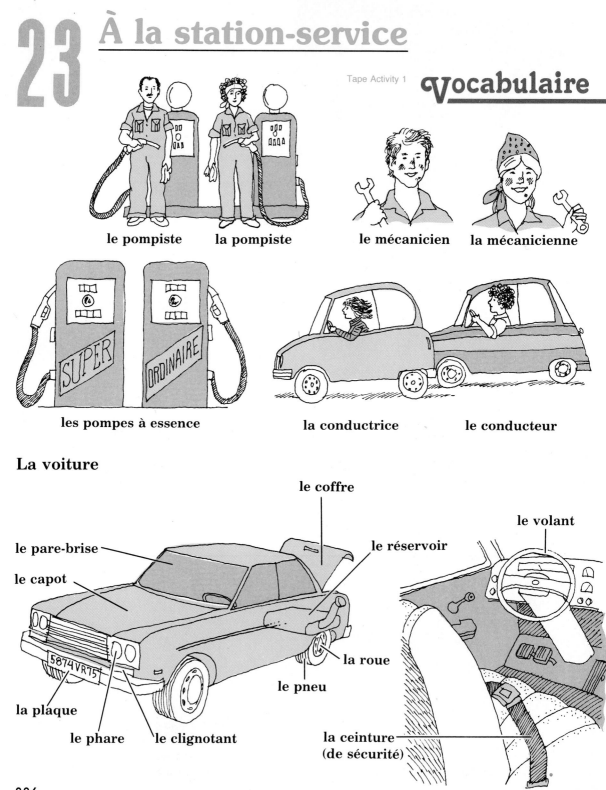

le pompiste   la pompiste

le mécanicien   la mécanicienne

les pompes à essence

la conductrice   le conducteur

La voiture

le coffre

le volant

le pare-brise

le réservoir

le capot

la roue

le pneu

la plaque

le phare   le clignotant

la ceinture
(de sécurité)

5874 VR 75

SUPER   ORDINAIRE

Le pompiste met trente **litres d'essence** dans le réservoir.

Il **fait le plein.**

Tape Activity 2

Il **vérifie la pression** des pneus.

Il met de **l'huile** dans **le moteur.**

Il **nettoie** le pare-brise.

Le mécanicien **répare** les clignotants.
Ils ne **fonctionnent** pas.

Exercice 1 À la station-service
Complétez.

1. Le pompiste met trente litres d'essence dans le _____ .
2. Il nettoie le _____ .
3. Il vérifie la pression des _____ .
4. Il met de l'huile dans le _____ .
5. Le mécanicien répare les _____ parce qu'ils ne _____ pas.

Exercice 2 La voiture
Choisissez.

1. Généralement le moteur se trouve _____ .
   a. dans le réservoir
   b. sur le pare-brise
   c. sous le capot

2. On met les bagages _____ .
   a. dans le coffre
   b. dans le pneu
   c. dans le phare

3. Dans le réservoir on met _____ .
   a. de l'eau
   b. de l'essence
   c. de l'huile

4. Quand un conducteur veut tourner à gauche ou à droite il met _____ .
   a. les phares
   b. les pneus
   c. les clignotants

5. Le numéro d'identification de la voiture se trouve _____ .
   a. sur la plaque
   b. sur la roue
   c. sur le pare-brise

6. Qui est au volant? C'est _____ .
   a. le chien
   b. le conducteur
   c. le passager

7. En voiture il est obligatoire de mettre _____ .
   a. une ceinture folklorique
   b. la ceinture de sécurité
   c. la ceinture du pompiste

Sur la route

Le conducteur **conduit** à 20 **kilomètres** à l'heure. Il ne **connaît** pas **la route**. Il cherche **l'autoroute** de **l'ouest**. Sa passagère **la** cherche sur **la carte routière**.

Le conducteur **s'arrête** au **feu** rouge. Il y a **un encombrement affreux** à ce **carrefour**.

L'agent de police contrôle la circulation. Ce **panneau indique** qu'il y a un **virage dangereux**.

Exercice 3 Sur la route
Répondez.

1. Comment conduit le conducteur?
2. Qu'est-ce qu'il ne connaît pas?
3. Qu'est-ce qu'il cherche?
4. Qui cherche l'autoroute sur la carte routière?
5. Où s'arrête le conducteur?
6. Où est-ce qu'il y a un encombrement affreux?
7. Qui contrôle la circulation?
8. Qu'est-ce que le panneau indique?

Exercice 4 Personnellement
Répondez.

1. À quelle station-service est-ce que vous allez?
2. Pour votre voiture est-ce qu'on achète de l'essence ordinaire ou du super?
3. Est-ce que votre voiture est nouvelle? C'est une Renault?
4. Avez-vous une carte routière de votre état?
5. Quand allez-vous obtenir votre permis de conduire (*driver's license*)?

Expansion: Have students make up their own conversations about a service station or about driving a car.

Tape Activity 6
Workbook Exercise C
Administer Quiz 1.

Structure

Les verbes *conduire* et *connaître*

The verbs **conduire** (*to drive*) and **connaître** (*to know*) are irregular.

Infinitive	conduire	connaître
Present tense	je conduis tu conduis il/elle conduit nous conduisons vous conduisez ils/elles conduisent	je connais tu connais il/elle connaît nous connaissons vous connaissez ils/elles connaissent
Imperative	Conduis bien! Conduisons lentement! Conduisez prudemment!	(**Connaître** is seldom used in the imperative.)
Passé composé	j'ai conduit	j'ai connu

Note the circumflex accent on the **i** in the third person singular form of **connaître**.

Remember that the **s** in **conduisons** and **conduisez** sounds like **z**.

Exercice 1 Qui conduit cette voiture?
Lisez le dialogue et répondez aux questions.

— Marc, qui conduit cette Citroën?
— C'est mon cousin Paul.
— Il conduit prudemment.
— Oh, oui, et sa sœur aussi conduit bien. Tu connais mes cousins, n'est-ce pas?
— Non. Je connais seulement ton oncle Jules.

1. Qui conduit la Citroën?
2. Comment conduit-il?
3. Est-ce que la sœur de Paul conduit bien aussi?
4. Est-ce que l'ami de Marc connaît ses cousins?
5. Qui connaît-il?

Exercice 2 Nous connaissons des Français.

Complétez avec *connaître.*

Nous _____ beaucoup de Français ici aux États-Unis. Et vous, _____-vous des Français? _____-vous des Québécois? Votre prof de français _____-elle des personnes qui parlent français? Est-ce que les autres profs _____ des étrangers?

Exercice 3 Conducteurs français et américains

Complétez avec *conduire.*

En France les jeunes gens _____ à dix-huit ans. Ici aux États-Unis nous _____ à seize, à dix-sept ou à dix-huit ans. Cela dépend de l'état. Est-ce que vous _____ déjà? _____-vous la voiture de vos parents? Est-ce que votre frère (sœur) _____ bien?

Tape Activity 7   Workbook Exercises D–E

Paris

Connaître ou *savoir*

Both **connaître** and **savoir** mean *to know.* **Connaître** means *to know* a person or *to be acquainted with* a person, place, or thing. **Savoir** means *to know* a fact or *to know how* to do something.

Je connais ce mécanicien.   **Je sais la réponse.**
Je connais bien ce panneau.   **Je sais conduire une auto.**
Je ne connais pas cette route.   **Je sais que vous conduisez bien.**

Exercice 4 Tu connais la France?
Répondez.

Tape Activity 8

1. Tu connais la France?
2. Tu connais Paris?
3. Tu sais que Paris est très beau?
4. Tu sais prendre le métro?
5. Tu sais où est la tour Eiffel?
6. Tu connais un bon hôtel à Paris?
7. Tu connais le propriétaire?
8. Tu sais le prix d'une chambre?

Expansion: Have students make up original sentences using **savoir** or **connaître.**

Exercice 5 On ne connaît pas l'Alsace.
Complétez avec la forme convenable de *connaître* ou *savoir.*

Annette et Patricia vont en France. Elles vont visiter l'Alsace. Elles _____ assez bien Paris, mais elles ne _____ pas toutes les provinces. Elles _____ que Strasbourg est la capitale de l'Alsace. Elles ont vu des photos de Strasbourg et elles _____ que c'est une ville pittoresque. Annette et Patricia veulent _____ l'Alsace. Elles veulent _____ si les restaurants alsaciens sont aussi bons que les restaurants parisiens. Elles veulent _____ l'histoire de la province. Et elles veulent surtout faire la connaissance des Alsaciens.

Tape Activity 9   Workbook Exercises F–G   Administer Quiz 2.

Les pronoms compléments directs *le, la, l', les*

As you know, a direct object in a sentence receives the action of the verb. In the sentence below, **les clignotants** is the direct object.

Subject   Verb   Direct object
Le mécanicien répare les clignotants.

The direct object can be a noun or a pronoun. **Le** (*him, it*), **la** (*her, it*), and **les** (*them*) are direct object pronouns. They refer to both persons and things. In declarative sentences they always precede the verb.

Noun object	*Pronoun object*
Paul regarde le pompiste.	**Paul le regarde.**
Vous conduisez la Citroën.	**Vous la conduisez.**
Nous regardons les panneaux.	**Nous les regardons.**

Write sentences on board. Put a box around noun object. Circle pronoun object and draw an arrow from box to circle. This helps students visualize what replaces the noun and where it is placed.

Before a vowel, **le** and **la** become **l'.** Liaison is required with **les** before a vowel.

Elle admire la voiture. Elle l'admire.
Elle aime ces villes. Elle les aime.

Exercice 6 À la station-service
Répondez avec *le.*

Tape Activity 10

1. Marc salue le pompiste?
2. Le mécanicien répare le moteur?
3. Marc remercie le mécanicien?
4. Il ferme le capot?
5. Il met le clignotant?

Exercice 7 Sur la route
Tape Activity 11
Répondez avec *la*.

1. Nathalie met la ceinture?
2. Elle conduit la voiture de ses parents?
3. Elle connaît la route?

4. Christophe cherche l'autoroute de l'ouest?
5. Il cherche la carte routière?

Exercice 8 Dans la classe de français
Tape Activity 12
Répondez avec *l'*.

1. Tu apprends le français?
2. Tu aimes le français?
3. Tu entends le professeur?

4. Le professeur explique la leçon?
5. Tu écris l'exercice?

Exercice 9 Un bon mécanicien
Tape Activity 13
Répondez avec *les*.

1. Le mécanicien salue les conducteurs?
2. Il vérifie les phares?
3. Il vérifie les clignotants?
4. Il vérifie les pneus?
5. Il vérifie les roues?

Tape Activity 14

Exercice 10 On répare la voiture.
La voiture de Dominique a été accidentée. Répondez *Oui* aux questions. Employez un pronom.

1. On répare le pare-brise?
2. On remplace la plaque?
3. On remplace les phares?
4. On remplace le volant?
5. On répare le moteur?
6. On remplace les pneus?

7. On remplace le réservoir?
8. On remplace les ceintures?
9. On répare le capot?
10. On répare les clignotants?
11. On essuie la voiture?

Les pronoms compléments directs au négatif

The direct object pronouns **le, la, les** precede the verb in *all* negative sentences, both declarative and imperative.

> **Paul ne le regarde pas.**
> **Vous ne la conduisez pas.**
> **Nous ne les regardons pas.**

> **Ne la regarde pas!**
> **Ne le regardons pas!**
> **Ne l'attendez pas!**
> **Ne les attendez pas!**

Exercice 11 Ne l'achète pas!
Lisez le dialogue. Ensuite, répétez le dialogue avec *voitures*.

— Quelle belle voiture! Tu la regardes?
— Oui, je la regarde.
— Tu l'admires?
— Non, je ne l'admire pas.

— Tu la veux?
— Non, je ne la veux pas.
— Alors, ne l'achète pas!

Exercice 12 Personnellement
Répondez. Employez un pronom.

1. Connaissez-vous les autos françaises?
2. Mettez-vous toujours la ceinture de sécurité?
3. Regardez-vous la carte routière quand vous voyagez?
4. Détestez-vous les encombrements?
5. Admirez-vous les agents de police?
6. Respectez-vous les panneaux?
7. Savez-vous le numéro de votre voiture?

Le voici, le voilà

Object pronouns are placed directly before **voici** and **voilà.**

> **Voici ma voiture.**   **La voici.**
> **Voilà le pompiste.**   **Le voilà.**
> **Voilà les cartes.**   **Les voilà.**

Exercice 13 La voilà!
Complétez le dialogue. Employez *voilà* et un pronom.

— Où sont les pompes?

— _____ .

— Et le pompiste?

— _____ .

— Et le mécanicien?

— _____ .

— Bon! Alors je m'arrête.

Prononciation
Les sons *oi* et *oin*

oi	oin
voici	joint
voiture	point
choisi	besoin
pourquoi	poinçonner

Contrastez.

moi	moins
loi	loin
quoi	coin
soi	soin

Pratique et dictée

Cette voiture ne va pas très loin; seulement au coin.
Pourquoi a-t-il besoin de poinçonner le billet?
Assieds-toi avec soin.

Conversation

Le tacot·

(Philippe a acheté une vieille Citroën deux-chevaux (2CV). Est-ce que son cousin Édouard l'admire? Voyons un peu!)

Édouard Alors, c'est ta voiture ça? Elle marche?

Philippe Bien sûr qu'elle marche! On se promène un peu?

Édouard Je ne sais pas. Tu as ton permis de conduire?

Philippe Le voilà! Tout nouveau!·

Édouard Tu as assez d'essence, assez d'huile, assez d'eau?

Philippe Oui! Oui! Et oui!

Édouard Pas de pneu à plat?·

Philippe Bien sûr que non!

Édouard Les clignotants fonctionnent?

Philippe Bien entendu! Mais tu es difficile, toi! Tu viens, oui ou non?

Édouard Dans ce tacot? Jamais de la vie!·

·**Le tacot** *The jalopy*   ·**tout nouveau** *brand new*   ·**pneu à plat** *flat tire*   ·**jamais de la vie!** *not on your life!*

Exercice 1 Répondez.

1. Qu'est-ce que Philippe a acheté?
2. Qui est Édouard?
3. Est-ce que la voiture de Philippe marche?
4. Est-ce qu'Édouard accepte tout de suite l'invitation de Philippe?

Exercice 2 Faites une liste.

Édouard veut savoir si _____ .

1.
2.
3.
4.

Exercice 3 Dites pourquoi.

1. Pourquoi Philippe est-il impatient?
2. Pourquoi Édouard refuse-t-il l'invitation de Philippe?

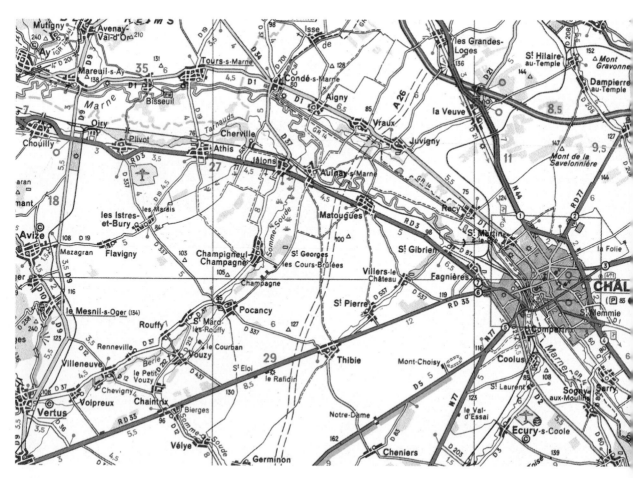

ℒecture culturelle

Les voilà partis!°

C'est un beau dimanche de juillet. La
Météo a prévu° du beau temps pour la
journée. Pour éviter° les encombrements à
la sortie de Paris la famille Beauchamp se
met en route° à huit heures.

— Tout le monde a mis la ceinture de
sécurité? Bon!

Et les voilà partis! Ils ne savent pas
exactement où ils vont. Ils savent seulement
qu'ils cherchent un joli endroit° tranquille
dans la campagne. C'est la fête° de
Christine* et elle adore les pique-niques.

La circulation est normale d'abord, mais
après neuf heures les encombrements
commencent. C'est affreux!° On roule à vingt
kilomètres à l'heure sur l'autoroute.

— Regarde la carte, Grégoire, veux-tu?
Cherche la route départementale qui mène à
Châlons-sur-Marne. Tu la vois?

— Oui, papa. Je la vois.

— Attention, Henri! Il y a un virage
dangereux! Tu ne vois pas le panneau?

— Mais si, je le vois! Ne t'énerve pas,°
chérie! Cette route-ci je la connais comme ma
poche.° Ah, voilà une station-service. On
s'arrête un instant.

— Mais le pompiste a rempli le réservoir
hier quand il a vérifié la pression des pneus.
Pourquoi t'arrêtes-tu?

— Calme-toi, chérie! Le moteur chauffe°
un peu. C'est tout.

Pendant que M. Beauchamp parle avec le
mécanicien, Grégoire promène le chien
Bijou, et Mme Beauchamp et Christine
regardent les livres et les jouets° qu'on vend
à la boutique.

* La fête de sainte Christine est le 24 juillet.

°**les voilà partis!** *they're off!* °**prévu** *forecast* °**éviter** *avoid* °**se met en route** *sets
out* °**l'endroit** *spot* °**la fête** *saint's day* °**affreux** *horrible* °**ne t'énerve pas**
don't get excited °**poche** *pocket* °**chauffe** *is overheating* °**jouets** *toys*

Heureusement le problème n'est pas grave.

— On a changé l'huile?

— Non, Grégoire. On a mis de l'eau dans le radiateur. Ça marche bien maintenant.

À dix heures vingt on arrive à un carrefour. Le feu est rouge. On s'arrête.

— Ça y est!° crie Christine. Voilà, à gauche, à cinq kilomètres! Écury-sur-Coole! J'adore le nom de ce petit village! On va pique-niquer à Écury-sur-Coole!

Exercice 1 Corrigez.

1. C'est un beau samedi de mai.
2. La Météo a prévu du mauvais temps.
3. La famille Beauchamp se met en route à dix heures.
4. Ils cherchent des encombrements.
5. Il n'est pas nécessaire de mettre la ceinture de sécurité.

Exercice 2 Complétez.

1. Les Beauchamp cherchent un _____ .
2. Ils vont célébrer _____ .
3. Christine adore les _____ .
4. Les encombrements commencent _____ .
5. On roule à _____ .
6. Grégoire cherche _____ .

Exercice 3 Répondez.

1. Pourquoi Mme Beauchamp s'énerve-t-elle?
2. Comment est-ce que M. Beauchamp rassure sa femme?
3. Où vont-ils s'arrêter?
4. Pourquoi s'arrêtent-ils?
5. À la station-service que fait M. Beauchamp?
6. Que fait Grégoire?
7. Que font Mme Beauchamp et Christine?

Exercice 4 Écrivez au moins une phrase sur chaque sujet.

1. le problème avec la voiture
2. le carrefour intéressant
3. la décision de Christine

°**Ça y est!** *That's it!*

A lesson test appears in the Test Package.

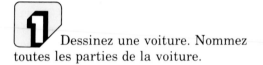ctivités

(Optional)

 Dessinez une voiture. Nommez toutes les parties de la voiture.

2 Avec un(e) camarade de classe préparez un dialogue entre un(e) automobiliste et un(e) pompiste ou un mécanicien/une mécanicienne.

Choisissez. Vous avez besoin de:

faire le plein
essence
huile
eau
air pour un pneu à plat
une carte routière
directions pour l'autoroute

3 Décrivez ce que vous voyez dans l'illustration.

galerie vivante

Cette petite voiture est une Citroën deux chevaux. C'est une voiture très populaire qui ne coûte pas très cher.

Et voici une Citroën de grand luxe. C'est une voiture élégante et elle coûte bien sûr beaucoup plus cher que la deux chevaux.

La plaque d'immatriculation est l'identification de la voiture. Quand on vend une voiture, la plaque reste avec la voiture. Les deux derniers chiffres indiquent le département où la voiture est immatriculée. Par exemple:

Soixante-quinze indique la ville de Paris. Voici les numéros des départements français. Regardez la plaque de la grande Citroën sur la photo. De quel département est-elle?

01 Ain
02 Aisne
03 Allier
04 Alpes de Haute-Provence
05 Alpes (Hautes)
06 Alpes-Maritimes
07 Ardéche
08 Ardennes
09 Ariège
10 Aube
11 Aude
12 Aveyron
13 Bouches-du-Rhône
14 Calvados
15 Cantal
16 Charente
17 Charente-Maritime
18 Cher
19 Corrèze
21 Côte-d'Or
22 Côtes-du-Nord
23 Creuse
24 Dordogne
25 Doubs
26 Drôme
27 Eure
28 Eure-et-Loir
29 Finistère
30 Gard
31 Garonne (Haute)
32 Gers
33 Gironde
34 Hérault
35 Ille-et-Vilaine
36 Indre
37 Indre-et-Loire
38 Isère
39 Jura
40 Landes
41 Loir-et-Cher
42 Loire
43 Loire (Haute)
44 Loire-Antlantique
45 Loiret
46 Lot
47 Lot-et-Garonne
48 Lozère
49 Maine-et-Loire
50 Manche
51 Marne
52 Marne (Haute)
53 Mayenne
54 Meurthe-et-Moselle
55 Meuse
56 Morbihan
57 Moselle
58 Nièvre
59 Nord
60 Oise
61 Orne
62 Pas-de-Calais
63 Puy-de-Dôme
64 Pyrénées-Atlantiques
65 Pyrénées (Hautes)
66 Pyrénées Orientales
67 Rhin (Bas)
68 Rhin (Haut)
69 Rhône
70 Saône (Haute)
71 Saône-et-Loire
72 Sarthe
73 Savoie
74 Savoie (Haute)
75 Ville de Paris
76 Seine-Maritime
77 Seine-et-Marne
78 Yvelines
79 Sèvres (Deux)
80 Somme
81 Tarn
82 Tarn-et-Garonne
83 Var
84 Vaucluse
85 Vendée
86 Vienne
87 Vienne (Haute)
88 Vosges
89 Yonne
90 Belfort (Territoire de)
91 Essonne
92 Hauts-de-Seine
93 Seine-Saint-Denis
94 Val-de-Marne
95 Val-d'Oise

Dans cette station-service près de Paris est-ce que le pompiste remplit le réservoir ou est-ce qu'il vérifie l'huile?

Sur les grandes autoroutes en France il est nécessaire de payer un péage. Voici le péage sur l'autoroute A-8 près d'Antibes. Est-ce que nous payons des péages sur nos autoroutes?

24 Une course de bateaux

Tape Activity 1

Vocabulaire

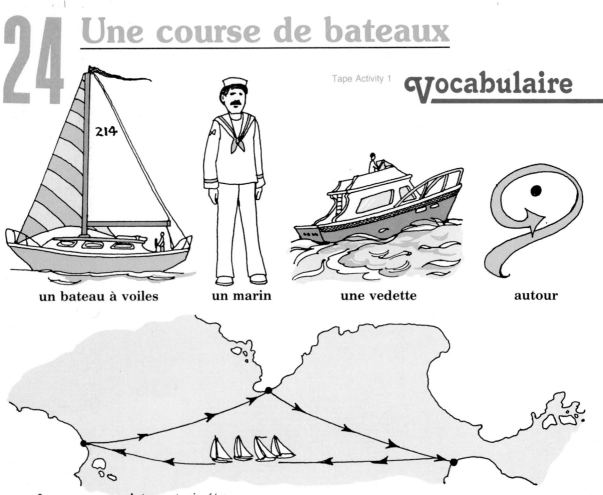

un bateau à voiles   un marin   une vedette   autour

La course **consiste** en trois **étapes.**

Exercice 1   Choisissez.

1. Il y a un moteur dans (une vedette / un bateau à voiles).
2. (Les skieurs / Les marins) savent piloter les bateaux.
3. (Le premier / Le dernier) gagne la course.
4. La course consiste en trois (bateaux / étapes).

Exercice 2   Personnellement.
Répondez.

1. Avez-vous été sur un bateau à voiles?
2. Savez-vous piloter un bateau à voiles?
3. Avez-vous été sur une vedette?
4. Est-ce que vous habitez près d'un lac ou du bord de la mer?
5. Est-ce qu'on organise des courses de bateaux près de chez vous?
6. Avez-vous vu une course de bateaux? Où ça?

 Tape Activity 2
Workbook Exercise A
Administer Quiz 1.

Note

The indefinite articles **un, une, des** are omitted after **être** before a noun that indicates profession.

> **Ces hommes sont marins.**
> **Ton oncle est professeur.**
> **Ma mère est journaliste.**

But after **c'est** or **ce sont,** the indefinite article is used.

> **Ce sont des marins.**
> **C'est un pilote.**
> **C'est une ouvrière.**

The indefinite articles are used if there is an adjective modifying the profession.

> **Cette femme est une excellente dentiste.**
> **Son père est un artiste célèbre.**

Some names of professions have masculine and feminine forms. Some have only one form but can be masculine or feminine. Some are always masculine even when they refer to a woman. Review the names of professions you already know.

Masculine and feminine forms	Both masculine and feminine	Masculine only
un ouvrier / une ouvrière	un / une élève	un pilote
un garçon / une serveuse	un / une dentiste	un marin
un marchand / une marchande	un / une journaliste	un professeur
un pâtissier / une pâtissière	un / une artiste	un mannequin
un mécanicien / une mécanicienne	un / une pompiste	
un vendeur / une vendeuse		
un employé / une employée		
un patron / une patronne		

Exercice 3 Comment sont-ils?

Choisissez un adjectif et répétez la phrase avec *C'est* ou *Ce sont.*

riche	pauvre	intelligent, -e
excellent, -e	aimable	brillant, -e
sérieux, -euse	stupide	célèbre

Elle est marchande.
C'est une marchande intelligente.

1. Elle est artiste.
2. Il est professeur.
3. Ils sont mécaniciens.
4. Elle est mannequin.

5. Elles sont journalistes.
6. Il est ouvrier.
7. Elle est serveuse.
8. Ils sont marins.

Structure

Les pronoms compléments directs et indirects
me, te, nous, vous

You have seen the pronouns **me, te, nous,** and **vous** as reflexive pronouns.

Je me lave.   **Nous nous promenons.**
Tu te réveilles.   **Vous vous arrêtez.**

The same pronouns also serve as direct and indirect object pronouns. As you know, a direct object is the receiver of the action of the verb. An indirect object is the indirect receiver of the action. The indirect object can usually be made the object of the preposition *to* or *for*, even if *to* or *for* is not stated. Look at the following sentence:

	Indirect		*Direct*
Subject	*object*	*Verb*	*object*
Mes parents	**me**	**donnent**	**de l'argent.**

My parents give me money. (My parents give money to me.)

In the following sentences, **me, te, nous,** and **vous** are used as direct and indirect object pronouns.

Direct object	Indirect object
Agnès me salue.	Luc me sert un coca.
Agnès te connaît.	Luc te donne sa guitare.
Agnès nous comprend.	Luc nous écrit des lettres.
Agnès vous admire.	Luc vous dit merci.

Me becomes **m'** and **te** becomes **t'** before a vowel.

Elle m'attend.   **Nous t'écoutons.**

Note the liaison with **nous** and **vous.**

Il nous écoute.   **Je vous admire.**

Me, te, nous, and **vous** precede the verb in the negative.

Vous me regardez.
Vous ne me regardez pas.
Ne me regardez pas!

Exercice 1   Marie est sympa!
Marie est votre amie. Répondez.

Tape Activity 3

1. Elle vous invite chez elle?
2. Elle vous aide à faire vos devoirs?
3. Elle vous sert un coca?
4. Elle vous écoute?
5. Elle vous comprend?
6. Elle vous admire?

Exercice 2 Il me regarde!

Lisez le dialogue. Ensuite, répétez le dialogue. Substituez *nous* à *me*.

— Qui est dans le bateau?
— C'est un marin. Pourquoi?
— Il me regarde.
— Pourquoi est-ce qu'il te regarde?
— Je ne sais pas pourquoi il me regarde.
— Ah, je sais! Il te regarde parce qu'il te trouve belle!

Exercice 3 Personnellement

Tape Activity 4

Répondez. Employez un pronom complément, *me* ou *nous*.

1. Est-ce que vos parents vous donnent des conseils?
2. Vos grands-parents vous donnent-ils de l'argent?
3. Vos cousins vous écrivent-ils souvent?
4. Qui vous comprend mieux, votre père ou votre mère?

(Vos camarades de classe et vous)

5. Est-ce que vos profs vous comprennent?
6. Est-ce qu'ils vous respectent?
7. Est-ce qu'ils vous écoutent?
8. Est-ce qu'ils vous donnent de mauvaises notes?

Workbook Exercise C   Administer Quiz 2.

Verbes réfléchis à l'infinitif

Review the forms of the reflexive verbs and the position of the reflexive pronoun.

> **Tu te réveilles.**
> **Tu ne te réveilles pas.**
> **Est-ce que tu te réveilles?**
> **Ne te réveille pas!**
> **Réveille-toi!**

There is another possible meaning for the reflexive construction in the plural.

> **Ils se regardent.**
> *They look at themselves.*
>
> OR
>
> *They look at each other (one another).*

The meaning is made clear by the context.

If a reflexive verb is used in the infinitive, the pronoun comes immediately before the infinitive.

> **Tu vas te réveiller.**
> **Je peux me promener.**
> **Nous voulons nous lever.**
> **Elles savent se maquiller.**
> **Il doit se dépêcher.**

355

Exercice 4 On va se lever? Tape Activities 5–6

Lisez la série. Ensuite, répétez la série avec *nous*.

Bon! Je vais me lever et je vais me laver.
Ensuite je vais me maquiller (raser).
Non, je ne veux pas me maquiller (raser) aujourd'hui. Je vais m'habiller.
Est-ce que je peux me promener avant le petit déjeuner?
Oui, je peux me promener.
Je vais m'arrêter un peu au café!

Exercice 5 Personnellement

Répondez.

1. Aimez-vous vous promener avant le petit déjeuner?
2. Mesdemoiselles, savez-vous vous maquiller?
3. Aimez-vous vous lever de bonne heure?
4. Préférez-vous vous coucher tôt ou tard?
5. Devez-vous vous dépêcher pour arriver à l'école à l'heure?

Workbook Exercise D
Administer Quiz 3.

Prononciation   Les consonnes /p/, /t/, /k/

Tape Activities 7–8

The consonants **p, t,** and **k** are similar to the same consonants in English, but not exactly like them. In English, a puff of air is emitted after these sounds, but not in French.

/p/	/t/	/k/
Paris	ta	qui
part	ton	que
pas	tu	car
papa	tes	quel
pain	toi	quand
Paul	tout	quinze
pour	tour	comme
étape	toute	lac
coupe	verte	sac
soupe	partent	grec
jupe	sortent	pic

Pratique et dictée

Papa part pour Paris sans soupe mais avec sa coupe verte.
Tu as tous tes tickets et ta trompette verte?
Qui a quinze sacs grecs?

Conversation

Je t'accompagne avec plaisir!

Arthur   Quel joli bateau à voiles! Tu connais le marin?

Anne-Marie   Mais oui, je le connais! C'est mon oncle!

Arthur   Il t'invite à bord?

Anne-Marie   S'il m'invite à bord! Je crois bien qu'il m'invite! C'est le bateau de mon père!

Arthur   Sans blague!

Anne-Marie   Mais non! Tu veux te promener un peu? Tu m'accompagnes?

Arthur   Je t'accompagne avec plaisir!

Exercice 1 Complétez.

1. Arthur admire _____ .
2. Il demande à Anne-Marie si _____ .
3. Elle répond que oui, elle _____ .
4. Elle dit que le marin est son _____ .

Exercice 2 Répondez.

1. Qui est-ce que l'oncle invite à bord?
2. Pourquoi invite-t-il Anne-Marie?
3. Qu'est-ce qu'Anne-Marie demande à Arthur?
4. Est-ce qu'Arthur veut l'accompagner?

ℒecture culturelle

Le tour du monde en solitaire°

Lundi le 9 mai 1983 c'est l'anniversaire de Philippe Jeantot, un marin breton.° Il a trente et un ans. Comment célèbre-t-il son anniversaire? Il gagne la Course autour du monde en solitaire à la voile qui a commencé huit mois avant.

Beaucoup de personnes l'attendent quand son bateau, «Crédit Agricole»,° arrive le premier à Newport (Rhode Island). Dix vedettes qui transportent les amis, les journalistes, les cameramen de la télévision vont à sa rencontre. Une vedette les précède avec une seule passagère à bord. C'est Geneviève Jeantot, la mère de Philippe. La mère et le fils se parlent mais ils ne s'entendent pas. Les bateaux-pompes° font des geysers autour de Philippe. Dans le ciel un avion traîne° une longue banderole: «Bon anniversaire».

BON ANNIVERSAIRE

°**en solitaire** *solo*   °**breton** *from Brittany* (la Bretagne)   °**«Crédit Agricole»** *the boat was named after the sponsoring bank*   °**bateaux-pompes** *fire-boats*   °**traîne** *pulls*

Le 26 août 1982, dix-sept bateaux quittent Newport pour commencer la première des quatre étapes de la course. («Crédit Agricole», long de dix-sept mètres, a été dessiné et construit spécialement pour cette course.)

Malheureusement, entre Newport et le Cap, Philippe s'aperçoit que son réservoir d'eau potable est vide°—il y a une fuite.° Il y a un peu d'eau dans un bidon,° mais pas assez pour vingt-cinq jours. Il doit se rationner.

Pendant la deuxième étape entre le Cap et Sydney il y a des vagues énormes comme un immeuble de cinq étages. L'eau entre dans le cockpit et une voile est endommagée,° mais Philippe continue.

La troisième étape entre Sydney et Rio de Janeiro est la plus difficile. Une tempête violente endommage le gouvernail.° Philippe doit plonger dans la mer. Il fait les réparations et il gagne l'étape.

Il gagne aussi la dernière étape et il devient le vainqueur. Il a établi un nouveau record du tour du monde en solitaire— quarante-quatre mille kilomètres en 159 jours, deux heures et vingt-six minutes!

° **vide** *empty*   ° **fuite** *leak*   ° **bidon** *can*   ° **endommagée** *damaged*
° **gouvernail** *rudder*

Exercice 1 Choisissez.

1. Philippe Jeantot est _____ .
   - a. pilote
   - b. mécanicien
   - c. marin

2. Il est _____ .
   - a. parisien
   - b. breton
   - c. normand

3. En 1983, il a _____ .
   - a. trente et un ans
   - b. trente-cinq ans
   - c. trente-neuf ans

4. Dans la Course autour du monde Jeantot devient _____ .
   - a. le dernier
   - b. le solitaire
   - c. le vainqueur

5. Son bateau s'appelle _____ .
   - a. «Newport»
   - b. «Geneviève»
   - c. «Crédit Agricole»

Exercice 2 Complétez.

1. Dix _____ vont à la rencontre de Jeantot.
2. Les vedettes transportent _____ .
3. La passagère qui voyage seule est _____ .
4. Philippe et sa mère se parlent, mais ils ne _____ .
5. Les _____ font des geysers autour de Philippe.
6. Un avion traîne une _____ .
7. La banderole dit _____ .

Exercice 3 Répondez.

1. Quand est-ce que la course commence?
2. Combien d'étapes y a-t-il dans la course?
3. Il y a combien de bateaux au départ de la course?
4. De quelle longueur est «Crédit Agricole»?
5. Pourquoi le réservoir d'eau est-il vide?
6. Où est-ce qu'il y a un peu d'eau?
7. Qu'est-ce qui est endommagé?

A lesson test appears in
the Test Package.

Activités

(Optional)

1 Tracez la route de «Crédit Agricole» sur un globe terrestre.

2 Composez une phrase d'après chaque illustration.

galerie vivante

Il y a beaucoup
de bateaux à voile sur
la Côte d'Azur.

Les amis traversent la
baie de Nice dans leur
bateau à moteur.

Les copains s'amusent
bien sur un bateau à voile en Corse.

Le 5 mars, 1983,
Philippe Jeantot arrive à
Rio de Janeiro. Il est le
premier dans la course autour du
monde en solitaire à arriver à Rio. À Rio
il a mangé un steak après 48 jours de mer.

Jean-Michel a faim

Bruno se réveille à six heures. Il se lève vite, il se lave et il se rase. Ensuite il réveille son petit frère.

— Lève-toi, Jean-Michel! Il est tard, dit-il. Je vais m'habiller et partir. Ne te rendors pas!

Malheureusement Jean-Michel se rendort. Quand il descend enfin, sa mère l'attend avec impatience.

— Dépêche-toi, Jean-Michel! Il est tard! Tu ne vas pas t'admirer longtemps ce matin. Tu ne vas pas t'amuser avec ton chien. Tu ne vas pas t'arrêter chez Paul. Tu dois aller vite à l'école.

Et le pauvre Jean-Michel part sans son petit déjeuner!

Exercice 1 Je me réveille...
C'est Bruno qui parle. Complétez.

Je _____ à six heures. Je _____ vite, je _____ et je _____ . Ensuite je _____ mon petit frère.

Exercice 2 Que fait Jean-Michel?
Complétez.

Il ne _____ pas tout de suite.

Il se _____ .

Enfin il _____ .

Il doit _____ , dit sa mère.

Ce matin il ne va pas _____ , il ne va pas _____ et il ne va pas _____ .

Les verbes réfléchis

The action of a reflexive verb is reflected back on the subject.

Je me lave.   *I wash (myself).*

Infinitive	**se laver**
Present tense	je me lave
	tu te laves
	il/elle se lave
	nous nous lavons
	vous vous lavez
	ils/elles se lavent

The reflexive object pronoun comes before the verb except in affirmative commands.

Il ne se lave pas.
Est-ce qu'il se lave?
Se lave-t-il?
Ne te lave pas!
Il va se laver.

In affirmative commands, the pronoun follows the verb and is attached to it by a hyphen.

Lave-toi!
Amusez-vous bien!

Exercice 3   Comment s'appelle-t-elle?

Lisez l'histoire. Ensuite, répétez l'histoire avec *ces filles-là; Francine et Noëlle.*

Comment s'appelle <u>cette fille-là</u>? Elle s'appelle Francine. Francine va à la plage du camping. Elle se demande si elle va s'ennuyer. Mais elle ne s'ennuie pas. Elle ne se trouve jamais seule. Elle se promène avec des amis, elle nage et elle bronze. Elle s'amuse bien!

Les pronoms compléments *le, la, les*

The direct object pronouns **le** (*him, it*), **la** (*her, it*), and **les** (*them*) precede the verb. Before a vowel, **le** and **la** become **l'**. Remember the liaison with **les**.

Je vois le pompiste.	**Je le vois.**
Il regarde l'auto.	**Il la regarde.**
Nous lisons les panneaux.	**Nous les lisons.**
Vous aimez la Renault.	**Vous l'aimez.**
Tu admires les statues.	**Tu les admires.**

365

Exercice 4 En panne

Lisez l'histoire et répondez aux questions. Employez un pronom.

La voiture de Jean-Marc est en panne. Il va à la station-service et il cherche le mécanicien. Il voit les pompistes. Il voit les autres clients. Mais il ne voit pas le mécanicien. Ah! Le voilà. Il est derrière un tacot.

1. Qui cherche le mécanicien?
2. Voit-il les pompistes?
3. Voit-il les autres clients?
4. Voit-il le mécanicien?
5. Où est-ce qu'il trouve le mécanicien?

Exercice 5 Où se trouve...?
Complétez la conversation.

— Pardon, où se trouve la cabine téléphonique?
— Vous voyez la porte d'entrée?
— Oui, je _____ vois.
— Et vous voyez la caisse là-bas?
— Non, je ne _____ vois pas. Ah, si! _____ voilà.
— Et vous voyez le rayon des chaussures à gauche de la caisse?
— Oui, je _____ vois.
— Bon. La cabine téléphonique n'est pas loin. Vous allez _____ trouver derrière le rayon des chaussures.

Les pronoms compléments *me, te, nous, vous*

Me, te, nous, and **vous,** whch you have seen as reflexive object pronouns, also serve as direct and indirect object pronouns.

Direct object	Indirect object
Marc me regarde.	Marc me donne un coca.
Il te salue.	Il te vend sa moto.
Elle nous aime.	Elle nous achète des bonbons.
Je vous admire.	Je vous écris une longue carte.

Remember that **me** and **te** become **m'** and **t'** before a vowel.
    Elle m'écrit.   **Il t'aime.**

Don't forget the liaison with **nous** and **vous** before a vowel.

Exercice 6 Qui t'écrit?
Complétez.

Madeleine Voilà une lettre pour toi, Claudette. Qui _____ écrit?
Claudette C'est mon ami Georges qui _____ écrit.
Madeleine Qu'est-ce qu'il _____ dit?
Claudette Il _____ invite à l'accompagner à la fête.
Madeleine Il _____ invite à la fête? Je ne le comprends pas. Il a déjà invité Suzanne!

Exercice 7 Personnellement
Répondez. Employez le pronom *me.*

1. Est-ce que vos parents vous donnent de l'argent?
2. Est-ce que vos amis vous téléphonent souvent?
3. Est-ce qu'ils vous invitent à toutes les fêtes?
4. Quel prof vous comprend bien?

Employez le pronom *nous.*

5. Est-ce qu'on vous donne beaucoup de devoirs à faire?
6. Est-ce que vos profs vous aident?
7. Est-ce que l'école secondaire vous prépare pour la vie? Pour l'université?

Verbes avec changements d'orthographe

Verbs like **manger** and **commencer** add an **e** or a cedilla to the **nous** form in order to maintain the soft **g** and **c** sound of the other forms.

mangeons   **commençons**

Appeler and **jeter** double the consonant in the **je, tu, il/elle,** and **ils/elles** forms.

Infinitive	appeler	jeter
Present tense	j'appelle	je jette
	tu appelles	tu jettes
	il/elle appelle	il/elle jette
	nous appelons	nous jetons
	vous appelez	vous jetez
	ils/elles appellent	ils/elles jettent

Mener and **acheter** take a grave accent in all forms except the **nous** and **vous** forms.

Infinitive	mener	acheter
Present tense	je mène	j'achète
	tu mènes	tu achètes
	il/elle mène	il/elle achète
	nous menons	nous achetons
	vous menez	vous achetez
	ils/elles mènent	ils/elles achètent

A complete cross-referenced Self-Test is provided in the Workbook.

Two unit tests, one oral and one written, appear in the Test Package.

Exercice 8   Où mène ce chemin?

Lisez le dialogue. Ensuite, répétez le dialogue. Changez les mots soulignés au pluriel. Faites tous les changements nécessaires.

— Où mène ce chemin?
— Ce chemin? Il mène au lac.
— Tu te promènes là-bas?
— Oui, je commence mes vacances aujourd'hui. Je me promène toujours près du lac.
— Tu nages dans ce lac?
— Ah oui, je nage dans ce lac tous les jours. C'est chouette!
— Tu apportes des sandwiches avec toi?
— Oui, je mange un sandwich et je jette du pain aux poissons.

D'autres verbes irréguliers: *s'asseoir, connaître, conduire*

Review the forms of **s'asseoir, connaître, conduire.**

Infinitive	s'asseoir	connaître	conduire
Present tense	je m'assieds	je connais	je conduis
	tu t'assieds	tu connais	tu conduis
	il/elle s'assied	il/elle connaît	il/elle conduit
	nous nous asseyons	nous connaissons	nous conduisons
	vous vous asseyez	vous connaissez	vous conduisez
	ils/elles s'asseyent	ils/elles connaissent	ils/elles conduisent

Exercice 9   Lisette s'assied...
Complétez avec la forme convenable du verbe donné.

A. s'asseoir

Lisette _____ toujours à côté de Robert, et Robert _____ derrière Paul. Nous _____ à gauche de la fenêtre. Et vous, où est-ce que vous _____ ?

B. conduire

Ton père _____ bien, n'est-ce pas? Et ta mère, _____ -elle aussi bien que ton père? Est-ce que tes grands-parents _____ en ville? Ma sœur et moi, nous _____ seulement pendant le week-end. Quelle joie!

C. Choisissez *savoir* ou *connaître*.

Tu _____ mon cousin, n'est-ce pas? Il _____ jouer au tennis, mais il ne _____ pas jouer au foot. Tu _____ , n'est-ce pas, qu'au Canada on joue très bien au hockey sur glace. Mon cousin _____ tous les joueurs célèbres.

ℚecture culturelle

supplémentaire
Le canal du Midi

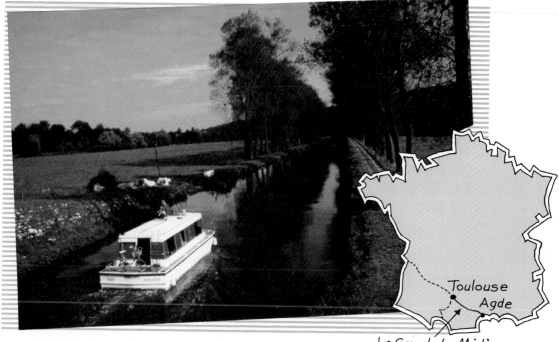

Le Canal du Midi

Beaucoup de personnes ne savent pas que la France a tout un système de canaux pour la navigation. Le canal du Midi, long de 240 kilomètres, relie˙ l'océan Atlantique et la mer Méditerranée. Il va de Toulouse jusqu'à Agde. On a commencé la construction du canal en 1666. Entre 10 000 à 12 000 ouvriers ont travaillé pendant quatorze ans sur le canal.

Aujourd'hui il y a peu de trafic commercial. Mais un voyage touristique en péniche˙ est très agréable!

Exercice Répondez.

1. Qu'est-ce que le canal du Midi relie?
2. Quelles villes est-ce que le canal relie?
3. Quand a commencé la construction du canal?
4. Quand est-ce qu'on a fini le canal?
5. Combien d'ouvriers ont travaillé sur le canal?
6. Est-ce qu'on peut faire un voyage sur le canal?

˙**relie** *links*   ˙**péniche** *barge*

ℒecture culturelle

supplémentaire
Les grandes vacances

FERMETURE
ANNUELLE
à Bientôt

Incroyable mais vrai! Au mois d'août il y a très peu de Parisiens à Paris! On a l'impression que tous les Français sont en vacances en même temps! On voit partout des écriteaux° qui disent «Fermeture° annuelle». Cela veut dire que la boutique, le magasin, l'usine sont fermés pour les vacances.

Mais où est-ce que les Français passent leurs vacances? Quelques-uns partent à l'étranger, mais la majorité restent en France. Ils vont au bord de la mer ou à la campagne.° Plus de 20 pour cent font du camping. Beaucoup sont invités chez des parents° ou des amis.

Exercice Corrigez.

1. Le mois préféré des vacances est septembre.
2. En août tous les Parisiens restent à Paris.
3. Si le magasin est fermé pour les vacances, on voit un écriteau qui dit «Fermé le dimanche».
4. Pour leurs vacances, la majorité des Français vont à l'étranger.
5. Très peu de Français font du camping.

°écriteaux *signs*   °**Fermeture** *Closing*   °**campagne** *country*   °**parents** *(here) relatives*

370

ℚecture culturelle

supplémentaire
Des cafés célèbres

Le Café de la Paix est probablement le café le plus fameux de Paris. Il est situé sur le boulevard des Capucines au coin de la place de l'Opéra. Presque tous les touristes qui visitent Paris s'asseyent à la terrasse de ce café. On rencontre ici des représentants de toutes les provinces françaises et de toutes les nations du monde. C'est un vrai rendez-vous international!

Sur la Rive gauche de la Seine, tout près de l'Église Saint-Germain-des-Prés, se trouvent des cafés célèbres dans la littérature. Assis à la terrasse de ces cafés, des écrivains français et étrangers ont trouvé l'inspiration. Les cafés les plus célèbres sont le café des Deux Magots et le café de Flore.

Quand on pense au café de Flore, on pense à Jean-Paul Sartre, philosophe et écrivain français, né à Paris en 1905. C'est au café de Flore que Sartre a passé beaucoup de temps et a élaboré la doctrine philosophique de l'existentialisme. Il a écrit des romans, des drames et des essais sur cette philosophie.

Exercice Répondez.

1. Quel est le café le plus fameux de Paris?
2. Où est-il situé?
3. Qui est-ce qu'on rencontre au Café de la Paix?
4. Où sont situés le café des Deux Magots et le café de Flore?
5. Pourquoi sont-ils célèbres?
6. Quel philosophe a passé beaucoup de temps au café de Flore?
7. Pour quelle doctrine de philosophie est-il fameux?

25 À la poste

Vocabulaire

l'enveloppe (f)

le timbre

le destinataire

Mlle Sylvie Martin
14, rue de Vaugirard
91370 Verrières

le code postal

le nom
l'expéditeur (m)

Claudine Dupont
39, av. de Vignon
75009 Paris

l'adresse (f)

le facteur

le courrier

la postière

la boîte
aux lettres

TIMBRES   TÉLÉGRAMMES

le colis

la carte postale

Le facteur **distribue** le courrier.

Tape Activity 2

Louiselle va **envoyer** une lettre.
La postière lui vend un timbre à deux
  francs.
La boîte aux lettres est **en face du** guichet
  marqué «télégrammes».

Exercice 1   Dans chaque groupe, choisissez le mot qui ne va pas avec les autres.

1. adresse   guichet   nom   code postal
2. timbre   postière   expéditeur   destinataire
3. courrier   lettre   ville   carte postale
4. franc   facteur   postière   poste
5. envoyer   distribuer   précéder   expédier
6. colis   paquet   enveloppe   expéditeur

Exercice 2 Complétez.

1. La fille va envoyer une _____ .
2. La postière lui vend un _____ .
3. Le guichet marqué «télégrammes» est en face de _____ .
4. Le nom et l'adresse de l'expéditeur sont sur _____ .
5. Le facteur distribue _____ .

Exercice 3 Personnellement
Répondez.

1. Préférez-vous envoyer des lettres ou des cartes postales?
2. À qui écrivez-vous?
3. Combien de postiers/postières est-ce qu'il y a dans la poste de votre ville?
4. Est-ce qu'il y a une boîte aux lettres près de chez vous?
5. Quel est le code postal de votre ville?
6. Quel est le prix d'un timbre pour une lettre par courrier ordinaire? Pour une lettre par avion? Pour une carte postale?
7. Quel est le jour de la semaine où le facteur ne distribue pas de courrier?

Tape Activity 3   Workbook Exercises A–B
                        Administer Quiz 1.

Note

Les adjectifs en *-el, -elle*

You have learned that some adjectives ending in **-n** in the masculine singular, have a double **n** in the feminine form.

> **Il est canadien.**
> **Elle est canadienne.**

Some adjectives ending in **-el** in the masculine, have a double **l** in the feminine form.

> **Ce cadeau est personnel.**
> **Cette lettre est personnelle.**

Both forms are pronounced the same.

Other adjectives like **personnel** are listed below.

artificiel	**éternel**
continuel	**naturel**
cruel	**traditionnel**

Exercice 4 Personnellement
Répondez.

1. Préférez-vous l'architecture moderne ou traditionnelle?
2. Sur quelles montagnes est-ce que les neiges sont éternelles?
3. Préférez-vous les fleurs (*flowers*) artificielles ou naturelles?
4. Est-ce que les dictateurs sont toujours cruels?
5. Où mettez-vous vos objets personnels?

Structure

Les pronoms compléments indirects: *lui, leur*

Lui (*him, her*) and **leur** (*them*) are indirect object pronouns and function like **me, te, nous,** and **vous** when used as indirect object pronouns. They are placed before the verb in the present tense in both the affirmative and the negative. They are also placed before the verb in the negative imperative.

Je donne la lettre **au facteur**.	Je **lui** donne la lettre.
Je ne donne pas le colis **au facteur**.	Je ne **lui** donne pas le colis.
La postière donne des timbres **aux clients**.	La postière **leur** donne des timbres.
La postière ne donne pas d'enveloppes **aux clients**.	La postière ne **leur** donne pas d'enveloppes.
Ne répondez pas **à Jean**.	Ne **lui** répondez pas.
Ne dites pas «tu» **à vos profs**.	Ne **leur** dites pas «tu».

Exercice 1   Paul veut écrire une lettre.   Tape Activity 4
Suivez le modèle.

Je donne une enveloppe **à Simone**.
Je lui donne une enveloppe.

1. Je donne un timbre **à Paul**.
2. Marcelle donne une enveloppe **à Paul**.
3. Geneviève donne du papier **à Paul**.
4. Gilbert donne un stylo **à Paul**.
5. Véronique donne un dictionnaire **à Paul**.
6. Laurent dit la date **à Paul**.
7. Pauline donne **à Paul** l'adresse du destinataire.
8. Simon dit **à Paul** de ne pas oublier le code postal.
   Maintenant Paul peut écrire la lettre!

Exercice 2   Une postière   Tape Activities 5–6
Lisez le paragraphe et répondez aux questions.

Mme Frangel est postière. À la poste elle vend des timbres aux clients. Elle leur montre des timbres commémoratifs. Elle leur dit le prix des timbres. Elle leur dit le prix d'une lettre par avion et par poste ordinaire. Elle leur vend aussi des cartes postales.

1. Qu'est-ce que Mme Frangel vend aux clients?
2. Qu'est-ce qu'elle leur montre?
3. Qu'est-ce qu'elle leur dit?
4. Est-ce qu'elle leur vend des cartes postales?

Exercice 3 À la poste

Tape Activities 7–8

Lisez le paragraphe et répondez aux questions.

Barbara dit bonjour à la postière. Elle lui demande trois timbres à un franc vingt. La postière lui donne les trois timbres. Barbara lui donne un billet de cinq francs. La postière lui rend un franc quarante. Barbara lui dit merci.

1. À qui est-ce que Barbara dit bonjour?
2. Qu'est-ce qu'elle lui demande?
3. Qu'est-ce que la postière lui donne?
4. Qu'est-ce que Barbara lui donne?
5. Qu'est-ce que la postière lui rend?
6. Qu'est-ce que Barbara lui dit?

Exercice 4 Elle ne demande pas ça.

**Répétez le paragraphe de
l'exercice 2 au négatif.**

Exercice 5 Personnellement

Répondez avec *lui* ou *leur*.

1. Quand écrivez-vous à vos grands-parents?
2. Qu'est-ce que vous donnez à votre mère pour la Fête des Mères?
3. Qu'est-ce que vous donnez à votre père pour son anniversaire?
4. Quand écrivez-vous à vos cousins?
5. Quand téléphonez-vous à vos amis?
6. Répondez-vous correctement à votre prof de français?
7. Montrez-vous vos lettres personnelles à vos amis?
8. Demandez-vous de l'argent à votre ami (amie)?

Tape Activity 9

Exercice 6 Ne lui demandez pas...   Tape Activity 10

Suivez le modèle.

Ne donne pas le colis **au facteur.**
Ne lui donne pas le colis.

1. Ne demandez pas le courrier **au facteur.**
2. Ne parlez pas **au facteur** pendant qu'il travaille.
3. Ne donnez pas cette lettre **au facteur.**
4. Ne lisez pas cette lettre **aux Bretonnes.**
5. Ne montrez pas ces cartes postales **aux Bretonnes.**
6. N'envoyez pas ces photos **aux Bretonnes.**

Le verbe *envoyer*

The oral forms of the verb **envoyer** (*to send*) are regular. The written forms have regular **-er** verb endings, but the **y** becomes **i** in the **je, tu, il/elle,** and **ils/elles** forms.

Infinitive	envoyer
Present tense	j'envoie
	tu envoies
	il/elle envoie
	nous envoyons
	vous envoyez
	ils/elles envoient

The past participle is regular.

As-tu envoyé la lettre à Georges?

Like **envoyer** are:

appuyer	*to lean on, to push*	**nettoyer**	*to clean*
essuyer	*to wipe*	**essayer**	*to try, to try on*
employer	*to use*	**payer**	*to pay for, to pay*

Verbs ending in **-ayer,** such as **essayer** and **payer,** may keep the **y** throughout. Both forms are correct.

Elle $\left\{ \begin{array}{l} \textbf{essaie} \\ \textbf{essaye} \end{array} \right\}$ la robe.

Je $\left\{ \begin{array}{l} \textbf{paie} \\ \textbf{paye} \end{array} \right\}$ les trois timbres.

Exercice 7   Nous envoyons une lettre...
Suivez le modèle.

Nous envoyons une carte postale.
J'envoie une carte postale.

1. Nous envoyons une lettre à notre amie bretonne, et elle nous invite chez elle.
2. Nous appuyons sur le bouton et elle arrive.
3. Nous nous essuyons les pieds et nous entrons.
4. Nous essayons des robes et nous les payons.
5. Nous envoyons nos amies chez la Bretonne.

Les pronoms relatifs *qui* et *que*

You have seen that the relative pronoun **qui** (*who, which, that*) may refer to people or things. It joins two short sentences into a longer one. It is always the subject of the clause it introduces.

> **Je vois la postière. La postière travaille ici.**
> **Je vois la postière qui travaille ici.**

> **Voilà une rue. La rue mène à la poste.**
> **Voilà la rue qui mène à la poste.**

The relative pronoun **que** (*whom, that, which*) may also refer to people or things. It, too, is used to join two short sentences into a longer one, but **que** is the *direct object* of the clause it introduces.

> **La femme est bretonne. Nous admirons la femme.**
> **La femme que nous admirons est bretonne.**   *The woman (whom) we admire is Breton.*

> **Le colis est grand. Vous envoyez le colis.**
> **Le colis que vous envoyez est grand.**   *The package (that) you are sending is large.*

Note that *whom* or *that* may sometimes be omitted in English but **que** is *never* omitted in French.

Exercice 8   Le village que nous visitons...
Faites une seule phrase de chaque paire. Employez *que*.

1. Le village est breton. Nous visitons le village.
2. Nous buvons le cidre. La Bretonne nous sert le cidre.
3. Voilà les sandwiches. Vous voulez les sandwiches.
4. La Bretonne porte une robe traditionnelle. Nous aimons beaucoup cette robe.
5. Les traditions sont vieilles. Nous admirons ces traditions.

Tape Activity 11
Workbook Exercise H
Administer Quiz 3.

Prononciation

La lettre *l*

Initial sound	Between vowels	After a consonant	Final sound
le	voilà	plaît	il
la	village	bleu	ils
les	police	classe	ville
long	couleur	claire	table
longue	aller	blond	double

Pratique et dictée

Voilà le village où Paul a laissé les enveloppes.
Ils lisent la longue lettre de l'agent de police de la ville.
Claire, la blonde aux cheveux longs, a mis le pull bleu sur la table.

Conversation

Vingt-deux cartes postales!

Christophe	Tu as vu le facteur?
Françoise	Pas encore. Ah, le voilà justement!
Christophe	Comment! Pas de courrier pour moi? C'est bizarre!
Françoise	Pour toi, mon petit frère? De qui donc?
Christophe	De mon amie algérienne.
Françoise	Mais tu ne lui écris pas!
Christophe	De mes cousins de Bretagne ou de Suisse, alors.
Françoise	Tu ne leur envoies jamais de lettre.
Christophe	Patience! Patience! Tu vas voir le courrier que je vais recevoir. J'ai écrit vingt-deux cartes postales ce week-end!

Exercice 1 Corrigez.

1. Christophe est le mari de Françoise.
2. Les jeunes gens attendent le postier.
3. Il y a beaucoup de lettres pour Christophe.
4. Christophe n'est pas surpris.

Exercice 2 Répondez.

1. Christophe attend des lettres de qui?
2. D'après Françoise pourquoi ne reçoit-il pas de lettres d'Algérie?
3. Où habitent les cousins de Christophe?
4. Est-ce qu'il leur envoie beaucoup de lettres?
5. Pourquoi Christophe est-il sûr de recevoir beaucoup de courrier?

ℚecture culturelle

Deux touristes en Bretagne

Louiselle, une jeune Canadienne, passe le mois d'août chez Claudine, sa cousine parisienne. Les jeunes filles ont décidé de visiter la Bretagne, région que Louiselle ne connaît pas. Les voici maintenant à Sainte-Anne-d'Auray où elles vont assister à un pardon, une fête bretonne traditionnelle.

Louiselle Tu sais, Claudine, que j'ai écrit des cartes postales hier soir. Je dois acheter des timbres.

Claudine Tu peux acheter des timbres au bureau de tabac mais si tu veux bien, allons à la poste parce que je dois téléphoner à mes parents pour leur dire que nous rentrons samedi soir.

Louiselle D'accord. Mais dépêchons-nous! La procession religieuse commence de l'église° à deux heures, n'est-ce pas?

Un pardon

Auray

°**église** *church*

Claudine Ne t'inquiète pas!* La poste n'est pas loin. Combien de timbres vas-tu acheter?

Louiselle Voyons! J'ai deux lettres par avion et huit cartes postales par poste ordinaire.

Claudine À qui as-tu écrit?

Louiselle À mes parents, bien entendu. Et à mes grands-parents. Je leur ai raconté notre visite à la jolie plage de La Baule. J'ai écrit aussi à mon prof d'histoire. Je lui envoie une carte postale de Carnac.* Il s'intéresse beaucoup aux monuments préhistoriques qu'on trouve en Bretagne. Les autres cartes postales sont pour mes amis. Et tes parents, tu ne leur écris pas quand tu voyages?

La Baule

Carnac

Claudine Mais si, je leur écris! Je leur téléphone aussi. Voilà la poste! Tu vois: Postes et télécommunications?

Louiselle Bon! Alors, tu téléphones à tes parents pendant que j'achète des timbres.

Claudine D'accord, mais dépêchons-nous! J'entends déjà les accordéons et les binious!*

Un biniou

* **ne t'inquiète pas!** *don't worry!*
monuments of huge rocks (dolmens)

* **Carnac** *region of Brittany containing over 3,000 prehistoric*
* **accordéons, binious** *instruments traditionnels bretons*

A final lesson test appears in the Test Package.

Exercice 1 Complétez.

Louiselle, la _____ de Claudine, est _____ . Elle passe un _____ chez Claudine. Louiselle ne connaît pas _____ . Les filles vont assister à _____ .

Exercice 2 Répondez.

1. Qu'est-ce que Louiselle a écrit?
2. Que doit-elle acheter?
3. Où peut-on acheter des timbres?
4. Pourquoi est-ce que les filles doivent se dépêcher?
5. Qui s'inquiète?
6. Combien de timbres est-ce que Louiselle va acheter?
7. À qui a-t-elle écrit?
8. Qui téléphone à ses parents? Qu'est-ce qu'elle leur dit?
9. Pendant que Claudine leur téléphone, que fait Louiselle?

Exercice 3 Identifiez.

1. La Baule
2. Carnac
3. les binious et les accordéons

Activités

Tape Activities: *Deuxième Partie*
Workbook Exercises: *Un peu plus*

(Optional)

Chère Maman,
Nous voilà enfin à La Baule! Quelle magnifique plage! Le sable est fin et jaune. Demain on va visiter Carnac.
Je t'embrasse,
Claudine

Mme Jeanne Dupont
39, av. de Vignon
75009 Paris

1 Lisez la carte postale.

Maintenant, écrivez une carte postale à un ami ou une amie:

Mon cher _____ ,
Ma chère _____ ,

- Dites que vous êtes à Carnac.
- Dites que les monuments préhistoriques sont magnifiques.
- Dites que demain vous allez assister à un pardon.

- Pour finir, choisissez:

    Bien amicalement à toi,
    Bien à toi,
    Amitiés,
    Je t'embrasse (affectueusement),
    Bien affectueusement,

- Signez votre nom.
- Écrivez le nom et l'adresse du destinataire. (N'oubliez pas le code postal.)

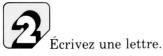

2 Écrivez une lettre.

- Écrivez le nom de la ville et la date.
- Commencez avec

> **Cher ami (Chère amie),**
> *ou* **Mon cher** _____ ,
> **Ma chère** _____ ,

- Écrivez deux ou trois phrases sur vos activités pendant le week-end (pendant les vacances).
- Terminez la lettre. (Choisissez une des formules de l'activité 1.)

3 Une discussion

- Collectionnez-vous les timbres?
- Connaissez-vous une personne qui les collectionne?
- Avez-vous vu un album de timbres?
- Appréciez-vous les timbres commémoratifs?

4 Décrivez ce que vous voyez dans l'illustration.

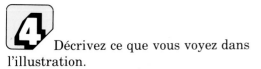

galerie vivante

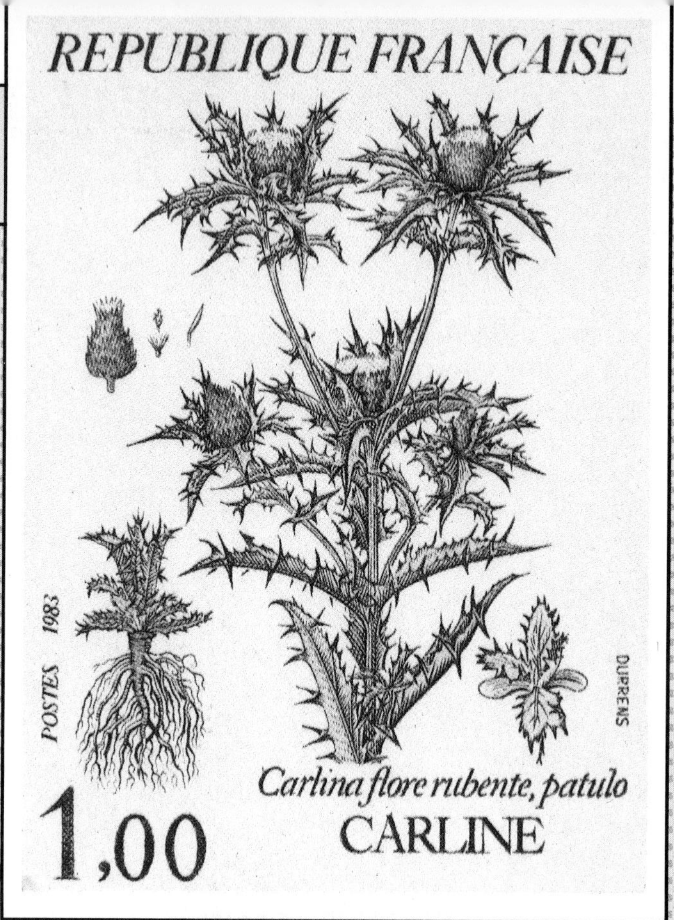

Qu'est-ce que vous préférez envoyer à vos amis? Vous leur envoyez des cartes postales, des lettres, ou des aérogrammes?

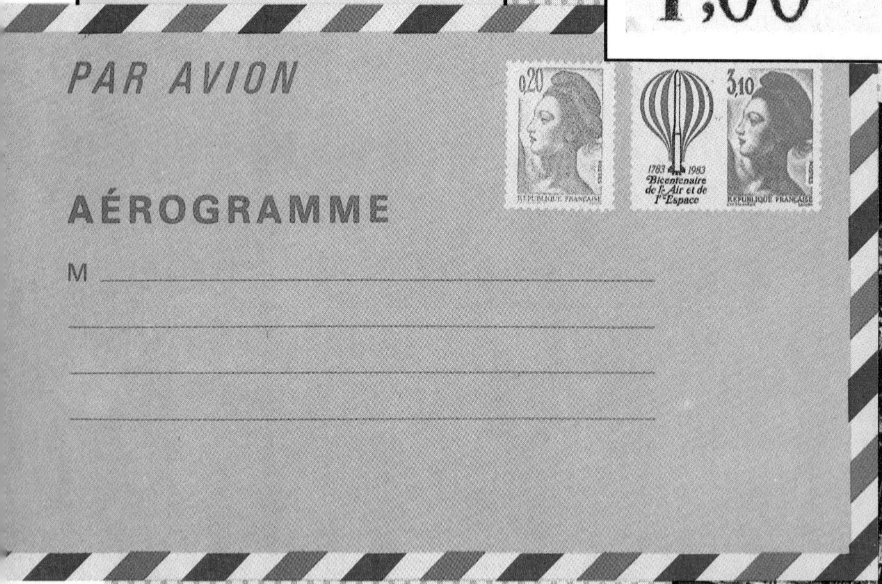

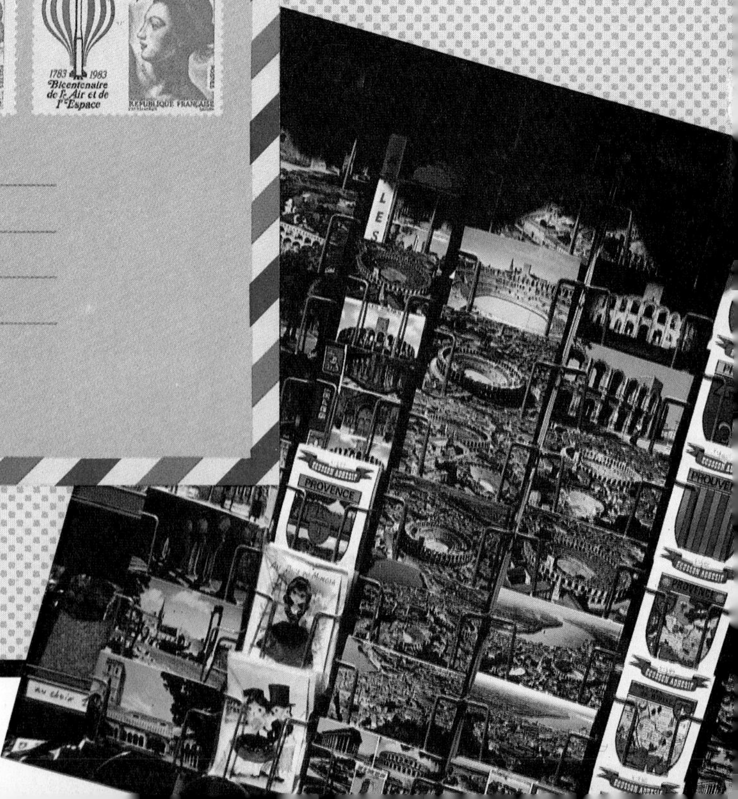

REPUBLIQUE FRANÇAISE

POSTES 1983

DURRENS

Carlina flore rubente, patulo
CARLINE

1,00

PAR AVION

0,20
1783 ★ 1983
Bicentenaire
de l'Air et de
l'Espace
3,10

AÉROGRAMME

M

La joile plage de la Baule en Bretagne: remarquez les immeubles modernes où les gens en vacances peuvent habiter.

La Bretagne est une région de contrastes. Ici des femmes qui portent des coiffes bretonnes font de la dentelle. La dentelle bretonne est exquise.

Verbs

Regular Verbs

	parler	**finir**	**vendre**
	to speak	*to finish*	*to sell*
Imperative	parle	finis	vends
	parlons	finissons	vendons
	parlez	finissez	vendez
Present	je parle	je finis	je vends
	tu parles	tu finis	tu vends
	il parle	il finit	il vend
	nous parlons	nous finissons	nous vendons
	vous parlez	vous finissez	vous vendez
	ils parlent	ils finissent	ils vendent
Passé Composé	j'ai parlé	j'ai fini	j'ai vendu
	tu as parlé	tu as fini	tu as vendu
	il a parlé	il a fini	il a vendu
	nous avons parlé	nous avons fini	nous avons vendu
	vous avez parlé	vous avez fini	vous avez vendu
	ils ont parlé	ils ont fini	ils ont vendu

Verbs with Spelling Changes

acheter[1]	**appeler**	**commencer**
to buy	*to call*	*to begin*
j'achète	j'appelle	je commence
tu achètes	tu appelles	tu commences
il achète	il appelle	il commence
nous achetons	nous appelons	nous commençons
vous achetez	vous appelez	vous commencez
ils achètent	ils appellent	ils commencent

envoyer[2]	**jeter**	**manger**
to send	*to throw*	*to eat*
j'envoie	je jette	je mange
tu envoies	tu jettes	tu manges
il envoie	il jette	il mange
nous envoyons	nous jetons	nous mangeons
vous envoyez	vous jetez	vous mangez
ils envoient	ils jettent	ils mangent

préférer[3]
to prefer
je préfère
tu préfères
il préfère
nous préférons
vous préférez
ils préfèrent

[1] *Se lever, mener,* and *se promener* are conjugated similarly.
[2] *Appuyer, employer, essayer, essuyer, nettoyer,* and *payer* are conjugated similarly.
[3] *Célébrer, espérer,* and *suggérer* are conjugated similarly.

Irregular Verbs

aller   *to go*
Present   je vais, tu vas, il va, nous allons, vous allez, ils vont

s'asseoir   *to sit down*
Present   je m'assieds, tu t'assieds, il s'assied, nous nous asseyons, vous vous asseyez, ils s'asseyent

avoir   *to have*
Present   j'ai, tu as, il a, nous avons, vous avez, ils ont
Passé Composé   j'ai eu

boire   *to drink*
Present   je bois, tu bois, il boit, nous buvons, vous buvez, ils boivent
Passé Composé   j'ai bu

conduire   *to drive*
Present   je conduis, tu conduis, il conduit, nous conduisons, vous conduisez, ils conduisent
Passé composé   j'ai conduit

connaître   *to know*
Present   je connais, tu connais, il connaît, nous connaissons, vous connaissez, ils connaissent
Passé Composé   j'ai connu

courir   *to run*
Present   je cours, tu cours, il court, nous courons, vous courez, ils courent
Passé composé   j'ai couru

croire   *to believe*
Present   je crois, tu crois, il croit, nous croyons, vous croyez, ils croient
Passé Composé   j'ai cru

devoir   *to have to, to owe*
Present   je dois, tu dois, il doit, nous devons, vous devez, ils doivent
Passé Composé   j'ai dû

dire   *to say*
Present   je dis, tu dis, il dit, nous disons, vous dites, ils disent
Passé Composé   j'ai dit

dormir   *to sleep*
Present   je dors, tu dors, il dort, nous dormons, vous dormez, ils dorment
Passé Composé   j'ai dormi

écrire[4]   *to write*
Present   j'écris, tu écris, il écrit, nous écrivons, vous écrivez, ils écrivent
Passé Composé   j'ai écrit

être   *to be*
Present   je suis, tu es, il est, nous sommes, vous êtes, ils sont
Passé composé   j'ai été

faire   *to do, to make*
Present   je fais, tu fais, il fait, nous faisons, vous faites, ils font
Passé Composé   j'ai fait

[4] *Décrire* is conjugated similarly.

lire *to read*

Present je lis, tu lis, il lit, nous lisons, vous lisez, ils lisent

Passé Composé j'ai lu

mettre[5] *to put*

Present je mets, tu mets, il met, nous mettons, vous mettez, ils mettent

Passé Composé j'ai mis

partir *to leave*

Present je pars, tu pars, il part, nous partons, vous partez, ils partent

pouvoir *to be able*

Present je peux, tu peux, il peut, nous pouvons, vous pouvez, ils peuvent

Passé composé j'ai pu

prendre[6] *to take*

Present je prends, tu prends, il prend, nous prenons, vous prenez, ils prennent

Passé Composé j'ai pris

recevoir *to receive*

Present je reçois, tu reçois, il reçoit, nous recevons, vous recevez, ils reçoivent

Passé Composé j'ai reçu

savoir *to know*

Present je sais, tu sais, il sait, nous savons, vous savez, ils savent

Passé Composé j'ai su

servir *to serve*

Present je sers, tu sers, il sert, nous servons, vous servez, ils servent

Passé Composé j'ai servi

sortir *to go out*

Present je sors, tu sors, il sort, nous sortons, vous sortez, ils sortent

venir[7] *to come*

Present je viens, tu viens, il vient, nous venons, vous venez, ils viennent

voir *to see*

Present je vois, tu vois, il voit, nous voyons, vous voyez, ils voient

Passé Composé j'ai vu

vouloir *to want*

Present je veux, tu veux, il veut, nous voulons, vous voulez, ils veulent

Passé Composé j'ai voulu

---

[5] *Permettre* and *promettre* are conjugated similarly.
[6] *Comprendre* and *apprendre* are conjugated similarly.
[7] *Revenir* is conjugated similarly.

French-English Vocabulary

The French-English vocabulary contains all the words and expressions that appear in this text. Words and expressions that were presented in the *Vocabulaire* or *Expressions utiles* sections are followed by the number of the lesson in which they were presented. Words and expressions presented in the preliminary lessons are followed by the letter of the preliminary lesson. Words and expressions that are not followed by a number or a letter appear in readings, optional readings, or activities where they were glossed, or are obvious cognates.

A

à in, to *C*; at, on *G*
à bord on board
à bientot see you soon *C*
à cause de because of
à destination de bound for
à droite to the right *14*
à gauche to the left *14*
à la française in the French style
à la mode in style, in fashion *16*
à l'arrière in (to) the back
à l'avance in advance
à l'avant to (in) the front
à pied on foot *6*
à point medium (steak) *6*
à table at the (dinner) table
à tout à l'heure see you in a while *C*
abandonner to abandon
l'accent (*m*) accent
accentué, -e stressed, accented
le pronom accentué (*m*) stress pronoun
accepté, -e accepted
accepter to accept
l'accessoire (*m*) accessory *16*
l'accident (*m*) accident
accidenté, -e damaged
accompagner to accompany
l'accord (*m*) agreement
l'accordéon (*m*) accordion
l'achat (*m*) purchase

acheter to buy *8*
l'activité (*f*) activity *A*
les actualités (*f*) TV news
l'addition (*f*) check (restaurant) *6*
additionner to add up
l'adjectif (*m*) adjective
admirer to admire
admis, -e admitted
adorable adorable
adorer to adore, to love *5*
l'adresse (*f*) address *25*
aérien, -ne aerial *9*
la ligne aérienne (*f*) airline *9*
aérobic aerobic
l'aéroport (*m*) airport *9*
affectueusement affectionately
affreux, -se terrible
africain, -e African
Afrique Africa
l'âge (*m*) age *7*
âgé, -e old
plus âgé older
l'agent de police (*m*) police officer *23*
agité, -e excited
agréable nice, pleasant
aider to help *9*
aigu, -ë acute
aimable pleasant, kind
aimer to like, to love *5*
l'album (*m*) album
l'album de timbres (*m*) stamp album
algérien, -ne Algerian
à l'heure on time
l'Allemagne (*f*) Germany
aller to go *6*
tout va bien all is well
ça va I'm fine
ça va? how are you? *B*
l'aller (*m*) one-way ticket *11*

aller et retour (*m*) round-trip ticket *11*
allô hello (on telephone) *17*
alors then, so *3*
l'alphabet (*m*) alphabet
alsacien, -ne of or from Alsace
l'amateur (*m*) amateur *20*
l'ambiance (*f*) atmosphere
américain, -e American *1*
l'ami, -e boy friend, girl friend *2*
petit(e) ami(e) (*m, f*) boyfriend, girlfriend
amicalement in a friendly way
amitiés regards
l'amphithéâtre (*m*) amphitheater
l'an (*m*) year *7*
le Jour de l'An New Year's Day
ancien, -ne ancient
anglais (*m*) English
faire de l'anglais to study English *8*
l'animal, animaux (*m*) animal *20*
animé, -e animated
l'année (*f*) year
l'anniversaire (*m*) birthday *5*
l'annonce (*f*) announcement
annoncer to announce *17*
annuel, -le annual
l'anorak (*m*) ski jacket *10*
s'apercevoir to be aware (of)
l'apéritif (*m*) drink (before a meal) *22*
l'appareil-photo (*m*) camera

l'appartement (*m*)
apartment *7*
appeler to call *21*
s'appeler to be called or
named *21*
je m'appelle... my
name is . . . *21*
l'appétit (*m*) appetite
apporter to bring
apprendre to learn *12*
apprendre à to learn
how *12*
appuyer to press (a
button) *25*
après after *G*
après-demain the day
after tomorrow
l'après-midi (*m*) afternoon
G
de l'après-midi in the
afternoon *G*
l'architecture (*f*)
architecture
les arènes (*f*) ancient Roman
amphitheater
l'argent (*m*) money *8*
l'argent fou (*m*) a lot of
money
s'arrêter to stop *23*
arrière behind
à l'arrière to (in) the
back
arrivée (*f*) arrival
arriver to arrive *5*
l'arrondissement (*m*)
section of Paris
l'art (*m*) art
l'artère (*f*) main road
l'article (*m*) article
l'article défini definite
article
l'article indéfini
indefinite article
artificiel, -le artificial
l'artiste (*m, f*) artist
l'ascenseur (*m*) elevator
13
l'ascension (*f*) ascension
s'asseoir to sit down *22*
assez enough *4*
l'assiette plate *18*
l'assiette creuse soup
plate *18*
assis, -e seated *22*
assister (à) to attend *16*
l'atelier (*m*) studio *7*
Atlantique Atlantic

attendre to wait for *10*
attention! careful!
faire attention (à) to
watch out for *8*
attentivement
attentively
atterrir to land *9*
attirer to attract
au (à + le) *6*
au contraire on the
contrary *3*
au moins at least
au revoir good-bye *C*
audacieux, -euse bold
aujourd'hui today *F*
aussi also *2*
aussi... que as . . . as
13
l'auto (*f*) automobile
l'autobus (*m*) bus
automatique automatic
automatisé, -e
automated
l'autoroute (*f*) highway
23
autour de around *24*
autre other
l'auvent (*m*) canopy
aux (à + les) *6*
avance advance
à l'avance in advance
avant before
à l'avant to the (in)
front
avec with *6*
l'aviateur (*m*) aviator
l'aviation (*f*) aviation
l'avion (*m*) airplane *9*
par avion by airplane
l'avocat, -e (*m, f*) lawyer
avoir to have *7*
avoir besoin de to
need *13*
avoir chaud to be
warm *13*
avoir envie de to want
to, to feel like *13*
avoir faim to be
hungry *13*
avoir froid to be cold
13
avoir mal à... to have a
sore . . . *19*
avoir raison to be right
13
avoir soif to be thirsty *13*
avoir tort to be wrong *13*

B

les bagages (*m*) baggage *9*
la baguette loaf of French
bread *8*
le bain bath *12*
le bain de soleil
sunbathing *12*
le bain de mer
swimming in the ocean
12
balnéaire of, pertaining
to bathing *12*
la station balnéaire
seaside resort *12*
le bandeau headband *19*
la banderole banner
la banlieue suburb *18*
la banque bank
le banquier, la banquière
banker
les bas collants (*m*)
pantyhose *16*
le base-ball baseball
le bateau boat *24*
le bateau à voiles
sailboat *24*
le bateau-pompe fire
boat
le bâton ski pole *10*
battre to beat
battre des mains to
clap hands
bavarder to chat *22*
beau, bel, belle, beaux
handsome, pretty *13*
Il fait beau to be nice
(weather) *5*
beaucoup a lot, many,
much *5*
la Belgique Belgium
besoin need
avoir besoin de to
need *13*
le beurre butter *18*
le bicentenaire bicentennial
la bicyclette (*f*) bicycle *20*
le bidon (*m*) can
bien very *8;* well *B*
eh bien well, so *14*
bien affectueusement
very affectionately
bien cuit well-done
(steak) *6*
bien sûr of course
bien sûr que non of
course not

bientôt soon

à bientôt see you soon

C

bienvenue welcome

la bière beer

le bikini bikini

le billet ticket *9*

le billet aller et retour
(*m*) round-trip ticket
11

le biniou Breton bagpipes

la biologie biology

le bistro bistro, café

bizarre bizarre, strange

blague joke

sans blague no kidding
4

blanc, blanche white *14*

blesser to wound

bleu, -e blue *14*

bleu clair light blue

bleu foncé dark blue

blond, -e blond *1*

le blouson waist-length
jacket *16*

le blue-jean blue jeans *16*

boire to drink *20*

le bois woods, forest

la boîte box; can (foods) *8*

la boîte aux lettres
mailbox *25*

le bol bowl *18*

bon, -ne good *13*

bon marché
inexpensive *14*

bon voyage! have a
good trip! *9*

de bonne heure early

bonjour hello

bonsoir good evening

le bord side *12*

à bord on board

au bord de la mer at
the seashore *12*

bordé, -e bordered

la botte boot

la botte de cowboy
cowboy boot

la botte de moto
motorcycle boot

la botte de ski ski boot
10

la bouche mouth *19*

le boucher, la bouchère
butcher *8*

la boucherie butcher shop
8

la boucle d'oreille
earring *16*

le boulanger, la boulangère
baker *8*

la boulangerie bakery *8*

la boule ball *10*

la boule de neige
snowball *10*

les boules (*f*) French lawn
bowling game

jouer aux boules to
bowl

le boulevard boulevard

la boum party

le bout end

la bouteille bottle

la boutique shop *16*

le bouton button

la boxe boxing

faire de la boxe to box

le bras arm *19*

bravo! well done! *20*

le Brésil Brazil

la Bretagne Brittany

breton, -ne of or from
Brittany

le bridge bridge (cards)

brillant, -e sparkling

briller to shine *5*

la brioche type of bun

la brique brick

bronzé, -e tanned

se bronzer to get a tan

se brosser to brush *21*

le bruit noise

brun, -e dark-haired *1;*
brown *14*

le bureau de tabac
tobacconist's shop *22*

C

ça that *2*

ça fait combien? how
much does that cost?

ça ne fait rien that's
okay *16*

ça va I'm fine

ça va? how are you? *B*

où ça? where's that?

le cadeau gift

le café coffee

le café au lait coffee
with milk

le café filtre strong,
filtered coffee

le café café, bistro *22*

la caisse cash register *15*

le caissier, la caissière
cashier *15*

calculer to add up

le, la camarade friend, chum

**le, la camarade de
classe** classmate

le cameraman camera
operator

la campagne countryside

le camping camping

faire du camping to go
camping *21*

le terrain de camping
campground *21*

le Canada Canada

canadien, -ne Canadian
9

le canal canal

la cantine cafeteria

le capot hood of a car *23*

la caravane camper *21*

le carnet booklet (of tickets)
13

la carotte carrot

la carotte rouge
tobacconist's sign in
France

le carrefour intersection *23*

la carte map *23*

la carte routière road
map *23*

la carte card *9*

**la carte
d'embarquement**
boarding pass *9*

la carte postale
postcard *25*

le cas case, instance

dans ce cas in that
case

le casse-cou daredevil

la cassette cassette *17*

le catalogue catalog

ce, cet, cette, ces this,
that, these, those *11*

ce... -ci this *11*

ce... -là that *11*

ce soir tonight

la ceinture belt *16*

**la ceinture de
sécurité** seat belt *23*

célèbre famous

célébrer to celebrate *14*

celtique Celtic

le centre-ville central
section of a city *18*

la cérémonie ceremony
certain, -e certain
c'est it is, that is *D*
c'est ça that's right *2*
c'est chouette that's neat *2*
c'est dommage that's too bad *5*
c'est l'essentiel that's the important thing *2*
chacun each one
chacun à son goût to each his own
la chaîne channel (television)
le chalet chalet, mountain cabin
la chambre room, bedroom
la chambre à coucher bedroom
le champagne champagne
le champion, la championne champion *20*
le championnat championship
la chance luck
bonne chance! good luck!
le chandail sweater *14*
changer (de) to change
la chanson song *5*
chanter to sing *5*
le chanteur, la chanteuse singer
chaque each
charmant, -e charming, cute
le charmeur de serpents snake charmer
le chat cat *7*
le château castle
chaud, -e warm *13*
avoir chaud to be warm *13*
il fait chaud it is warm (weather)
chauffer to overheat (car)
la chaussette sock *14*
la chaussure shoe *14*
le chemin path *21*
la chemise shirt *14*
le chemisier blouse *14*
cher, chère expensive; dear *8*
moins cher less expensive

chéri, -e dear, darling
chercher to look for *23*
le cheval, les chevaux horse *20*
les cheveux (*m*) hair *19*
chez at the house of *8*
chic stylish *16*
le chocolat chocolate
le chocolat chaud hot cocoa
choisir to choose *9*
le choix choice
chouette neat, cool *2*
c'est chouette that's neat *2*
vachement chouette really neat
le cidre sparkling cider
le ciel sky *5*
le cinéma movie theater
circonflexe circumflex (accent)
la circulation traffic *23*
les ciseaux (*m*) scissors
la citronnade lemon soda *22*
le citron pressé lemonade *22*
clair, -e clear, light
bleu clair light blue
la classe class *4*
deuxième classe second class *11*
classique classic
la clé key
le client, la cleinte client *16*
le clignotant directional signal *23*
le coca cola
le code postal zip code *25*
le cœur heart *19*
le coffre trunk (of a car) *23*
le coin corner
le colis package *25*
le collant tights, leotard *19*
la collection collection
collectionner to collect
le collège junior high school
le collier necklace *16*
combien (de) how many, how much *7*
à combien? what is the price of

ça fait combien? how much is that (altogether)?
combien sont? how much are they?
comble full
comique funny
commander to ask for, to order *6*
comme like, as
comme ci comme ça so-so *6*
commémoratif, -ve commemorative
commémorer to commemorate
le commencement beginning
commencer to begin *21*
comment how *3*
le compagnon companion
la comparaison comparison
le compartiment compartment (in a train) *11*
complet, -ète complete
complètement completely
compléter to complete
comprendre to understand *12*
compris, -e included
le comptoir counter *9*
le concert concert
la condition condition
le conducteur, la conductrice driver *23*
conduire to drive *23*
le permis de conduire driver's license
confortable comfortable
connaître to know, to be acquainted with *23*
connu, -e known
les conserves (*f*) en boîtes canned foods *8*
considérer to consider
consister en to consist of *24*
la console de projection movie projector
la consommation drink (in a café) *22*
la construction construction
construit, -e built
contenir to contain

content, -e happy, pleased, content *2*
continuel, -le continual
continuer to continue
le contraire contrary
    au contraire on the contrary *3*
contre against
le contrôle de sécurité security checkpoint *9*
contrôler to control *23*
le contrôleur, la contrôleuse conductor on a train *11*
convenable suitable
la conversation conversation
converser to converse
le copain friend, chum *3*
la copine friend, chum *3*
la correspondance connection
    la station de correspondance connecting station (train)
corriger to correct
le costume men's suit; costume *16*
la côte coast
le cou neck
se coucher to go to bed *21*
la couchette sleeping compartment on a train *11*
la couleur color *14*
la coupe cup (trophy) *20*
couper to cut *18*
courant, -e current, present
    au courant de up to date with
le coureur, la coureuse runner, racer
    le coureur cycliste bicycle racer *20*
courir to run *19*
le courrier mail *25*
    courrier ordinaire surface mail
la course race *20*
    faire des courses to go shopping
    faire les courses to do the daily food shopping *8*
court, -e short *16*

le cousin, la cousine cousin
le couteau knife *18*
coûter to cost
la couture fashion *16*
    la haute couture high fashion *16*
le couturier fashion designer *16*
le couvert place setting *18*
couvert, -e covered
le cow-boy cowboy
la cravate tie *14*
la crème cream *18*
la crémerie dairy shop *8*
le crémier, la crémière dairy merchant *8*
crier to shout
croire to believe *16*
    je crois bien I do believe
le croissant type of pastry
le croque-monsieur grilled ham and cheese sandwich
cruel, -le cruel
la cuiller spoon *18*
la cuisine cooking, kitchen *18*
culturel, -le cultural
curieux, -euse curious
le cyclisme bicycling

D

d'abord to begin with
d'accord all right *2*
    d'ac OK *2*
la dame lady
    les dames checkers
dangereux, -euse dangerous *23*
dans in *1*
    dans ce cas in that case
danser to dance *5*
d'après according to
la date date *F*
    quelle est la date? what is the date? *F*
dater de to date from
de of *2*; from *4*
    de bonne heure early
    de nouveau again
    de plus more *4*
débarrasser to clear (the table) *18*
le débutant, la débutante beginner *10*

décorer to decorate
décrire to describe
défini, -e definite
    l'article défini (*m*) definite article
le degré degree *10*
déjà already *18*
le défilé parade
    défilé de mannequins fashion show *16*
le déjeuner lunch
    le petit déjeuner breakfast
délicieux, -euse delicious *14*
demain tomorrow
    après-demain day after tomorrow
demander to ask; to ask for *6*
demi, -e half *G*
démodé, -e out of style *16*
le démon demon
la dent tooth *19*
le, la dentiste dentist
le départ departure
le département department
se dépêcher to hurry
dépenser to spend
des (de + les) *7*
descendre to descend, to go down *10*
la descente descent
la description description
désirer to want *5*
le dessert dessert
le dessin drawing
dessiné, -e sketched
le destinataire addressee *25*
la destination destination
le détail detail
détester to detest *5*
deuxième second *7*
    deuxième classe second class *11*
    le deuxième étage third floor *7*
deuxièmement secondly
devant in front of *15*
deviner to guess
devoir to have to, should, ought, to owe *20*
les devoirs (*m*) homework *18*

le **diabolo menthe** lemon
soda with peppermint
syrup *22*
le **dialogue** dialogue
le **diamant** diamond
le **dictateur** dictator
la **dictée** dictation
dicter to dictate
le **dictionnaire** dictionary
différent, -e different
difficile difficult *4*
dîner to dine *6*
le **dîner** dinner *11*
dire to say *18*
dis donc look here! *2*
direct, -e direct
la **direction** direction
la **discussion** discussion
discuter to discuss *22*
le **disque** record album *5*
distribuer to distribute
25
la **doctrine** doctrine
le **doigt** finger *19*
dommage; c'est dommage
that's too bad *5*
donc therefore
dis donc look here! *2*
donner to give *5*
dormir to sleep *11*
d'où? from where
la **douche** shower *21*
le **doute** doubt
le **drame** drama, play
droit, -e right *14*
du (de + le) of the, from
the

E

l'**eau** (*f*) water *8*
eau minérale mineral
water *8*
les **échecs** (*m*) chess
l'**école** (*f*) school *1*
économique economical
économiser to save
(money)
écouter to listen to *5*
écrire to write *18*
l'**écriteau** (*m*) notice, sign
l'**écrivain** (*m*) writer
l'**écureuil** (*m*) squirrel
l'**édifice** (*m*) building
l'**effort** (*m*) effort
faire des efforts to try

l'**église** (*f*) church
élaborer to elaborate
électronique electronic
élégant, -e elegant
l'**élève** (*m, f*) student *1*
elle (*subj. pronoun*) she
1; (*stress pronoun*) her
12
elles (*subj. pronoun*) they
3; (*stress pronoun*) them
12
embarquement (*m*)
boarding
carte (*f*)
d'embarquement
boarding pass *9*
embrasser to kiss
l'**émission** (*f*) broadcast
l'**émotion** (*f*) emotion
l'**employé, -e** (*m, f*)
employee *9*
employer to use *25*
en in, by *4*
en avion by plane *11*
en face de opposite *25*
en panne broken down
en présence de in the
presence of
en solde on sale *14*
en solitaire solo
en vacances on
vacation
en ville into town *6*
en voiture! all aboard!
l'**encombrement**
(*m*) traffic jam *23*
encore still, yet
pas encore not yet
encourager to encourage
endommagé, -e damaged
s'**endormir** to fall asleep *21*
l'**endroit** (*m*) place, spot
s'**énerver** to get excited
l'**enfant** (*m, f*) child *7*
s'**ennuyer** to be bored
énorme enormous
enregistrer to register
faire enregistrer to
check (baggage) *9*
ensuite afterward, then
entendre to hear *10*
enthousiaste fan,
enthusiast *3*
entier, entière entire
entre between
l'**entrée** (*f*) entrance *13*
entrer to enter

les **Envahisseurs** (*m*) de
l'**espace** Space Invaders
l'**enveloppe** (*f*) envelope
25
l'**envie** (*f*) desire
avoir envie de to want
13
envoyer to send
25
l'**époque** (*f*) era
l'**équipe** (*f*) team *20*
l'**équipement** (*m*)
equipment
l'**escalier** (*m*) staircase
l'**escalier mécanique**
(*m*) escalator *13*
espagnol, -e Spanish
espérer to hope *14*
l'**esquimau** (*m*) ice cream
sandwich *22*
l'**essai** (*m*) essay
essayer to try *25*
l'**essence** (*f*) gasoline *23*
essentiel; c'est
l'**essentiel** that's the
important thing *2*
essuyer to wipe *25*
l'**est** (*m*) East *E*
est-ce is it *E*
est-ce que (qu') (indicates
a question) *2*
et and *B*
et toi? and you? *B*
établir to establish
l'**étage** (*m*) story, floor (of a
building) *7*
l'**étape** (*f*) stage, leg (of a
race) *24*
l'**état** (*m*) state
les **Etats-Unis** (*m*)
United States
l'**été** (*m*) summer *5*
éternel, -le eternal
étrange strange, foreign
l'**étranger** (*m*); à
l'**étranger** abroad
être to be *2*
l'**étudiant, -e** (*m, f*) college
student
européen, -ne European
eux them *12*
l'**événement** (*m*) event
évidemment evidently
éviter to avoid
exact, -e exact
excellent, -e excellent
l'**excursion** (*f*) excursion

l'exemple (*m*) example
   par exemple for example
l'exercice (*m*) exercise
l'existentialisme (*m*) existentialism
l'expéditeur, expéditrice (*m, f*) sender *25*
l'expérience (*f*) experience
l'expert (*m*) expert
   expliquer to explain
l'exposition (*f*) exhibit
l'express (*m*) strong French coffee
l'expression (*f*) expression
   exquis, -e exquisite
l'extérieur (*m*) exterior
   à l'extérieur outside
   extra super

F

le fabricant manufacturer
la fabrication manufacture
   fabriquer to manufacture
   face; en face de opposite *25*
   facile easy *4*
le facteur, la factrice mail carrier *25*
   faible weak *3*
la faim hunger *13*
   avoir faim to be hungry *13*
   faire to do, to make *8*
   faire attention to pay attention *8*
   faire de la boxe to box
   faire de la guitare to play the guitar *8*
   faire de la gymnastique to do gymnastics *19*
   faire de l'anglais to study English *8*
   faire de la photographie to go in for photography *8*
   faire de la planche à voile to windsurf *12*
   faire de la plongée sous-marine to scuba dive, to go snorkeling *12*
   faire des efforts to try
   faire du français to study French *8*

faire (*continued*)
   faire du jogging to jog *19*
   faire du pédalo to go pedal boating
   faire du piano to play the piano *8*
   faire du ski to go skiing *10*
   faire du ski nautique to water-ski *12*
   faire du sport to go in for sports *8*
   faire du volley to play volleyball
   faire enregistrer to check (baggage) *9*
   faire la queue to stand in line *15*
   faire des courses to go shopping *8*
   faire un voyage to take a trip *8*
   il fait... (used with weather expressions) *5*
   ne t'en fais pas! don't worry about it *13*
   falloir to be necessary
   il faut... it is necessary to . . .
la famille family *7*
le, la fana fan
le, la fanatique fanatic
   fantastique fantastic *2*
le fantôme phantom
   fasciné, -e fascinated
   fatigué, -e tired
   fauché, -e flat broke
le fauteuil armchair
   faux, fausse false
   faveur; en faveur de in favor of
   favori, -ite favorite
les félicitations (*f*) congratulations
   féliciter to congratulate
   féminin, -e feminine
la femme woman *18*
   fermé, -e closed
la fermeture closing
le fermier, la fermière farmer
la fête party; saint's day *5*
   fêter to celebrate
le feu rouge red light *23*

le feuilleton soap opera
   fichu, -e ruined, "shot"
   fidèle faithful
la figure face *19*
la fille daughter *7;* girl *1*
le film movie
le fils son *7*
   fini, -e finished
   finir to finish *9*
le flipper video game machine *17*
la fois time
   folklorique ethnic
   foncé, -e dark (color)
   bleu foncé dark blue
   fonctionner to work (machinery) *23*
le fond bottom
le football soccer
   le football américain football
la forêt forest
la forme shape
   en forme in shape *19*
   former to form
   formidable terrific, great *5*
   fort, -e strong *3*
la foule crowd *20*
la fourchette fork *18*
la fraise strawberry *8*
le franc unit of French currency
le français French *4*
   faire du français to study French *8*
   Français, -e French person
   français, -e French *1*
   fréquenter to frequent
le frère brother *3*
   froid, -e cold *10*
   avoir froid to be cold *13*
   il fait froid the weather is cold *10*
le fromage cheese *15*
le front forehead *19*
la frontière border
le fruit fruit *8*
la fuite leak

G

le gagnant winner *20*
   gagner to win *20*
le gala gala, ball

le gant glove
le garage garage
le garçon boy *D;* waiter
 6
la gare train station *11*
le gâteau cake, pastry *18*
 gauche left *14*
  à gauche to the left
  14
le général, les généraux
 general *20*
généralement generally
généreux, -euse generous
 14
les gens (*m*) people
 géographie (*f*) geography
 géographique geographic
le geyser (*m*) geyser
la glace ice
  le hockey sur glace ice
  hockey
  le patin à glace ice
  skate
 glisser to slide
le golf golf
  le golf miniature
  miniature golf
la gorge throat *19*
le gourmet gourmet
le gouvernail rudder
le gouvernement
 government
 grand, -e tall, big, wide
 1
  le grand magasin
  department store *14*
la grand-mère grandmother
le grand-père grandfather
les grands-parents (*m*)
 grandparents
 grave serious
 grec, grecque Greek
la grenadine pomegranate
 syrup with water *22*
la griffe designer label *16*
 gris, -e gray
 grossir to gain weight
 18
le guichet ticket window
 10
le guide guide (person)
le guide guidebook
  le guide téléphonique
  telephone book
la guitare guitar *8*
  faire de la guitare to
  play the guitar *8*

le, la guitariste guitarist
le gymnase gymnasium
la gymnastique gymnastics
 faire de la
  gymnastique to do
 gymnastics *19*

H

 habiller to dress
 21
 s'habiller to get dressed
 21
 habiter to live *5*
 haché, -e chopped
  viande hachée (*f*)
  ground meat
le hamburger hamburger
le haricot bean *8*
  les haricots verts
  green beans *8*
la haute couture high
 fashion *16*
 hélas! alas!
le héros hero
 hésiter to hesitate
l'heure (*f*) hour *G*
  à l'heure per hour
  à quelle heure? at
  what time? *G*
  à tout à l'heure see
  you in a while *C*
  quelle heure est-il?
  what time is it? *G*
 heureusement
 fortunately
 heureux, -euse happy
 14
 hier yesterday *17*
l'histoire (*f*) history; story
 historique historic
l'hiver (*m*) winter *10*
le hockey field hockey
  le hockey sur
   glace ice hockey
le homard lobster
l'homme (*m*) man *24*
l'honneur (*m*) honor
  en l'honneur de in
  honor of
l'horaire (*m*) timetable
 11
l'hôtesse (*f*) hostess
 hou! boo! *20*
 hourrah! hooray! *20*
l'huile (*f*) oil *23*
 huit eight *E*

l'huître (*f*) oyster
 hygiénique sanitary
 papier hygiénique
  toilet paper *8*

I

 ici here
l'idée (*f*) idea
 il (*subj. pronoun*) he, it
 1
  il est... heures it is . . .
  o'clock *G*
  il fait it is (with
  weather expressions)
  5
l'île (*f*) island *5*
l'illustration (*f*)
 illustration
 ils (*subj. pronoun*) they *3*
 il y a there is, there are
 7
 imiter to imitate
 immédiat, -e immediate
l'immeuble (*m*) apartment
 house *7*
l'impatience (*f*) impatience
 impatient, -e impatient
l'impératif (*m*) command
 form of a verb
l'imperméable (*m*)
 raincoat *16*
 important, -e important
l'impression (*f*) impression
 impressionnant, -e
 impressive
 incroyable! unbelievable!
 4
  incroyable mais vrai
  unbelievable but true!
  4
 indéfini, -e indefinite
  l'article indéfini
  indefinite article
l'indicateur (*m*) arrivals/
 departures board *9*
 indiquer to indicate *23*
 Indochine Indochina
 industrialisé, -e
 industrialized
l'industrie (*f*) industry
l'infinitif (*m*) infinitive
l'influence (*f*) influence
 inspiré, -e inspired
 installation sanitaire
  washing facilities
l'instant (*m*) moment

la **main** hand *19*
maintenant now
mais but *4*
mais non no! *3*
mais si yes! *4*
la **maison** house
la **majorité** majority
le **mal** pain *19*
avoir mal à to have a
sore . . . *19*
mal badly *B*
pas mal not bad
malheureusement
unfortunately
la **Manche** English Channel
manger to eat *21*
le **mannequin** fashion
model *16*
**le défilé de
mannequins**
fashion show *16*
le **manteau** coat *16*
le **marchand, la marchande**
merchant *8*
**marchand(e) de
légumes** greengrocer
le **marché** market *8*
bon marché
inexpensive *14*
marché aux puces
flea market
marcher to walk
le **mari** husband *18*
le **marin** sailor *24*
marquer to score *25*
martiniquais, -e of or
from Martinique
masculin, -e masculine
le **match** game (sports)
match nul tied game
20
les **mathématiques** (*f*)
mathematics
les **maths** (*f*) math
le **matin** (*m*) morning *G*
du matin A.M., in the
morning *G*
mauvais bad
me (*object pronoun*) me
24
le **mécanicien, la
mécanicienne**
mechanic *23*
mécanique mechanical
escalier mécanique
escalator *13*
méchant, -e naughty

meilleur, -e better *13*
meilleur(e) que better
than *13*
le **meilleur, la meilleure**
the best
mélancolique sad
même same
mener to lead *21*
mentionner to mention
le **menu** menu *6*
la **mer** sea *5*
le bain de mer a swim
in the ocean *12*
au bord de la mer at
the seashore *12*
merci thank you *D*
la **mère** mother *7*
merveilleux, -euse
marvelous *5*
mes (*pl*) my *9*
les **messieurs** (*m pl*)
gentlemen
la **météo** weather forecast
le **mètre** meter
le **métro** subway *13*
ligne de métro subway
line *13*
mettre to put, to place
18
mettre la table to set
the table *18*
se mettre en route to
set out (on a trip)
les **meubles** (*m pl*) furniture
mexicain, -e Mexican
le **Mexique** Mexico
midi noon *G*
le **Midi** the south of France
minéral, -e, -aux mineral
8
l'eau minérale (*f*)
mineral water *8*
minuit midnight *G*
le **miroir** mirror *21*
la **mode** style
à la mode in style
16
le **modèle** model
moderne modern
se moderniser to
modernize
moi me *12*
moi aussi me too
moins (with time) . . .
minutes to . . . *G*
moins less, minus *10*
au moins at least

moins (*continued*)
**il fait moins deux
degrés** it is two
degrees below zero *10*
**le moins, la moins, les
moins** the least *14*
moins que less than
13
le **moment** moment
en ce moment at this
time
mon, ma, mes my *9*
le **monde** world
tout le monde
everyone *2*
le **moniteur, la
monitrice** ski
instructor *10*
le **Monopoly** Monopoly
monsieur (*m*) Mr. *A*
le **mont** (*m*) mount,
mountain *10*
la **montagne** mountain *10*
monter to climb, to go up
10
monter une tente to
pitch a tent *21*
la **montre** watch
montrer to show *9*
le **monument** monument
mort, -e dead
il/elle est mort(e)
he/she died
le **moteur** motor *23*
la **moto** motorcycle
les bottes (*f*) de moto
motorcycle boots
la **motocyclette**
motorcycle
mourir to die
le **moustique** mosquito
moyen, -ne middle,
average
muet, -te silent
municipal, -e, -aux
municipal *20*
murmurer to murmer
le **musée** museum
la **musique** music
mystérieux, -euse
mysterious

N

nager to swim *12*
la **nappe** tablecloth *18*
la **natation** swimming

la **nation** nation
naturel, -le natural
naturellement naturally
nautique nautical *12*
  ski nautique water
    skiing *12*
naviguer to navigate
ne (n') not *2*
  ne... jamais never *16*
  ne... pas not *2*
  ne... rien nothing *16*
  ne t'en fais pas! don't
    worry about it! *13*
  ne t'inquiète pas!
    don't worry about it!
la **nécessité** necessity
la **négation** negative
négligé, -e neglected
la **neige** snow *10*
  la boule de neige
    snowball *10*
  neiger to snow *10*
  nerveux, -euse nervous
    14
  n'est-ce pas isn't that so?
    2
le **nez** nose *19*
le **Noël** Christmas
noir, -e black *14*
le **nom** name *25*
le **nombre** number *E*
nombreux, -euse
  numerous
nommer to name
non no *2*
  non plus no more, no
    longer
le **nord** north
normand, -e of or from
  Normandy
nos our *9*
la **note** grade
notre, nos our *9*
la **nourriture** food
nous (*subject*) we *4*
  (*object*) us *24*
nouveau, nouvel,
  nouvelle new *13*
  de nouveau again
la **nouvelle** news *17*
la **Nouvelle Ecosse** Nova
  Scotia
la **nuit** night
  nuit et jour night and
    day
le **numéro** number
  11

O

l'**objet** (*m*) object
l'**océan** (*m*) ocean
obligatoire mandatory
l'**œil,** (*m*)**, les yeux** eye
  19
l'**œuf** (*m*) egg
oh là là dear me *2*
l'**oignon** (*m*) onion
l'**omelette** (*f*) omelette
on (*indefinite*
  pronoun) they, people,
  we, you, one *9*
l'**oncle** (*m*) uncle
l'**opinion** (*m*) opinion
  le sondage d'opinion
    public opinion poll
orange orange (color)
  14
l'**orange** (*f*) orange (fruit)
  18
l'**orangeade** (*f*) orange
  soda *22*
ordinaire ordinary
  le courrier ordinaire
    surface mail
  d'ordinaire usually
l'**ordinateur** (*m*) computer
  9
l'**oreille** (*f*) ear *19*
organisé, -e organized
original, -e, -aux
  original *20*
l'**origine** (*f*) origin
  d'origine originally
ou or
où where
  où ça? where's that?
oublier to forget
l'**ouest** (*m*) west *23*
  de l'ouest of or from
    the west
oui yes *B*
ouvert, -e open
l'**ouvrier, -ère** (*m, f*)
  worker

P

le **pain** bread *8*
la **paire** pair
la **panne** breakdown
  en panne out of order
le **panneau** road sign *23*
le **pantalon** pants *14*
la **papeterie** stationery
  store

le **papier** paper
  le papier hygiénique
    toilet paper *8*
le **paquet** package
  par by *9*
  par contre on the
    contrary
  par exemple for
    example
  par terre on the
    ground
le **parachute** parachute
le **paragraphe** paragraph
le **parapluie** umbrella *16*
le **parc** park *10*
  parce que because *14*
le **pardon** religious
  procession in Brittany
  pardon! excuse me!
le **pare-brise** windshield
  23
le **parent** parent
  les parents (*m*)
    relatives
parfait, -e perfect
le **parfum** perfume
parisien, -ne of or from
  Paris
parler to speak *5*
parmi among
partager to share
participer to participate
le **partitif** partitive
  partir to leave *11*
  partir à to leave for (a
    place) *11*
  partir de to leave
    (from) (a place) *11*
  partir pour to leave
    for (a place) *11*
partout everywhere
pas not
  pas de problème! no
    problem!
  pas du tout not at all
    3
  pas encore not yet
  pas mal not bad *B*
  pas question
    definitely
le **passager, la**
  passagère passenger
  9
le **passeport** passport *9*
passer to spend *9*
passionner to excite
le **patin à glace** ice skate

patiner to ice skate *10*
la patinoire skating rink *10*
la pâtisserie pastry shop; pastry *8*
le pâtissier, la pâtissière pastry chef *8*
le patron, la patronne owner, proprietor *22*
pauvre poor
   pauvre de moi! poor me!
payer to pay *15*
le pays country *20*
le paysage countryside
le pêcheur fisherman
le pédalo pedal boat
   faire du pédalo to go pedal boating
pendant during *5*
la péniche canal barge
perdre to lose *10*
le père father *7*
perfectionner to improve
la perle pearl
le permis license
   permis de conduire driver's license
le Pérou Peru
la personnalité personality
la personne person
   personnel, -le personal
petit, -e small *1*
le petit dejeuner breakfast
un peu little
   un peu plus a little more
le phare headlight *23*
le, la philosophe philosopher
la philosophie philosophy
   philosophique philosophical
la phrase sentence
la photographie photography
   faire de la photographie to take photographs *8*
le piano piano *8*
   faire du piano to play the piano *8*
la pièce room *7*
le pied foot *19*
   à pied on foot *6*
la pierre rock
   piloter to pilot *24*
le pique-nique picnic

pique-niquer to go on a picnic
la piscine pool *12*
la piste ski slope *10*
pittoresque picturesque
la pizza pizza
la place place *9*
   placé, -e placed
la plage beach *12*
le plaisir pleasure
   avec plaisir with pleasure
le plan map *13*
la planche à voile sailboard *12*
   faire de la planche à voile to go windsurfing *12*
la plaque license plate *23*
le plateau tray
la plongée diving
   plongée sous-marine snorkeling *12*
   faire de la plongée sous-marine to snorkel *12*
plonger to dive *12*
la plupart most
le pluriel plural
plus more *13*
   le plus, la plus, les plus the most *14*
   de plus more *4*
   plus... que more . . . than *13*
plusieurs many
le pneu tire *23*
   pneu à plat flat tire
la poche pocket
   comme ma poche like the back of my hand
le poème poem
le poète poet
   poinçonner to punch
la pointure shoe size *14*
   quelle est votre pointure? what size do you wear? *14*
le poisson fish *8*
la poissonnerie fish store *8*
le poissonnier, la poissonnière fish merchant *8*
le poivre pepper *18*
la politique politics *22*
la pollution pollution

la pomme apple *18*
   pommes frites french fries *6*
la pompe à essence gas pump *23*
le, la pompiste gas station attendant *23*
populaire popular *2*
le port port
la porte door *13;* gate *9*
   porte d'entrée entryway
porter to wear *12*
le porteur porter *9*
poser to ask
la position position
   posséder to possess
la possibilité possibility
la poste post office *25*
le postier, la postière postal clerk *25*
   potable drinkable
le pot-au-feu stew *18*
le poulet chicken
pour for *3*
   partir pour to set out for *11*
le pourboire tip *6*
le pourcentage percentage
pourquoi? why? *4*
   pourquoi pas? why not? *4*
pousser to push
pouvoir to be able *15*
pratiquer to practice
précéder to precede *25*
préféré, -e preferred
la préférence preference
préférer to prefer *14*
préhistorique prehistoric
préliminaire preliminary
le premier first (dates) *F*
premier, première first *13*
premièrement in the first place
prendre to take *12*
   prendre un bain de soleil to sunbathe *12*
préparer to prepare *5*
près de near
le présent present
presque almost
la pression pressure *23*
prêter to lend
prévu, -e predicted
Prince Édouard (l'île du) Prince Edward Island

la princesse princess
principal, -e, -aux principal *20*
le prix price
le problème problem
la procession procession
prochain, -e next
proche near
le produit product
le prof teacher
le professeur teacher
professionnel, -le professional *20*
le programme program
se promener to take a walk *21*
promettre to promise *18*
le pronom pronoun
prononcer to pronounce
la prononciation pronunciation
le, la propriétaire owner
la province province
prudemment carefully
la publicité publicity, commercial
puis then
le pull pullover sweater *14*
le pull-over pullover sweater *16*
pur, -e pure

Q

le quai platform *11*
la qualité quality
quand when *14*
quand même anyway, still
le quart quarter *G*
le quartier neighborhood
québécois, -e of or from Quebec
quel, quelle, quels, quelles what, which *10*
Quel est le score? What is the score? *20*
Quelle est la date? What is the date? *F*
Quelle heure est-il? What time is it? *G*
Quel temps fait-il? What is the weather like? *5*
quelque chose something

quelquefois sometimes
qu'est-ce que what *5*
qu'est-ce que c'est? what is it
la question question
pas question no doubt about it
la queue line
faire la queue to stand in line *11*
qui who *16*
qui ça? who's that? *D*
qui est-ce? who is it? *D*
quitter to leave
ne quittez pas hold the line *17*
quoi what
quoi de neuf? what's new? *17*

R

raconter to tell
le radiateur radiator
le radin stingy person
la radio radio
la raison reason
avoir raison to be right *13*
rapide rapid
rapidement rapidly
se raser to shave *21*
ravissant, -e lovely
le rayon department (in a store) *14*
la réaction reaction
réaliser to realize
recevoir to receive *20*
regarder to look at *5*
la région region
régulier, -ière regular
relayer to relay
relier to tie, to link
la religion religion
remarquer to remark
remettre to postpone *18*
remonter to go up again
remorquer to tow
remplacer to replace
rempli, -e full
remplir to fill *18*
rencontrer to meet (with someone)
se rendormir to go back to sleep

rendre to give back
rendre visite à to visit someone
renommé, -e renowned
rentrer to return
la réparation repair
réparer to repair *23*
le repas meal
répondre to reply, to answer *10*
répondre à to answer *10*
la réponse response
le représentant, la représentante representative
représenter to represent *20*
réserver to reserve *5*
le réservoir gas tank *23*
respecter to respect
le restaurant restaurant *6*
la restauration restaurant dining
rester to stay *19*
rester en forme to stay in shape *19*
le résultat result
le retour return
"Le retour du Jedi" The Return of the Jedi
réussir to succeed *18*
se réveiller to wake up *21*
revenir to come back *19*
le rez-de-chaussée ground floor *7*
rien nothing *16*
ne... rien nothing *16*
la rive bank (of a river)
la robe dress *14*
la mini-robe mini-dress
le rocher rock, boulder *12*
le roi king
le rôle role
le roman novel
le rôti de bœuf roast beef
la roue wheel *23*
rouge red *14*
rougir to blush *18*
rouler to roll
la route road *23*
la route départementale departmental road

RSVP (Répondez, s'il vous plaît) please respond

la rue street

le rythme rhythm

S

sa his, her, its *9*

le sable sand *12*

le sac bag *21*

    le sac de couchage sleeping bag *21*

    le sac à dos backpack *21*

sacré, -e darned

saignant, -e rare *6*

la saison season *16*

la salade salad *5*

la salle room

    salle à manger dining room

    salle d'attente waiting room *11*

    salle de bains bathroom *21*

    salle de jeux game room

    salle de séjour living room

saluer to greet

salut hi *A*

la sandale sandal *16*

le sandwich sandwich *5*

sanitaire sanitary

sans without

    sans blague! no kidding! *4*

    sans doute without a doubt

la santé health *6*

    être en bonne santé to be healthy *19*

le satellite satellite

satisfait, -e satisfied

sauf except

sauter to jump

sauvage savage

savoir to know *17*

le savon (*m*) soap *8*

le saxophone saxophone

la science science

le Scrabble Scrabble

se (*refl. pronoun*) himself, herself, themselves

secondaire secondary

le, la secrétaire secretary

le séjour living room

le sel salt *18*

la semaine week

    septième seventh

    sérieux, -euse serious *14*

la série series

    serrer to clasp

    se serrer la main to shake someone's hand

le serveur, la serveuse waiter, waitress

le service service

    le libre-service self-serve restaurant

la serviette napkin *18*

    servir to serve *11*

    ses (*possessive pronoun*) his, her, its *9*

le set placemat *18*

seul, -e alone *6*

    tout seul all alone *6*

seulement only

le short shorts *14*

si if *18*

s'il vous plaît please

similaire similar

sincère sincere *2*

le singulier singular

situé, -e situated

sixième sixth

le ski skiing *10*

    faire du ski nautique to water-ski *12*

    skier to ski

le skieur, la skieuse skier *10*

le snack-bar snack bar

    social, -e social *20*

le sondage d'opinion public opinion poll

la sœur sister *3*

la soie silk

la soif thirst *13*

    avoir soif to be thirsty *13*

le soir evening *6*

    ce soir tonight

    du soir in the evening, P.M. *G*

    solaire solar *12*

    la lotion solaire suntan lotion *12*

le solde sale

    en solde on sale *14*

le soleil sun *5*

le bain de soleil sunbath *12*

solide solid

solitaire solitary

    en solitaire solo

sombre dark

le sommet summit *10*

le son sound

    son, sa, ses (*poss. pronouns*) his, her, its *9*

la sonnerie ringing

sortir to leave, to go out *11*

    sortir de to go out of *11*

la soupe soup

souvent often

spécial, -e special

spécialement specially

spécialisé, -e specialized

la spécialité-maison house specialty *15*

spectacle show

le spectateur, la spectatrice spectator *20*

le sport sport *3*

    faire du sport to go in for sports *8*

    sportif, -ve athletic *3*

le stade stadium *20*

la station station *10*

    la station balnéaire seaside resort *12*

    la station de correspondance connecting station (train)

    la station de métro subway station *13*

    la station de ski ski resort *10*

    la station de sports d'hiver winter resort *10*

la statue statue

le steak steak *6*

la structure structure

stupide stupid

le style style

le stylo pen

le succès success

le sucre sugar *18*

le sud south

le sud-ouest southwest

    suggérer to suggest *14*

suisse Swiss

suivre to follow

le supermarché supermarket *8*

supersonique supersonic

sur on *21*

surprendre to surprise

la surprise-partie informal party *5*

surtout especially

sympa nice *2*

sympathique nice *2*

le système system

T

ta your *9*

la table table *18*

    mettre la table to set the table *18*

le tacot jalopy

la taille size *14*

le tailleur women's suit *16*

la tante aunt

tard, -e late

la tartine beurrée slice of bread with butter

le tas pile

la tasse cup *18*

le tee-shirt T-shirt *14*

la télé TV *5*

le télégramme telegram *25*

le téléphone telephone *5*

téléphoner to telephone *5*

    téléphoner à to call (someone) on the phone *17*

    téléphonique pertaining to the telephone

    le guide téléphonique telephone book

le télésiège chair lift *10*

la télévision television *5*

    la télévision par câble cable television

tellement to such a degree

la tempête storm

le temps weather *5*

    quel temps fait-il? what's the weather like? *5*

les tennis (*m*) sneakers

le tennis tennis

la tente tent *21*

    monter une tente to pitch a tent *21*

la tenue clothing

le terminus last stop (on a train)

le terrain ground *21*

    le terrain de camping camp ground *21*

    le terrain de football soccer field

la terrasse terrace *22*

    la terrasse de café sidewalk section of a café *22*

la terre ground

    par terre on the ground

tes your *9*

la tête head *19*

le théâtre theater

le ticket ticket *10*

tiens well, well

le timbre stamp *25*

le toast toast

    toi (*stress pronoun*) you *12*

    et toi? and you? *B*

la toilette bathroom *21*

tomber to fall down

ton, ta, tes your *9*

le tort wrong *13*

    avoir tort to be wrong *13*

toujours always

le tourisme tourism

le, la touriste tourist

touristique touristic

tourner to turn

le tournois tournament

tout, toute, tous, toutes all, every, each *10*

    à tout à l'heure see you soon *6*

    tout de suite right away

    tout le monde everyone *2*

    tous les deux both

    tous les matins every morning

    tout à coup suddenly

    tout nouveau brand new

    tout seul all alone; solo *6*

tracer to trace

la tradition tradition

le, la traditionaliste traditionalist

traditionnel, -le traditional

le train train *11*

traîner to pull

tranquil, -le tranquil

le transistor transistor radio

transporter to transport

le trapèze trapeze

le, la trapéziste trapeze artist

travailler to work *14*

traverser to cross

très very *4*

la tribu tribe

triste sad *2*

la trompette trumpet

trop too, too much

le trophée trophy

tropical, -e, -aux tropical *5*

trouver to find

    se trouver to be located

tu you

le type guy

    le chic type a nice guy

U

un, une one *1*

    les uns... les autres some ... others *12*

l'uniforme (*m*) uniform

l'URSS (*f*) U. S. S. R.

l'usine (*f*) factory

utile useful

utiliser to use

V

les vacances (*f*) vacation

    en vacances on vacation

    vachement tremendously

la vague wave *12*

la vaisselle dishes *18*

    faire la vaisselle to do the dishes *18*

la valise suitcase *9*

la variole smallpox

vas-y! let's go! *20*

la vedette launch *24*

le vélo bicycle

le vendeur, la vendeuse merchant *8*

vendre to sell *10*

venir to come *19*

le vent wind *10*

   il fait du vent it is windy *10*

le ventre stomach *19*

le verbe verb

   vérifier to check *23*

le verre glass *18*

   vert, -e green *14*

     les haricots verts (*m*) green beans *8*

la veste jacket *16*

les vêtements (*m*) clothing *14*

la viande meat *8*

    la viande hachée chopped meat

la victoire victory

   vide empty

   vidéocassette video tape

le vidéoclub video club

la vie life

   c'est la vie that's life

   jamais de la vie not on your life

   vieux, vieil, vieille old *13*

    mon vieux old buddy

   vif, vive lively

   vigoureux, vigoureuse vigorous

la ville city *6*

le vin wine *18*

   violent, -e violent

   violet, -ette purple *14*

le, la violoniste violinist

le virage turn, curve *23*

la visite visit

   rendre visite à to pay (someone) a visit

   visiter to visit (a place)

   vite hurry *10*

la vitesse speed

le vocabulaire vocabulary

   voici here is *10*

la voie track *11*

   voilà there is *A*

la voile sail *23*

    le bateau à voile sailboat *23*

   voir to see *16*

   voisin, -e neighbor

   voiture (*f*) automobile *23*; subway car *13*

le vol flight *9*

le volant steering wheel *23*

le volley volleyball

   volontiers! with pleasure!

   vos your *9*

   voter to vote

   votre, vos your *9*

vouloir to want, to want to *15*

   Je voudrais... I would like . . .

vous you *4*

le voyage trip *8*

   faire un voyage to take a trip *8*

   voyager to travel

   vrai, -e true *4*

    c'est vrai that's true *2*

   vraiment truly

la vue view

W

le wagon car (in a train) *11*

le wagon-restaurant dining car (on a train) *11*

Y

   Y there

   j'y suis! I get it!

les yeux (*m*) eyes *19*

Z

   zut! darn *13*

   zut alors! darn it! *13*

English-French Vocabulary

The English-French vocabulary contains only active vocabulary.

A

a, an un, une *1*
a lot, many, much beaucoup *5*
able: to be able pouvoir *15*
accessory l'accessoire (*m*) *1*
activity l'activité (*f*) *A*
to **adore, to love** adorer *5*
address l'adresse (*f*) *25*
addressee le destinataire *25*
after après *G*
afternoon l'après-midi (*m*) *G*
   in the afternoon de l'après-midi *G*
age l'âge (*m*) *7*
airline la ligne aérienne *9*
airplane l'avion (*m*) *9*
   by plane en avion *11*
airport l'aéroport (*m*) *9*
all tout, toute, tous, toutes *10*
all right d'accord *2*
alone: all alone tout seul *6*
already déjà *18*
also aussi *2*
amateur l'amateur (*m*) *20*
American américain, -e *1*
and et *B*
   and you et toi *B*
animal l'animal (*m*), les animaux *20*
to **announce** annoncer *17*
to **answer** répondre (à) *10*
apartment l'appartement (*m*) *7*
apartment house l'immeuble (*m*) *7*
apple la pomme *18*
arm le bras *19*
around autour de *24*
arrivals/departures board l'indicateur (*m*) *9*
to **arrive** arriver *5*
as ... as aussi...que *13*
to **ask; to ask for** demander (à) *6*
   at à *G*
athletic sportif, -ve *3*

attention: to pay attention faire attention *8*
attic (studio) l'atelier (*m*) *7*
automobile la voiture *23*

B

backpack le sac à dos *21*
badly mal *B*
   not bad pas mal *B*
   that's too bad c'est dommage *5*
bag le sac *21*
   sleeping bag le sac de couchage *21*
baggage le bagage *9*
baker boulanger, -ère (*m, f*) *8*
   bakery la boulangerie *8*
ball la boule *10*
bath le bain *12*
   bathroom la salle de bains *21*; la toilette *21*
   pertaining to bathing balnéaire *12*
   bathing suit le maillot *12*; le maillot de bain *16*
beach la plage *12*
bean le haricot *8*
   green beans les haricots verts (*m*) *8*
to **be** être *2*
to **be acquainted with** connaître *23*
because parce que *14*
bed: to go to bed se coucher *21*
before, to (minutes) moins *G*
to **begin** commencer *21*
to **believe** croire *16*
below: it is two degrees below zero il fait moins deux degrés *10*
belt la ceinture *16*
   seat belt la ceinture de sécurité *23*
better meilleur, -e *13*
   better than meilleur(e) que *13*
bicycle la bicyclette *20*
big grand, -e *1*
birthday l'anniversaire (*m*) *5*

black noir, -e *14*
blond blond, -e *1*
blouse le chemisier *14*
blue bleu, -e *14*
blue jeans le blue-jean *16*
to **blush** rougir *18*
boat le bateau *24*
boo! hou! *20*
booklet le carnet *13*
   ticket booklet le carnet de tickets *13*
bottle la bouteille *8*
boulder le rocher *12*
bowl le bol *18*
box la boîte *8*
boy le garçon *D*
bread le pain *8*
brother le frère *3*
brown brun, -e *14*
to **brush** se brosser *21*
building l'immeuble (*m*) *7*
but mais *4*
   no! mais non *3*
   yes! mais si *4*
butcher boucher, -ère (*m, f*) *8*
   butcher shop la boucherie *8*
butter le beurre *18*
to **buy** acheter *8*
by en, par *9*
   by train en train, par le train *11*
   by plane en avion *11*

C

café le café *22*
   café: sidewalk section la terrasse de café *22*
cake, pastry le gâteau *8*
to **call** appeler *21*
   to be called or named s'appeler *21*
   my name is ... je m'appelle... *21*
camper la caravane *21*
camping: to go camping faire du camping *21*
   camp ground le terrain de camping *21*
can (food) la boîte *8*

first (dates) le premier *F*

first premier, première *13*

fish le poisson *8*

  fish merchant poissonnier, -ère (*m, f*) *8*

  fish store la poissonnerie *8*

flight le vol *9*

floor (of a building) l'étage (*m*) *7*

  third floor le deuxième étage *7*

  ground floor le rez-de-chaussée *7*

food: canned foods les conserves (*f*) en boîtes *8*

foot le pied *6*

  on foot à pied *6*

for pour *3*

forehead le front *19*

fork la fourchette *18*

French français, -e *8*; le français *8*

  to study French faire du français *8*

french fries les pommes frites *6*

friend ami, -e (*m, f*) *2*

  friend (chum) le copain, la copine *3*

from de *2*

front; in front of devant *15*

fruit le fruit *8*

G

to gain weight grossir *18*

game: tied game le match nul *20*

gasoline l'essence (*f*) *23*

  gas pump la pompe à essence *23*

  gas station attendant pompiste (*m, f*) *23*

  gas tank le réservoir *23*

general le général, les généraux *20*

generous généreux, -euse *14*

to get up se lever *21*

girl la fille *1*

to give donner *5*

glad content, -e *2*

glass le verre *18*

to go aller *6*

  let's go vas-y *20*

  to go down descendre *10*

to go out sortir, sortir de *11*

good bon, -ne *13*

good-bye au revoir *C*

great: that's great c'est formidable *5*

green vert, -e *14*

  green beans les haricots verts (*m*) *8*

ground le terrain *21*

  camp ground le terrain de camping *21*

guitar la guitare *8*

  to play the guitar faire de la guitare *8*

gymnastics la gymnastique *19*

  to do gymnastics faire de la gymnastique *19*

H

hair les cheveux (*m*) *19*

half demi, -e *G*

ham le jambon *15*

hand la main *19*

handsome beau (bel, belle, beaux) *13*

happy content, -e *2*; heureux, -euse *14*

to have avoir *7*

  to have to, should devoir *20*

he, it (*subj. pronoun*) il *1*

head la tête *19*

headband le bandeau *19*

headlight le phare *23*

health la santé *19*

  to be in good health être en bonne santé *19*

to hear entendre *10*

heart le cœur *19*

hello (on telephone) allô *17*

to help aider *9*

her elle (*stress pronoun*) *12* (*poss. pronoun*) son, sa, ses *9*

  (to) her (*indirect object*) lui *25*

here is voici *10*

hi salut *A*

highway l'autoroute (*f*) *23*

him (*direct object*) le *23*

  (to) him, (to) her (*indirect object*) lui *25*

his (*poss. pronoun*) son, sa, ses *9*

hold the line ne quittez pas *17*

homework les devoirs (*m*) *18*

hood (of a car) le capot *23*

hooray! hourrah! *20*

to hope espérer *14*

horse le cheval, les chevaux *20*

hour l'heure (*f*) *G*

house: at the house of chez *8*

  house specialty la spécialité-maison *15*

how comment *3*

how are you? ça va? *B*

how many, how much combien (de) *7*

hunger la faim *13*

  to be hungry avoir faim *13*

hurry! vite! *10*

husband le mari *18*

I

I (*subj. pronoun*) je *2*

I get it! j'y suis! *14*

ice cream la glace *22*

ice cream sandwich l'esquimau (*m*) *22*

to ice skate patiner *10*

  ice skating rink la patinoire *10*

if si *18*

ill: to be ill être malade *19*

in à *C*; dans *1*; en *4*

  in front of devant *15*

indicate indiquer *23*

inexpensive bon marché *14*

intelligent intelligent, -e *1*

interesting intéressant, -e *2*

international international, -e *20*

intersection le carrefour *23*

island l'île (*f*) *5*

it: (*subj. pron.*) il, elle *1*

  it is (referring to weather) il fait... *5*

  it is ... o'clock il est... heure(s) *G*

  is it est-ce *E*

  what is it qu'est-ce que c'est? *2*

its (*possessive pronoun*) son, sa, ses *9*

J

jacket la veste *16*
waist-length jacket le blouson *16*
jazz le jazz *5*
to jog faire du jogging *19*

K

kilo le kilo *8*
kilometer le kilomètre *23*
kitchen la cuisine *18*
knife le couteau *18*
to know savoir *17*
  to know, to be acquainted with connaître *23*

L

label: designer label la griffe *16*
to land atterrir *9*
language, tongue la langue *19*
launch la vedette *24*
to lead mener *21*
to learn apprendre *12*
  to learn how apprendre à *12*
least: the least le, la, les moins *14*
to leave (something or someone) laisser *6*
to leave (depart) partir *11*
  to leave for (a place) partir à, partir pour *11*
  to leave from (a place) partir de *11*
left gauche *14*
  to the left à gauche *14*
leg la jambe *19*
  to have sore legs avoir mal aux jambes *19*
legwarmer la jambière *19*
lemonade le citron pressé *22*
lemon soda la citronnade *22*
leotard le collant *19*
less moins *10*
  less than moins que *13*
letter (postal) la lettre *25*
license plate la plaque *23*
light: red light le feu rouge *23*
to like aimer *5*

line la ligne *9*
  subway line la ligne de métro *13*
to listen to écouter *5*
liter le litre *23*
to live (in a place) habiter (à) *5*
  loaf (of French bread) la baguette *8*
local local, -e *20*
long long, -ue *16*
to look at regarder *5*
to look for chercher *23*
  look here! dis donc! *2*
to lose perdre *10*
to lose weight maigrir *18*
  lot: a lot beaucoup *5*
lotion la lotion *12*
  suntan lotion la lotion solaire *12*
to love aimer *5*

M

magnificent magnifique *2*
to make, to do faire *8*
mail le courrier *25*
mail carrier facteur, factrice (*m, f*) *25*
mailbox la boîte aux lettres *25*
man l'homme (*m*) *24*
many beaucoup de *5*
map la carte *23*; le plan *13*
  road map la carte routière *23*
market le marché *8*
marvelous merveilleux, -euse *5*
me (*stress pronoun*) moi *12*
me (*obj. pronoun*) me *24*
meat la viande *8*
mechanic mécanicien, -ne (*m, f*) *23*
medium (steak) à point *6*
menu le menu *6*
men's suit le costume *16*
merchant marchand, -e (*m, f*) *8*; vendeur, -euse (*m, f*) *8*
midnight minuit *G*
milk le lait *8*
mineral minéral, -e, aux *8*
  mineral water l'eau minérale (*f*) *8*
minutes to . . . (with time) moins *G*
mirror le miroir *21*

miss mademoiselle *A*
money l'argent *8*
more plus *14*; de plus *4*
more . . . than plus... que *13*
morning le matin *G*
  in the morning (A.M.) du matin *G*
most: the most le plus, la plus, les plus *14*
mother la mère *7*
motor le moteur *23*
mount le mont *10*
mountain la montagne *10*
mouth la bouche *19*
Mr. monsieur *A*
Mrs. madame *A*
much beaucoup *5*
municipal municipal, -e, -aux *20*
my mon, ma, mes *9*

N

name le nom *25*
my name is . . . je m'appelle... *21*
napkin la serviette *18*
nautical nautique *12*
neat (cool) chouette *2*
  that's neat c'est chouette *2*
necklace le collier *16*
to need avoir besoin de *13*
nervous nerveux, -euse *14*
never ne... jamais *16*
new nouveau, nouvel, nouvelle *13*
  what's new? quoi de neuf? *17*
news la nouvelle *17*
newspaper le journal, les journaux *18*
nice sympa, sympathique *2*
  it is nice (weather) il fait beau *5*
no non *2*
no kidding sans blague *4*
noon midi *G*
nose le nez *19*
not ne (n')... pas *2*
nothing ne... rien *16*
number le nombre *E*; le numéro *11*

O

of de *2*
oil l'huile (*f*) *23*

okay d'ac, d'accord *2*
old vieux, vieil, vieille *13*
on sur *21*
  on the contrary au contraire *3*
  on sale en solde *14*
one (they, people, we, you) on *9*
one-way ticket l'aller (*m*) *11*
only seul, -e; seulement *6*
opposite en face de *25*
orange (color) orange *14*
orange (fruit) l'orange (*f*) *18*
orange soda l'orangeade (*f*) *22*
original original, -e, -aux *20*
to order (ask for) commander *6*
our notre, nos *9*
owner, proprietor patron, -ne (*m, f*) *22*

P

package le colis *25*
pain le mal *19*
  to have pain in avoir mal à *19*
pants le pantalon *14*
pantyhose les bas collants (*m*) *16*
paper: toilet paper le papier hygiénique *8*
park le parc *10*
party la fête *5*
  informal party la surprise-partie *5*
pass (boarding) la carte d'embarquement *9*
passenger passager, -ère (*m, f*) *9*
passport le passeport *9*
pastry le gâteau *18*
  pastry chef pâtissier, -ère *8*
pastry shop; pastry la pâtisserie *8*
path le chemin *21*
to pay payer *15*
people les gens (*m*) *13*
pepper le poivre *18*
peppermint soda le diabolo menthe *22*
photograph la photographie; la photo *8*
  to go in for photography faire de la photographie *8*

piano le piano *8*
  to play the piano jouer du piano *17*
to pilot piloter *24*
place la place *9*
placemat le set *18*
place setting le couvert *18*
plate l'assiette (*f*) *18*
plate: license plate la plaque *23*
platform le quai *11*
to play (game) jouer à *17*
to play (instrument) jouer de *17*
P.M. de l'après-midi; du soir *G*
politics la politique *22*
police officer l'agent (*m*) de police *23*
pool la piscine *12*
popular populaire *2*
porter le porteur *9*
postal clerk postier, -ère (*m, f*) *25*
postcard la carte postale *25*
post office la poste *23*
to postpone remettre *18*
pound la livre *8*
to precede précéder *25*
to prefer préférer *14*
to prepare préparer *5*
pressure la pression *23*
pretty beau (bel, belle, beaux), joli, -e *13*
principal principal, e, -aux *20*
professional professionel, -le *20*
to promise promettre *18*
pullover sweater le pull, le pull-over *14*
purple violet, violette *14*
to push (a button) appuyer sur *25*
to put, to place mettre *18*

Q

quarter le quart *G*
question: indicates a question est-e que (qu') *2*

R

race la course *20*
racer (bicycle) le coureur cycliste *20*
raincoat l'imperméable (*m*) *16*

rare (meat) saignant, -e *6*
read lire *18*
to receive recevoir *20*
record (album) le disque *5*
red rouge *14*
to repair réparer *23*
to reply (to) répondre (à) *10*
to represent représenter *20*
resort la station *12*
  seaside resort la station balnéaire *12*
  ski resort la station de ski *10*
  winter resort la station de sports d'hiver *10*
restaurant le restaurant *6*
right la droite *14*
  to the right à droite *14*
right droit, -e *14*
right: to be right avoir raison *13*
  that's right c'est ça *2*
road la route *23*
rock le rocher *12*
room la pièce *7*
  waiting room salle d'attente *11*
round-trip ticket (billet) aller et retour *11*
to run courir *19*

S

sad triste *2*
sail la voile *23*
  sailboat le bateau à voile *24*
sailboard la planche à voile *12*
sailor le marin *24*
saint's day la fête *5*
salad la salade *5*
sale: on sale en solde *14*
salt le sel *18*
sand le sable *12*
sandal la sandale *16*
sandwich le sandwich *5*
to say dire *18*
to score marquer *25*
school l'école (*f*) *1*
sea la mer *5*
seashore: at the seashore au bord de la mer *12*
season la saison *16*
seated assis, -e *22*
second deuxième *7*
  second class deuxième classe *11*

secondary school le lycée *1*
security checkpoint le
   contrôle de sécurité *9*
to see voir *16*
   see you in a while à tout à
      l'heure *C*
to sell vendre *10*
to send envoyer *25*
   sender expéditeur, expéditrice
      (*m, f*) *25*
serious sérieux, -euse *14*
to serve servir *11*
   shape: in shape en forme
      19
      to stay in shape rester en
         forme *19*
to shave se raser *21*
   she (*subj. pronoun*) elle *1*
to shine briller *5*
   shirt la chemise *14*
   shoe la chaussure *14*
   shop la boutique *16*
      to do the daily food
         shopping faire les
         courses *8*
      to go shopping faire des
         courses
   short petit, -e, court, -e *16*
   shorts le short *14*
   should (ought) devoir *20*
to show montrer *9*
   shower la douche *21*
   sign: road sign le panneau
      23
   signal: directional signal le
      clignotant *23*
   sincere sincère *2*
to sing chanter *5*
   sister la sœur *3*
to sit down s'asseoir *22*
   size la pointure; la taille *14*
      what size do you
         wear? quelle est votre
         pointure (taille)? *14*
   skiing le ski *10*
to ski, to go skiing faire du ski
      10
      to water-ski faire du ski
         nautique *12*
      ski boot la botte de ski *10*
      ski instructor moniteur,
         monitrice (*m, f*) *10*
      ski jacket l'anorak (*m*) *10*
      ski lift ticket le ticket *10*
      ski pole le bâton *10*
      ski slope la piste *10*
      skier skieur, -euse (*m, f*) 10

   skirt la jupe *14*
   sky le ciel *5*
to sleep dormir *21*
   sleeping bag le sac de
      couchage *21*
   sleeping compartment
      (train) couchette *11*
   slowly lentement *21*
   small petit, -e *1*
   snorkeling la plongée sous-
      marine *12*
      to go snorkeling faire de la
         plongée sous-marine *12*
   snow la neige *10*
to snow neiger *10*
   snowball la boule de neige
      10
   soap le savon *8*
   social social, -e *20*
   sock la chaussette *14*
   solar solaire *12*
   solo en solitaire *24*
   some . . . others les uns... les
      autres *12*
   son le fils *7*
   song la chanson *5*
   soon bientôt *C*
      see you soon à bientôt
         C; à tout à l'heure *6*
   sore: to have a sore . . . avoir
      mal à... *19*
   so-so comme ci, comme ça *6*
   soup plate l'assiette creuse (*f*)
      18
to speak parler *5*
   spectator spectateur,
      spectatrice (*m, f*) *20*
to spend (time) passer *9*
   spoon la cuiller *18*
   sport le sport *3*
      to go in for sports faire du
         sport *8*
   stadium le stade *20*
   stage, leg (of a race) l'étape
      (*f*) *24*
   stamp le timbre *25*
to stand (in line) faire la queue
      15
   station la station *10*
      subway station la station
         de métro *13*
to stay rester *19*
      to stay in shape rester en
         forme *19*
   steak le steak *6*
   steering wheel le volant
      23

   stew le pot-au-feu *18*
   stomach le ventre *19*
to stop s'arrêter *23*
   store le magasin *8*
      department store le grand
         magasin *8*
   strawberry la fraise *8*
   strong fort, -e *3*
   student l'élève (*m, f*) *1*
to study étudier, faire de *8*
   style la mode *16*
      in style, in fashion à la
         mode *16*
      out of style démodé, -e *16*
   stylish chic *16*
   suburb la banlieue *18*
   subway le métro *13*
      subway car la voiture *13*
      subway line la ligne de
         métro *13*
      subway ticket le ticket *13*
to succeed réussir *18*
   sugar le sucre *18*
   suit (men's) le costume *16*
   suit (women's) le tailleur *16*
   suitcase la valise *9*
to suggest suggérer *14*
   summer l'été (*m*) *5*
   summit le sommet *10*
   sun le soleil *5*
   sunbath le bain de soleil *12*
to sunbathe prendre un bain de
      soleil *12*
   suntan lotion la lotion solaire
      12
   supermarket le supermarché
      8
   sweater: cardigan le
      chandail *14*
      pullover sweater le pull *16*
to swim nager *12*

T

   table la table *18*
      to set the table mettre la
         table *18*
   tablecloth la nappe *18*
to take prendre *12*
   tall grand, -e *1*
   team l'équipe (*f*) *20*
   telegram le télégramme *25*
   telephone le téléphone *5*
to telephone téléphoner *5*
      to call (someone) on the
         phone téléphoner à *17*
   television la télévision *5*

tent la tente *21*
  to pitch a tent monter une tente *21*
terrace la terrasse *22*
thank you merci *D*
that ça *2*
  isn't that so? n'est-ce pas? *2*
  that is c'est *2*
  that's okay ça ne fait rien *16*
  that . . . there ce... -là *11*
the (*def. article*) l' (*m, f*); la (*f*); le (*m*) *1*; les (*pl*) *3*
their (*poss. pronoun*) leur (*m, f*); leurs (*pl*) *9*
them (*obj. pronoun*) les *23* (*stress pronoun*) eux (*m*), elles (*f*) *12*
there: there is, there are il y a *7*
  Is (name) there? . . . (name) est là? *17*
  over there là-bas *D*
  there it is voilà *A*
they (*subj. pronoun*) ils (*m pl*), elles (*f pl*) *3*
thirst la soif *13*
  to be thirsty avoir soif *13*
then alors *3*
this, that, these, those ce, cet, cette, ces *11*
  this . . . here ce... -ci *11*
throat la gorge *19*
to throw jeter *21*
ticket le billet, le ticket *9*
  one way ticket l'aller (*m*) *11*
  round-trip ticket un (billet) aller et retour *11*
  ticket window le guichet *10*
tie la cravate *14*
tights le collant *19*
time: at what time? à quelle heure? *G*
  what time is it? quelle heure est-il? *G*
timetable l'horaire (*m*) *11*
tip le pourboire *6*
tire le pneu *23*
to à *C*
tobacconist's shop le bureau de tabac *22*
today aujourd'hui *F*
tooth la dent *19*
town: into town en ville *6*
track la voie *11*

traffic la circulation *23*
  traffic jam l'encombrement (*m*) *23*
train le train *11*
  by train en train *11*
  train station la gare *11*
trip le voyage *9*
  have a good trip! bon voyage! *9*
  to take a trip faire un voyage *8*
trophy le trophée *20*
tropical tropical, -e, -aux *5*
true vrai, -e *4*
  that's true c'est vrai *2*
to try essayer *25*
  trunk (of a car) le coffre *23*
T-shirt le tee-shirt *14*
turn le virage *23*
TV la télé *5*

U

umbrella le parapluie *16*
unbelievable incroyable *4*
to understand comprendre *12*
us (*obj. pronoun*) nous *24*
to use employer *25*

V

vegetable le légume *8*
very bien *8*; très *4*
video: video game le jeu vidéo *17*
  video cassette recorder le magnétoscope *17*
  video game machine le flipper; la machine à jeux vidéo *17*

W

to wait for attendre *10*
waiter le garçon *6*
waiting room la salle d'attente *11*
to wake up se réveiller *21*
walk: to take a walk se promener *21*
to want désirer *5*; vouloir *15*
  to want, to feel like avoir envie de *13*
warm chaud, -e *13*
  to be warm avoir chaud *13*

to wash laver *21*
  to wash (oneself) se laver *21*
watch out for faire attention (à) *8*
water l'eau (*f*) *8*
  mineral water l'eau minérale (*f*) *8*
wave la vague *12*
we (*subj. pronoun*) nous *24*
weak faible *3*
to wear porter *12*
weather le temps *5*
  it's . . . weather il fait... *5*
  what's the weather like? quel temps fait-il? *5*
well bien *B*
  well-done (meat) bien cuit *6*
  well done! bravo! *20*
  well, so eh bien *14*
west l'ouest (*m*) *23*
what, which quel, quelle, quels, quelles *10*
  what is the score? quel est le score? *20*
  what is the date? quelle est la date? *F*
  what time is it? quelle heure est-il? *G*
  what is the weather like? quel temps fait-il? *5*
  what is it? qu'est-ce que c'est? *5*
wheel la roue *23*
when quand *14*
white blanc, blanche *14*
who qui *16*
  who is it? qui est-ce? *D*
why? pourquoi? *4*
  why not? pourquoi pas? *4*
wide grand, -e *1*
to win gagner *20*
wind le vent *10*
  it is windy il fait du vent *10*
windshield le pare-brise *23*
windsurfing: to go windsurfing faire de la planche à voile *12*
wine le vin *18*
winner le gagnant *20*
winter l'hiver (*m*) *10*
to wipe essuyer *25*
to wish vouloir *15*
  with avec *6*
  woman la femme *18*

to work travailler *14*
to work (machinery)
    fonctionner *23*
to worry s'en faire *13*
    don't worry about it ne
      t'en fais pas *13*
to write écrire *18*
    wrong le tort *13*
      be wrong avoir tort
        13

Y

year l'an (*m*), l'année (*f*) *7*
yellow jaune *14*
yes oui *B*
yesterday hier *17*
you tu, vous (*subject
pronoun*) *2, 4;* toi, vous
(*stress pronoun*) *5, 12*
    and you? et toi? *B*

young jeune *13*
    young people les jeunes
      gens (*m*) *13*
your ton, ta, tes *9;* votre, vos
  9

Z

zip code le code postal *25*

Index